Si tu me voyais maintenant

Cecelia AHERN

Si tu me voyais maintenant

*Traduit de l'anglais
par Madeleine Nasalik*

Titre original :
IF YOU COULD SEE ME NOW

Pour Georgina, qui a choisi de croire…

1

C'est un vendredi matin du mois de juin que je suis devenu le meilleur ami de Luke. À neuf heures et quart, pour être exact ; ce détail m'est resté en tête parce que j'ai regardé ma montre à cet instant précis. Sans motif particulier, à vrai dire, car je n'étais attendu nulle part. Mais comme le hasard, d'après moi, n'existe pas, il faut croire que j'ai vérifié l'heure afin de pouvoir raconter correctement mon aventure. Les détails ont leur importance dans une histoire, pas vrai ?

Rencontrer Luke ce matin-là m'a mis du baume au cœur. Je venais de me séparer de Barry, mon précédent meilleur ami, et ce départ m'avait un peu miné le moral. Quitter ses meilleurs amis, ça fait partie du boulot et je m'en passerais bien, seulement broyer du noir n'avance à rien, alors à chaque fois je me répète «un de perdu, dix de retrouvés». Et lier de nouvelles amitiés c'est ce que je préfère, de loin. Voilà pourquoi on m'a proposé ce job, si vous voulez mon avis.

Je vais vous parler de mon travail dans une petite minute ; laissez-moi d'abord vous raconter comment j'ai fait la connaissance de Luke.

J'ai refermé derrière moi le portail qui donne sur le jardin de Barry et je me suis mis en route. Comme ça, sans but précis, et je me suis retrouvé au cœur d'un lotissement baptisé Fuchsia Lane. Le quartier tirait sûrement son nom des fuchsias qui avaient envahi la moindre parcelle de terrain. Une vraie jungle, cet endroit. Ah, j'ai oublié : par «cet endroit», j'entends la petite ville de Baile na gCroíthe, dans le comté de Kerry. En Irlande.

Par un mystère qui m'échappe, Baile na gCroíthe est devenu, en anglais, Heartstown. La Ville des Cœurs. Pour moi, cette traduction sonne mieux à l'oreille que le nom original.

Fuchsia Lane abritait douze maisons, six sur chaque trottoir, toutes différentes. L'impasse était très animée, une foule de gens s'affairaient. Souvenez-vous : en cette matinée de vendredi, un soleil radieux brillait haut dans le ciel et tout le monde respirait la bonne humeur. Enfin, presque tout le monde.

De nombreux enfants jouaient sur la chaussée, qui à chat perché, qui à la marelle, qui au ballon, et j'en passe. D'autres faisaient du vélo. On les entendait rire et pousser des cris de joie – une joie décuplée par le fait que les vacances avaient commencé. Même s'ils me semblaient très gentils, ceux-là ne m'intéressaient pas vraiment. Vous comprenez, je ne peux pas m'attacher au premier venu. Mon travail consiste en tout autre chose.

Un homme tondait la pelouse devant sa maison tandis qu'une femme, équipée d'énormes gants crasseux, s'occupait des parterres de fleurs. Un parfum d'herbe fraîchement coupée flottait dans l'air et les sons que produisait le sécateur de la femme qui taillait, coupait, sectionnait, tranchait, composaient une véritable musique. Dans le jardin suivant, un type braquait un tuyau d'arrosage sur sa voiture tout en sifflotant une mélodie que je ne connaissais pas. Le jet d'eau faisait glisser la mousse savonneuse sur la carrosserie lustrée. De temps à autre, le type se retournait vivement et aspergeait deux fillettes qui, dans leurs maillots de bain à rayures jaunes et noires, m'ont fait penser à deux abeilles géantes. Leurs fous rires m'ont rendu heureux.

Dans l'allée d'après, un garçon et une fille jouaient à la marelle. Je les ai observés un court instant sans réussir à attirer leur attention et j'ai repris ma route. Dans chaque jardin des enfants s'amusaient ; pourtant aucun ne m'a aperçu ni ne m'a invité à le rejoindre. Des gamins à bicyclette ou perchés sur des planches de skate, des voitures télécommandées me dépassaient à toute allure, comme si je n'existais pas. Je commençais à craindre d'avoir commis une erreur en débarquant à Fuchsia Lane, j'étais un peu perdu car, d'habitude, mon instinct ne me trompe pas et les enfants, ici, ce n'était pas ce qui manquait. Je me suis assis sur le muret de la dernière maison et j'ai refait le trajet dans ma tête.

Au bout de quelques minutes, je me suis rendu à l'évidence : le problème ne venait pas de moi, je me trompe très rarement de direction. J'ai donc pivoté et fait face à la maison. Le jardin étant désert, j'ai examiné le bâtiment. Un pavillon coquet sur deux niveaux, flanqué d'un garage avec, devant, garée une voiture luxueuse qui brillait au soleil. Une plaque fixée au muret annonçait « Fuchsia House » ; un fuchsia en fleur grimpait le long du mur, coiffait la porte d'entrée et s'élevait jusqu'au toit. Une partie de la façade se composait de briques brunes, une autre avait été peinte en ocre. Les fenêtres étaient tantôt carrées, tantôt rondes. Ultime touche d'originalité, la porte d'entrée rose vif, dotée de deux longs panneaux en verre dépoli, d'un imposant heurtoir en cuivre et d'une boîte aux lettres. Cette porte, on aurait dit un visage : deux yeux, un nez et une bouche tout sourire. Je lui ai adressé un petit signe de la main et lui ai souri en retour, au cas où. On ne sait jamais, de nos jours.

Juste à ce moment-là, l'entrée s'est ouverte sur un jeune garçon qui semblait hors de lui. Le nouveau venu s'est précipité dehors en claquant la porte avec fracas. Dans une main il tenait un gros camion de pompiers rouge, dans l'autre une voiture de police. Moi j'adore les camions de pompiers ; c'est ce que je préfère. Le garçon a sauté de la dernière marche du perron, couru jusqu'au jardin et s'est laissé tomber sur le gazon. Il a réussi à salir les genoux de son pantalon de jogging noir et j'ai éclaté de rire. Les taches d'herbe, c'est super parce que ça ne part pas au lavage. Barry et moi, on se payait tout le temps des dérapages contrôlés dans l'herbe… Bon, le garçon s'est mis à entrechoquer ses deux jouets et à produire un tas de bruits avec sa bouche. Pour les bruits, il était fort. Barry et moi, on s'amusait aussi comme ça, avant. Je trouve ça marrant, d'inventer des choses qui n'arrivent jamais dans la vraie vie.

À force de prendre des coups, le chef des pompiers, agrippé à l'échelle sur le côté du camion, s'est décroché. Je suis parti d'un grand rire et le garçon a levé les yeux.

Il m'a regardé. Il a plongé son regard droit dans le mien.

— Salut, j'ai dit d'une voix nerveuse.

Je me suis éclairci la gorge et j'ai changé de position. Je portais mes Converse attitrées, les bleues, et j'avais encore des stries vertes au bout qui dataient du jour où Barry et moi on avait fait des roulades dans l'herbe. J'ai commencé à frotter le caoutchouc contre le muret en briques pour faire partir les taches, et je me suis demandé quoi ajouter. Même si j'adore me faire de nouveaux amis, les premiers moments me rendent toujours un peu nerveux. Je risque en permanence de me faire jeter, et ça me fiche la frousse. Jusqu'ici j'ai eu de la chance, mais je dois garder à l'esprit que tout peut arriver.

— Salut, a marmonné le garçon en remettant le pompier à sa place.

— Tu t'appelles comment ? j'ai demandé en frottant ma Converse de plus belle.

Les taches tenaient bon.

Le garçon m'a étudié un instant, m'a toisé comme s'il hésitait à me répondre. Je trouve ça insupportable, cette incertitude. Essayez donc de devenir l'ami de quelqu'un qui ne veut pas de vous. Je me suis déjà pris des gamelles, mais les gens finissent toujours par changer d'avis : même s'ils ne s'en rendent pas compte, ils ne veulent pas me laisser partir.

Le garçon avait les cheveux très blonds et de grands yeux bleus. Il s'est décidé à ouvrir la bouche.

— Je m'appelle Luke. Et toi ?

J'ai fourré mes mains dans mes poches et flanqué avec application des coups de pied dans le muret. Les briques s'effritaient et tombaient sur le trottoir par plaques. Les yeux baissés, j'ai déclaré :

— Ivan.

— Salut, Ivan, s'est-il exclamé dans un grand sourire édenté.

— Salut, Luke.

Moi, j'ai toutes mes dents.

— J'aime bien ton camion de pompiers. Mon meilleur copain, enfin, mon ancien meilleur copain, Barry, il en avait un pareil et on jouait tout le temps avec. Par contre, la lance à incendie, le nom est débile, parce que ça ne lance pas de feu du tout, ai-je regretté, les mains toujours enfoncées dans les poches, la tête rentrée dans les épaules.

Ça m'empêchait de bien entendre, alors je me suis redressé pour comprendre ce que disait Luke.

Le blondinet rigolait tellement qu'il se roulait dans l'herbe.

— Tu crois qu'une lance à incendie ça lance du feu ? a-t-il piaillé.

— C'est pour ça qu'on l'appelle comme ça, non ? j'ai répondu du tac au tac.

Luke s'est retrouvé sur le dos, a battu l'air de ses pieds et s'est esclaffé :

— Quelle andouille ! Les lances à incendie, c'est pour éteindre les feux !

J'ai retourné son explication dans ma tête.

— Eh bien, moi, je vais te le dire ce qui éteint les feux, ai-je annoncé gravement. L'eau.

Luke s'est frappé la tempe de l'index, a crié « N'importe quoi ! », a louché et s'est laissé tomber sur la pelouse.

J'ai rigolé. Mon nouvel ami était vraiment drôle. Il a levé des sourcils interrogateurs.

— Tu veux jouer avec moi ?

— Bien sûr. J'adore jouer !

La bouche fendue jusqu'aux oreilles, j'ai enjambé le muret et rejoint Luke dans le jardin.

— Tu as quel âge ? il m'a demandé, l'air soupçonneux. On croirait que tu es vieux comme ma tante, et ma tante, elle n'aime pas jouer au camion de pompiers.

J'ai haussé les épaules.

— Dans ce cas, ta tante est une vieille enquiquineuse barbifiante.

— Barbifiante ! s'est exclamé Luke, au septième ciel. Ça veut dire quoi, barbifiante ?

— Ça veut dire casse-pieds, j'ai déclaré en fronçant le nez et en prononçant « casse-pieds » comme s'il s'agissait d'une maladie.

J'aime bien employer des mots que personne n'utilise plus, j'ai l'impression d'inventer ma propre langue.

— Casse-pieds, a répété Luke en imitant ma grimace, beurk.

— Et toi, tu as quel âge ? ai-je risqué en balançant la voiture de police dans le camion de pompiers.

Le bonhomme s'est de nouveau cassé la figure.

11

— Je dirais que tu es aussi vieux que ma tante à moi, ai-je poursuivi sur un ton accusateur, ce qui a provoqué une autre crise.

Luke riait très fort.

— J'ai seulement six ans, Ivan! Et je ne suis pas une fille!

— Oh.

Je n'ai pas de tante, à vrai dire, je voulais simplement le faire rigoler.

— Pourquoi «seulement»? Six ans, c'est chouette.

Juste quand j'allais lui demander quel était son dessin animé préféré, j'ai entendu la porte d'entrée s'ouvrir et une femme hurler. Luke est devenu tout pâle, j'ai tourné la tête pour voir ce qui se passait.

— SAOIRSE, RENDS-MOI MES CLEFS!

Une jeune femme dans tous ses états, les joues rouges, le regard affolé, le visage balayé par ses longs cheveux sales d'un roux flamboyant, a dévalé le perron. Un nouveau cri en provenance de la maison l'a fait trébucher sur ses chaussures à semelles compensées. Elle a poussé un juron et s'est appuyée contre le mur, le temps de retrouver l'équilibre, a levé les yeux et regardé dans notre direction, au fond du jardin. J'ai eu un mouvement de recul, et j'ai remarqué que Luke a réagi de la même manière. La femme a levé le pouce en signe de victoire puis lancé à Luke d'une voix rauque:

— À plus tard, champion.

Elle s'est alors détachée du mur et a mis le cap d'un pas incertain mais rapide sur la voiture garée dans l'allée.

— SAOIRSE! s'égosillait l'autre femme. J'APPELLE LA POLICE SI TU TOUCHES À MA BMW!

La rousse a poussé un grognement et appuyé sur la télécommande. Les phares du véhicule ont clignoté en émettant un petit bip. Elle a ouvert la portière, s'est installée derrière le volant – non sans s'être cognée contre le châssis –, a grommelé un nouveau juron et s'est enfermée à double tour. De là où j'étais, j'ai entendu le dispositif de verrouillage se déclencher. Dans la rue, des enfants ont cessé de jouer et se sont intéressés de plus près au spectacle qui se déroulait sous leurs yeux.

La propriétaire de la voix stridente a fini par apparaître sur le seuil, un téléphone à la main. Elle n'avait rien de commun avec la fugueuse. Ses cheveux d'un brun profond formaient un petit chignon serré dont pas une mèche ne dépassait. Elle portait un tailleur-pantalon gris très chic qui détonnait avec ses clameurs suraiguës, incontrôlées. Écarlate, à bout de souffle, elle s'est élancée vers la voiture – pas facile, avec ses talons hauts –, a dansé autour, s'est acharnée sur la poignée, en pure perte, et a formulé de nouvelles menaces.

— J'appelle la police, Saoirse, a-t-elle grondé en agitant le téléphone devant la vitre.

Réfugiée dans l'habitacle, Saoirse s'est contentée d'esquisser un rictus et de démarrer. Son assaillante l'a suppliée, d'une voix tremblante, de sortir du véhicule. Sautillant sur place, la pauvre semblait lutter contre une créature qui gigotait à l'intérieur d'elle et cherchait à s'échapper, comme l'Incroyable Hulk.

Saoirse s'est élancée dans la longue allée pavée. À mi-chemin elle a ralenti, sans s'arrêter pour autant. L'inconnue s'est détendue, a paru soulagée. La voiture a poussé à petite allure jusqu'au portail et la vitre du côté du conducteur s'est abaissée. Un doigt en a surgi, dressé haut et fier, à la vue de tous.

— Ah, ça veut dire qu'elle va revenir dans une minute, ai-je rassuré Luke, qui m'a jeté un drôle de regard.

La terreur s'est peinte sur le visage de la femme au téléphone tandis que la voiture remontait l'impasse à tombeau ouvert, évitant de justesse un jeune spectateur. Quelques mèches folles s'étaient échappées de son chignon.

Luke a baissé le nez et, très calme, a rétabli le pompier sur son échelle. La femme brune a hurlé d'exaspération, levé les bras au ciel et pivoté sur elle-même. Avec un craquement sinistre, le talon d'une de ses chaussures s'est coincé entre deux pavés. L'élégante a secoué la jambe, gagnée par l'énervement, et fini par déloger sa chaussure – en arrachant le talon.

— MEEEEEERDE! a-t-elle explosé.

Juchée sur une chaussure intacte et un escarpin estropié, elle a boitillé jusqu'au porche et s'est engouffrée dans la maison en claquant la porte rose fuchsia derrière elle. La boîte aux lettres m'a adressé un nouveau sourire et je lui ai rendu la politesse.

— À qui tu souris ? s'est étonné Luke.

— À la porte, ai-je répondu.

Ça allait de soi.

Luke m'a dévisagé, visiblement soucieux, rendu sans doute inquiet par la scène à laquelle il venait d'assister et par mes petites bizarreries.

À travers les panneaux de verre, on voyait la femme arpenter le couloir.

— Qui c'est ? ai-je demandé à Luke.

— Ma tante, a-t-il chuchoté. Elle s'occupe de moi.

— Oh. Et la femme dans la voiture ?

Le garçonnet a fait lentement rouler la voiture de pompiers sur le gazon, écrasant les brins d'herbe sur son passage. Il a parlé à voix basse :

— Elle, c'est Saoirse. Ma mère.

— Oh.

Un silence triste a plané sur nous.

— Sir-cha, ai-je répété en savourant chaque syllabe.

C'était comme si une bourrasque s'échappait de mes poumons, ou comme les arbres qui discutent ensemble les jours de grand vent...

— Siiiiir-chaaaaaaa...

J'ai arrêté dès que Luke m'a fusillé du regard, puis j'ai cueilli un bouton-d'or et je l'ai tenu sous son menton. Un reflet cuivré a caressé sa peau pâlichonne.

— Tu aimes le beurre, ai-je constaté. C'est pas ton amoureuse, Saoirse, alors ?

Aussitôt son visage s'est éclairé, et Luke a pouffé. Mais pas aussi joyeusement que les fois précédentes.

— Qui c'est, ce Barry dont tu m'as parlé ? a-t-il demandé en s'acharnant de toutes ses forces sur mon camion.

— Barry McDonald, il s'appelle.

— Barry McDonald ! Mais il est dans la même classe que moi !

Ça a fait tilt.

— Je savais que je te connaissais de quelque part, Luke. Figure-toi que je te voyais tous les jours quand je tenais compagnie à Barry à l'école.

— Tu allais à l'école avec Barry ?

— Ouais, on s'amusait bien ensemble.

Luke a plissé les yeux.

14

— Bizarre que je ne t'y ai jamais vu.

J'ai éclaté de rire.

— Eh bien, ça n'a rien d'étonnant, grosse nouille, ai-je fait d'un ton neutre.

2

Le cœur d'Elizabeth battait la chamade. La jeune femme claqua la porte derrière elle et clopina dans le vestibule. Le téléphone calé au creux de l'épaule, elle s'appuya sur la console et retira son escarpin abîmé. On pouvait toujours compter sur Saoirse pour gâcher une journée qui s'annonçait magnifique.

Elle en profita pour inspecter son reflet dans le miroir, et ses yeux s'écarquillèrent d'horreur. Elle s'autorisait rarement à paraître aussi débraillée. Aussi négligée. Son impeccable chignon banane était sens dessus dessous, comme si elle avait fiché ses doigts dans une prise électrique. Du mascara s'était niché dans les ridules de ses paupières ; de ses lèvres ne restait que le contour, tracé au crayon prune, et les larmes avaient creusé un sillon dans son fond de teint. Envolée, l'irréprochable Elizabeth. Les battements de son cœur s'accélérèrent, sa panique monta d'un cran.

Respire, Elizabeth, respire, s'exhorta-t-elle. Elle passa une main tremblante dans ses cheveux ébouriffés et se recoiffa sommairement. Essuya le mascara d'un doigt mouillé de salive, pinça les lèvres, lissa sa veste du plat de la main et se racla la gorge. Un simple moment de distraction, voilà tout. Qui ne se reproduirait plus.

Elizabeth changea le téléphone d'épaule et remarqua qu'à force d'appuyer dessus, le motif celtique de sa boucle d'oreille s'était imprimé dans son cou.

À l'autre bout de la ligne, un déclic ; quelqu'un avait fini par décrocher. Elle se détourna du miroir pour se concentrer sur l'affaire en cours. Retour aux choses sérieuses.

— Commissariat de Baile na gCroíthe, j'écoute.

Elizabeth tressaillit en reconnaissant la voix de son interlocutrice.

— Bonjour, Marie, c'est moi... Elizabeth. Saoirse s'est enfuie avec la voiture... une fois encore.

Un soupir à peine audible.

— Elle est partie depuis combien de temps ?

Elizabeth s'assit sur la dernière marche de l'escalier et se prépara à l'interrogatoire rituel. Elle ferma les yeux, submergée par l'épuisement.

— À peine cinq minutes.

— Je note. Est-ce qu'elle a indiqué sa destination ?

— La Lune.

— Vous pouvez répéter ?

— Vous avez bien compris. Elle a dit qu'elle allait sur la Lune. Il paraît que les habitants y sont plus ouverts d'esprit.

— La Lune.

— Oui, rétorqua Elizabeth, au bord de la crise de nerfs. Vous pourriez peut-être commencer par la chercher sur l'autoroute. J'imagine que c'est le moyen le plus rapide pour se rendre sur la Lune, pas vrai ? En revanche je n'ai aucune idée de la sortie qu'elle pourrait prendre. La plus au nord, je suppose. Vers Dublin, ou carrément vers Cork, pour ce que j'en sais. Peut-être qu'à Cork ils auront un vaisseau spatial qui l'emmènera loin de cette planète. L'un dans l'autre, l'autoroute me semble...

— Du calme, Elizabeth. Vous connaissez la procédure.

— En effet.

Elizabeth tenta de reprendre ses esprits. Dire qu'à cette minute même elle loupait un rendez-vous important. La baby-sitter qui remplaçait Édith, nounou en titre de Luke, partie passer trois mois en Australie, avait pris la clef des champs. La pauvre... Elizabeth ne pouvait vraiment pas lui jeter la pierre. Saoirse, sa sœur cadette, était impossible. L'adolescente, terrifiée par son comportement, avait appelé Elizabeth au bureau. Celle-ci avait dû tout laisser en plan et rentrer dare-dare à la maison. Sans surprise, là encore. Non, le plus surprenant c'est qu'Édith tenait encore bon. Six années au service du petit Luke, six années de mélodrame, six années d'une loyauté indéfectible qui n'empêchait pas Elizabeth de s'attendre, chaque matin ou presque, à recevoir un coup de fil exaspéré ou une lettre de démission. Être la nounou de Luke, ça n'avait rien de facile. Être sa mère adoptive non plus, d'ailleurs.

— Elizabeth, vous m'entendez ?

— Oui.

Elizabeth se força à ouvrir grand les yeux ; sa concentration s'effilochait.

— Excusez-moi, vous pouvez répéter ?

— Je vous ai demandé quelle voiture elle a prise.

— La même que d'habitude, Marie. La même bagnole que la semaine dernière, et que celle d'avant, et encore celle d'avant, s'énerva-t-elle.

Marie ne se départit pas de son sang-froid.

— C'est-à-dire…

— La BMW. Le cabriolet noir qui n'a plus de secret pour vous. Quatre roues, deux portières, un volant, deux rétros, des phares et…

— Une perdrix en peluche, l'interrompit Marie. Dans quel état se trouvait-elle ?

— Nickel. Je viens de la nettoyer, plaisanta Elizabeth.

— Tant mieux. Et Saoirse, dans quel état se trouvait-elle ?

— À votre avis ?

— En état d'ivresse.

— Vous m'enlevez les mots de la bouche.

Elizabeth se mit debout et pénétra dans la cuisine baignée de lumière. Ses talons claquaient sur le carrelage en marbre, les éclats se répercutaient dans la pièce déserte et haute de plafond. Le soleil, qui tapait fort à travers les vitres de la véranda, réchauffait l'air ambiant. Aveuglée par ses rayons, Elizabeth plissa les yeux. Les meubles immaculés rutilaient, les plans de travail en granit noir étincelaient, les accessoires chromés reflétaient la lumière… un paradis revêtu de noyer et d'acier inoxydable. Elizabeth fonça droit vers la machine à espresso salvatrice et se prépara le remontant que réclamait son organisme roué de fatigue. Elle ouvrit un placard, en extirpa une tasse beige – avant de le refermer elle fit pivoter une autre tasse de façon à présenter son anse à droite, comme ses voisines –, fit glisser le long tiroir en acier où étaient rangés les couverts, remarqua un couteau égaré dans le compartiment à fourchettes, le rangea à l'endroit qui lui était dévolu, pêcha une petite cuillère et repoussa le tiroir.

Du coin de l'œil, elle avisa un essuie-main jeté sans façon sur la poignée de la cuisinière. Elle le balança dans la remise, récupéra une serviette propre dans l'armoire, la plia soigneusement en deux et en drapa la poignée. Parfait. Chaque chose à sa place.

Puis elle posa la tasse fumante sur un plateau en marbre destiné à protéger la table en verre, lissa son pantalon, épousseta sa veste. Elle alla ensuite s'installer dans la véranda pour y contempler son vaste jardin et le paysage vallonné qui s'étendait à perte de vue. Une symphonie de teintes émeraude, or et terre de Sienne.

Elizabeth respira l'arôme puissant de son espresso et se sentit revivre. Elle se représenta sa sœur qui fonçait par-delà les collines au volant de son cabriolet, les bras en l'air, les yeux fermés, cheveux au vent, savourant son insouciance. En irlandais, Saoirse signifie liberté – un nom symbolique, choisi par sa mère dans une tentative désespérée pour rendre plus légères les obligations de la maternité, obligations qu'elle méprisait tant qu'elle pouvait. Elle avait souhaité que sa seconde fille l'aide à briser les chaînes de son mariage, à fuir ses responsabilités… bref, à la consoler de la dure réalité.

Gráinne, la mère d'Elizabeth et de Saoirse, avait rencontré leur père à l'âge de seize ans. Elle faisait escale à Baile na gCroíthe en compagnie d'un groupe de poètes, de musiciens et d'artistes bohèmes, et avait lié conversation avec Brendan Egan, fermier de son état, dans le pub du coin. De douze ans son aîné, ce dernier avait été subjugué par l'excentricité, la spontanéité et le mystère que la jeune fille dégageait. Elle fut flattée de son intérêt. Ils se marièrent et elle accoucha de sa première fille – Elizabeth – à peine fêté son dix-huitième anniversaire.

Il se révéla que sa mère ne pouvait s'assagir et souffrait de se retrouver coincée dans une bourgade ensommeillée, à l'écart du monde, où elle n'avait jamais eu l'intention de s'installer. Un bébé en pleurs et des nuits blanches à répétition ne firent qu'ajouter à sa détresse. Elle se mit à disparaître des journées entières : elle partait à la découverte d'autres endroits, d'autres gens.

À douze ans, Elizabeth avait donc appris à s'occuper d'elle-même et de son père taciturne, maussade, se gardant de lui demander quand sa mère rentrerait à la maison. En son for intérieur, elle savait que la jeune femme finirait tôt ou tard par surgir sur le seuil, les joues en feu, les yeux brillants, des histoires plein la bouche sur le monde et ce qu'il avait à offrir. Elle traversait leur vie comme une brise printanière, un tourbillon d'espoir et de nouveauté. Son retour métamorphosait la ferme, l'ambiance était à la fête, les murs absorbaient son enthousiasme. Elizabeth, assise au pied de son lit, grisée par ses paroles, écoutait sa mère babiller. Mais l'oratrice ne tardait pas à se lasser : elle préférait vivre de nouvelles aventures plutôt que les raconter.

Elle rapportait souvent des souvenirs de ses périples : coquillages, cailloux, feuilles d'arbres. Elizabeth gardait en mémoire un vase débordant de longs brins d'herbe, qui trônait au centre de la table de la salle à manger comme s'il exhibait les plantes les plus exotiques au monde. Lorsqu'Elizabeth lui avait demandé dans quel champ elle les avait cueillis, sa mère avait décoché un clin d'œil et baissé la tête, en promettant de le lui expliquer quand elle serait plus grande. Son père ne quittait pas son fauteuil face à la cheminée, prétendant lire en silence un journal dont il ne tournait jamais les pages. Cet univers inconnu le captivait autant qu'il captivait la fillette.

C'est à ce moment-là que Gráinne était tombée enceinte pour la seconde fois et, en dépit de son nom, la petite Saoirse n'avait apporté aucune réponse à sa soif de liberté. La jeune femme était une nouvelle fois partie en expédition, tant et si bien qu'elle n'était jamais revenue. Brendan ne se souciait pas de la créature sans défense qui avait chassé son épouse du foyer. Il attendit son retour, en silence, sans jamais quitter le fauteuil face à la cheminée, plongé dans un journal dont il ne tournait pas les pages. Les années passaient, rien ne changeait. Elizabeth renonça bientôt à voir débarquer sa mère et dut prendre soin de sa sœur.

Saoirse avait hérité de l'allure celtique de son père, de ses cheveux blond vénitien et de sa peau pâle, tandis qu'Elizabeth était le portrait craché de Gráinne. Son teint olivâtre, ses cheveux très bruns, ses yeux presque noirs : tout en elle rappelait leurs lointains ancêtres espagnols. À l'adolescence, Elizabeth était devenue une copie conforme de la femme qui les avait abandonnés et elle savait que son père le supportait mal. Parce qu'elle s'en voulait de lui causer du chagrin, elle redoubla d'efforts pour avoir de vraies conversations avec lui et lui prouver – se prouver aussi à elle-même – qu'elle n'avait rien de commun avec Gráinne, qu'il pouvait lui faire confiance.

À dix-huit ans, à la sortie du lycée, Elizabeth se retrouva forcée de s'installer à Cork afin d'y continuer ses études. Une décision qui exigea d'elle un courage surhumain. Brendan considéra son entrée à l'université comme un abandon ; en fait, il voyait sous cet angle toutes les amitiés qu'elle liait. Il monopolisait l'attention et la tendresse de ses filles, certain qu'ainsi elles resteraient toujours à ses côtés. Il faillit parvenir à ses fins, et ce procédé expliquait en partie pourquoi Elizabeth n'avait aucun ami, sortait très peu. Elle avait été conditionnée à ne pas échanger de politesses avec les voisins ; le temps qu'elle ne passait pas à la ferme, son père le lui faisait regretter par un visage renfrogné et des regards noirs. Quoi qu'il en soit, Saoirse et ses études occupaient Elizabeth à plein temps. Brendan l'accusait de marcher sur les traces de sa mère, de s'estimer trop bien pour lui et pour Baile na gCroíthe.

Elizabeth avait peu à peu compris que Gráinne avait dû s'ennuyer à mourir dans le piège du mariage et de la maternité. Ce village étouffant était peuplé d'espions, de mouchards, d'âmes mesquines et de commères avides de scandale. Leur ferme, morne et sombre, ne lui disait rien qui vaille non plus. Le temps n'avait plus aucune prise sur ces lieux ; même l'horloge comtoise en faction dans le couloir semblait attendre éternellement le retour de Gráinne.

— Et où est Luke en ce moment ? demanda la voix de Marie dans le téléphone, ce qui eut pour effet d'arracher Elizabeth à sa rêverie.

Une pause. La jeune femme poussa un soupir.

— Vous pensez vraiment que Saoirse l'aurait pris avec elle ? Non, il est ici.

Saoirse ne se résumait pas à un prénom : ces deux syllabes lui avaient donné son identité, sa personnalité. Tout ce que ce mot évoquait, elle l'avait dans le sang. Elle était d'un naturel fougueux, indépendant, sauvage, libre. Elle reproduisait si fidèlement le comportement d'une mère dont elle ne pouvait se souvenir qu'Elizabeth avait du mal à en croire ses yeux. Saoirse échappait sans cesse à sa surveillance : elle était tombée enceinte à l'âge de seize ans et personne n'aurait pu dire qui était le père, elle moins que les autres. Une fois le bébé au monde, elle s'en désintéressa, puis se mit en tête de l'appeler Lucky, un prénom porte-bonheur. Elizabeth le baptisa donc Luke. L'histoire, ainsi, se répéta : à l'âge de vingt-huit ans, l'aînée dut prendre un autre bambin sous son aile.

Lorsque Saoirse observait Luke, son regard n'exprimait rien. Elizabeth s'étonnait de cette indifférence, de cette froideur. Elle-même ne se voyait pas en mère de famille – à vrai dire, elle s'était juré de ne jamais avoir d'enfants. Son père l'avait délaissée, puis elle avait dû s'occuper de sa petite sœur : question maternité, cela suffisait amplement. L'heure était venue de penser un peu à elle. Après des années de travail acharné au lycée et à l'université, Elizabeth avait fondé sa propre société, qui s'était taillé un franc succès. Elle avait atteint ses objectifs à force de rigueur, de discipline, de concentration et de sueur. L'exemple de sa mère et de sa sœur lui avait enseigné que pourchasser des fantômes, des espoirs irréalistes, n'avançait à rien.

En dépit du pacte scellé avec elle-même – pas d'enfants –, sa réussite l'avait désignée naturellement comme tutrice de Luke. À trente-cinq ans, Elizabeth vivait seule avec son neveu dans une maison qu'elle adorait, une maison qu'elle payait de sa poche, une maison transformée en havre de paix où elle pouvait se réfugier et se sentir en sécurité. Seule, car l'amour est de ces émotions qui échappent à notre contrôle. Et le contrôle, Elizabeth ne pouvait s'en passer. Elle avait déjà aimé, déjà été aimée en retour, elle avait goûté au bonheur. Elle avait également appris, à ses dépens, la cruauté de la désillusion et du retour sur terre. L'arrivée de Luke avait chassé de sa vie l'homme qu'elle adorait et, depuis, il n'y avait eu personne. Elle s'était résignée à brider ses sentiments.

La porte d'entrée claqua. Elizabeth entendit quelqu'un trottiner à petits pas pressés dans le vestibule.

— Luke ! appela-t-elle en recouvrant le combiné de sa main.

— Ouais ? lança son neveu, dont la frimousse blonde surgit près de l'embrasure.

— Oui, pas ouais, le corrigea Elizabeth d'une voix autoritaire, comme elle avait appris à le faire au cours des années.

— Oui, répéta sagement Luke.

— Qu'est-ce que tu fais ?

Le garçonnet s'engagea dans le vestibule. Le regard d'Elizabeth fut illico attiré par les taches d'herbe qui ornaient ses genoux.

— Moi et Ivan on va jouer sur l'ordinateur.

— Ivan et moi, s'il te plaît.

Le téléphone de nouveau collé à l'oreille, Elizabeth écouta Marie organiser l'envoi d'un véhicule de patrouille. Luke lui jeta un coup d'œil et se dirigea vers la salle de jeux.

— Attends une minute, s'écria alors Elizabeth, assimilant soudain sa réponse.

Elle bondit de sa chaise, se cogna contre la table, renversa son café jusqu'à la dernière goutte et poussa un juron. Les pieds en fer forgé de la chaise raclèrent le marbre. Elizabeth se précipita dans le couloir, passa la tête par la porte de la salle de jeux et avisa son neveu assis par terre, le regard rivé à l'écran de télé. Elizabeth ne tolérait des jouets que dans cette pièce et dans sa chambre à coucher. La présence d'un enfant ne l'avait pas du tout changée, contrairement aux prévisions des uns et des autres : le petit ne l'avait attendrie en aucune façon. Elle s'était souvent rendue chez les camarades de Luke, dans des domiciles au sol jonché de jouets sur lesquels les visiteurs trop téméraires trébuchaient sans cesse. À contrecœur, elle prenait le café avec les mères de ces garnements, assise sur des bestioles en peluche, cernée de toutes parts par les biberons, le lait en poudre et les couches. Pas de ça chez elle. Avec Édith, au début de leur collaboration, elle avait établi des règles très strictes, des règles qu'Édith suivait à la lettre. Au fil des années, Luke s'était habitué aux manies de sa tante et lui obéissait sans moufter. Désormais, il s'amusait dans la zone qui lui était réservée.

— Luke, qui est Ivan ? demanda-t-elle en inspectant la pièce d'un air inquiet. Tu sais que tu n'as pas le droit de ramener des inconnus à la maison.

— Mon nouveau copain, répondit Luke sans se retourner, captivé qu'il était par le catcheur pétri de muscles qui envoyait son adversaire au tapis.

— Combien de fois t'ai-je répété que je veux rencontrer tes amis avant que tu les invites. Où est-il ? s'énerva Elizabeth, ouvrant la porte en grand.

Elle croisa les doigts pour que le Ivan en question ne ressemble pas au dernier «nouveau copain», une petite terreur qui n'avait rien trouvé de mieux à faire que de gribouiller au feutre sur le mur, qu'elle avait dû faire repeindre à ses frais.

— Là-bas, marmonna Luke en désignant la fenêtre d'un geste vague.

Elizabeth s'en approcha et inspecta le jardin en contrebas, bras croisés.

— Il joue à cache-cache ?

Luke appuya sur la touche Pause de la manette et réussit à s'arracher à l'écran.

— Il est juste là ! s'exclama-t-il, interloqué, en indiquant le pouf aux pieds d'Elizabeth.

Celle-ci écarquilla les yeux.

— Où ?

— Là, juste là.

Elizabeth se contenta de cligner des paupières et de lever les bras au ciel.

— À côté de toi, sur le pouf, répéta Luke d'une voix qui trahit son angoisse, en fixant intensément le coussin en velours jaune, comme s'il suppliait son ami d'apparaître.

Elizabeth suivit son regard.

— Tu le vois ?

Le garçon lâcha le clavier, se mit debout.

Sa question fut suivie d'un silence tendu, et Elizabeth sentit une haine farouche émaner de son neveu. Elle devinait ce qui lui traversait l'esprit : pourquoi ne distinguait-elle pas Ivan, pourquoi ne voulait-elle pas entrer dans son jeu, pourquoi ne faisait-elle jamais semblant ? Elle sentit une boule se former dans sa gorge et se pencha pour se retrouver au même niveau que Luke.

— À part toi et moi il n'y a personne dans cette pièce, murmura-t-elle.

Le dire à voix basse lui semblait, d'une certaine manière, plus facile… pour elle ou pour Luke ? Là était la question.

Les bras le long du corps, perdu au milieu des fils électriques, Luke devint écarlate. Sa respiration s'accéléra. Le cœur d'Elizabeth bondit dans sa poitrine ; elle supplia Luke en son for intérieur : *ne deviens pas comme ta mère, je t'en prie, ne deviens surtout pas comme elle.* Elle ne connaissait que trop bien les pièges que pouvait tendre le monde de l'imagination.

Luke s'emporta et, le regard dans le vide, exigea :

— Ivan, dis-lui quelque chose !

Un calme assourdissant lui répondit, puis le garçonnet éclata d'un rire hystérique. Il se retourna vers Elizabeth, hilare. Son sourire s'effaça lorsqu'il remarqua qu'elle restait sans réaction.

— Tu ne le vois pas ? Comment ça se fait ? répéta-t-il, en proie à la colère.

— D'accord, j'ai compris !

Elizabeth s'efforça de ne pas paniquer. Elle se redressa de toute sa hauteur, une hauteur qui la rassurait. Elle ne voyait pas Ivan, refusait de jouer le jeu. Il fallait qu'elle sorte de cette pièce, et vite. Elle voulut enjamber le pouf mais se ravisa à temps et le contourna avec soin. À la porte, elle se permit un dernier coup d'œil circulaire. Aucun signe du mystérieux Ivan.

Luke haussa les épaules, se rassit et rebrancha son ring virtuel.

— Je vais mettre une pizza à réchauffer, Luke.

Lequel resta muet. Que dire d'autre ? C'est dans ces moments-là qu'Elizabeth se rendait compte que dévorer des dizaines de manuels de psycho ne servait strictement à rien. Bien s'occuper d'un enfant, cela réclamait du cœur, de l'instinct, et elle se demanda – pour la énième fois – si elle était vraiment à la hauteur de la tâche.

— Ça va être prêt d'ici vingt minutes, ajouta-t-elle, embarrassée.

— Quoi ? demanda Luke en pivotant vers la fenêtre.

— J'ai dit que ça va être…

— Non, pas toi, expliqua Luke en retournant à son jeu vidéo. Ivan en voudrait aussi, de la pizza. Il dit que c'est son plat préféré.

— Oh.

— Avec des olives.

— Luke, tu détestes ça, les olives.

— Oui, mais Ivan adore. Il dit que c'est ce qu'il préfère.

— Dans ce cas…

— Merci, conclut Luke avant d'adresser un sourire victorieux au pouf et de se concentrer sur l'écran.

Elizabeth sortit de la salle de jeux à reculons. Le téléphone, qu'elle avait plaqué contre sa poitrine, lui revint soudain en mémoire.

— Marie, vous êtes toujours là ?

Elle se mordilla un ongle et referma la porte, indécise.

— J'ai cru que vous aussi étiez partie dans l'espace, gloussa Marie.

L'agent de police confondit le mutisme d'Elizabeth avec de la colère et lui présenta aussitôt ses excuses.

— En tout cas, vous aviez raison, Saoirse allait bien sur la Lune mais, par chance, elle a décidé de s'arrêter en chemin pour se ravitailler en essence. Ou en alcool, plus vraisemblablement. Votre voiture a été découverte en travers de la rue principale, le moteur en marche et la portière grande ouverte. Vous avez de la chance que Paddy l'ait repérée avant que quelqu'un ait filé avec.

— Laissez-moi deviner. La voiture se trouvait devant le pub.

— Bonne réponse. Vous voulez porter plainte ?

Elizabeth poussa un soupir.

— Non. Merci, Marie.

— Pas de problème. Je vais envoyer quelqu'un vous ramener la voiture.

— Et Saoirse ? Où est-elle ?

— On va la garder ici quelque temps.

— Je viens la chercher.

— Non, insista Marie. Je vous recontacterai le moment venu. Il faut qu'elle reprenne ses esprits si elle veut repartir chez elle.

Sur ce, Elizabeth entendit Luke rire et discuter tout seul dans la salle de jeux.

— Au fait, Marie, tant que vous y êtes, dites à la personne qui me ramènera ma voiture d'embarquer un psy par la même occasion. Il semblerait que Luke se soit trouvé un ami imaginaire…

Ivan leva les yeux au ciel et s'enfonça plus confortablement dans le pouf. Il avait entendu Elizabeth le traiter d'« ami imaginaire ». Depuis le début de sa carrière, les parents n'avaient que ce mot à la bouche et il commençait à trouver cette situation vraiment pénible. Après tout, il n'avait rien d'imaginaire.

Il n'y pouvait rien, s'ils ne le voyaient pas.

3

J'ai trouvé ça très gentil de la part de Luke de m'inviter à dîner. Quand je lui ai avoué que la pizza était mon plat préféré, ce n'était pas dans l'intention de m'incruster. De la pizza, et un vendredi par-dessus le marché ? Comment refuser ? Il fallait fêter ça, et doublement. J'ai quand même eu l'impression, après l'incident dans la salle de jeux, que sa tante m'avait un peu dans le nez. Ça ne me surprend pas, j'ai l'habitude. Les parents jugent que me donner à manger c'est du gaspillage, parce que tout finit à la poubelle. Mais je voudrais bien les y voir, coincés en bout de table alors que les autres vous espionnent et surveillent votre assiette. C'est vrai, essayez d'avaler un morceau dans ces conditions. Ça me rend tellement parano que je n'arrive pas à ouvrir la bouche.

Non que je me plaigne : être invité à dîner c'est sympa – sauf quand je dois me contenter de moins que les autres, ce qui se produit sans arrêt. Je reçois toujours une portion rikiki et à chaque fois les parents sortent la même excuse : « Oh, je suis certain qu'Ivan n'a pas trop faim aujourd'hui. » Qu'est-ce qu'ils en savent ? Ils ne se fatiguent pas à me poser la question. Je suis pris en sandwich entre mon meilleur copain du moment et son frangin, ou sa sœur aînée, une sale teigne qui me vole ma part dès que tout le monde a le dos tourné.

Ils oublient entre autres de me donner une serviette, des couverts, et ils sont franchement rapiats avec le vin. Parfois ils me posent une assiette vide sous le nez et clament que les gens invisibles mangent des trucs invisibles (c'est ça, oui, et le vent et les arbres aussi sont invisibles). Je suis content quand j'ai un verre d'eau, et encore ; je dois d'abord le demander, très poliment, à mon copain. Les adultes trouvent ça bizarre, et ils tirent une drôle de tête lorsque je réclame des glaçons. Je ne vois pas où est le problème : les glaçons, ça ne coûte rien et ça fait du bien, l'été venu.

Le plus souvent, ce sont les mamans qui bavardent avec moi. Sauf qu'elles posent des questions sans écouter mes réponses, ou les déforment, histoire de faire marrer la galerie. Elles s'adressent à moi les yeux baissés, comme si j'étais haut comme trois pommes. Tu parles d'un stéréotype. Je vous signale que je mesure plus d'un mètre quatre-vingts et, là d'où je viens, on ne compte pas en années : on entre dans l'existence sous notre forme définitive et on grandit sur le plan spirituel, pas physique. C'est notre intelligence qui se développe. Disons simplement que j'ai une tête bien remplie, mais qu'il reste toujours de la place. Depuis le temps que je suis dans le métier, je suis devenu un vrai pro. Je n'ai jamais déçu un ami.

Les papas, eux, me causent à voix basse une fois certains qu'on est tout seuls. Pour vous donner un exemple, moi et Barry on est allés à Waterford pendant les vacances d'été. On bullait sur la plage et une dame en bikini est passée juste devant nous. Le père de Barry a déclaré dans sa barbe :

— Vise-moi ce joli petit lot, Ivan.

Ils croient que je partage leur avis. Et ils racontent que je leur souffle des trucs du genre : « Les légumes, c'est bon pour la santé. »

— Ivan m'a dit de te dire de manger tes choux de Bruxelles, déclare tel père à son fils.

Des trucs débiles, quoi. Comme si j'étais capable de sortir une idiotie pareille.

Les parents. Allez comprendre.

Dix-neuf minutes et trente-huit secondes après l'épisode de la salle de jeux, Elizabeth a appelé Luke à table. Mon estomac gargouillait à qui mieux mieux et j'avais hâte de goûter la pizza. Luke m'a guidé dans le couloir jusqu'à la cuisine, j'ai jeté un œil dans chaque pièce. Dans la grande maison silencieuse, chaque pas retentissait. Les pièces étaient toutes blanches, ou toutes beiges, et si bien rangées que j'ai commencé à m'inquiéter à l'idée de tacher quelque chose avec cette pizza. On se serait cru dans un musée, sans enfant, sans personne… sans vie. On ne s'y sentait pas vraiment chez soi.

Par contre, la cuisine m'a bien plu. Il y faisait doux, le soleil brillait, et avec la véranda on avait l'impression d'être assis dans le jardin. Comme pour un pique-nique. J'ai remarqué que la table avait été mise pour deux, alors j'ai attendu qu'on me dise où m'asseoir. Les assiettes étaient grandes, noires et luisantes, les rayons du soleil faisaient étinceler les couverts et les deux verres en cristal projetaient des arcs-en-ciel sur la table. Au centre, un saladier rempli de verdure et une carafe d'eau où flottaient des glaçons et des rondelles de citron. Tout était disposé sur des sets de table marbrés de noir. J'étais tellement impressionné que même salir une serviette, ça me semblait impensable.

Les pieds de la chaise ont grincé sur le carrelage quand Elizabeth s'est assise. Elle a recouvert ses genoux de son carré de tissu. J'ai remarqué qu'elle avait changé de tenue : elle portait un survêtement brun chocolat qui mettait ses cheveux et sa peau mate en valeur. Luke a suivi son exemple. Elizabeth a empoigné la fourchette et la cuillère géantes et s'est servi des feuilles de salade, plus des tomates cerises. Luke avait une tranche de pizza Margarita sur son assiette. Sans olives. J'ai enfoncé mes mains dans mes poches, je me suis trémoussé.

— Un problème, Luke ? a demandé Elizabeth en versant de la vinaigrette sur sa salade.

— Il va se mettre où, Ivan ?

Elizabeth n'a pas répondu tout de suite. Elle a revissé avec soin le bouchon et reposé la bouteille au milieu de la table.

— Ne raconte pas de bêtises, Luke, a-t-elle chantonné sans lui accorder un regard.

Elle avait peur.

— Je raconte pas de bêtises. Tu as dit que Ivan pouvait rester dîner.

— Oui, mais il est où, ton Ivan ?

Elle s'efforçait de ne pas élever la voix et a préféré se concentrer sur sa salade, qu'elle a parsemée de fromage râpé. Je voyais bien qu'elle ne voulait pas en faire toute une histoire. Elle allait régler la question sans traîner, une bonne fois pour toutes, et adieu les amis imaginaires.

— Il est debout, juste à côté de toi.

Elizabeth a reposé brutalement sa fourchette et Luke a sursauté. Il a été sauvé du remontage de bretelles par la sonnette de la porte d'entrée. À peine sa tante avait-elle quitté la cuisine qu'il s'est laissé glisser de sa chaise puis est allé sortir une assiette d'un placard – une grande assiette noire, pareille aux deux autres. Il a flanqué un quart de pizza dessus, dégoté des couverts, une serviette, et disposé le tout sur un troisième set à côté du sien.

— Tu t'assieds là, Ivan.

Sur ce, très content de lui, il a mordu dans sa tranche. Du fromage fondu a dégouliné sur son menton.

Honnêtement, sans mon estomac qui grognait tant et plus je n'aurais pas osé lui obéir. Je savais qu'Elizabeth serait furieuse, mais si j'engloutissais la tranche à toute vitesse avant son retour elle ne se rendrait compte de rien.

— Tu veux que j'ajoute des olives ? m'a-t-il interrogé en essuyant sur sa manche une bouche barbouillée de sauce tomate.

J'ai éclaté de rire, fait oui de la tête. J'avais déjà l'eau à la bouche.

Elizabeth a rappliqué au moment où Luke se servait sur l'étagère.

— Qu'est-ce que tu fabriques ? a-t-elle demandé en farfouillant à l'intérieur d'un tiroir.

— Je cherche les olives, pour Ivan. Il aime les olives, tu as oublié ?

Elizabeth a repéré le troisième couvert et s'est frotté les yeux d'un geste las.

— Luke, tu ne trouves pas que c'est du gâchis de mettre des olives sur cette pizza ? Tu détestes ça et elles vont atterrir dans la poubelle.

— Ça ne va pas être du gâchis parce que Ivan va n'en faire qu'une bouchée, pas vrai, Ivan ?

— Ça oui, j'ai dit en me léchant les babines et en me frottant le ventre.

— Alors ? a lancé Elizabeth sur un ton narquois. Qu'est-ce qu'il a répondu ?

Luke a froncé les sourcils.

— Tu ne l'entends pas non plus ?

Mon copain s'est tourné vers moi et s'est vissé l'index dans la tempe : pas de doute, sa tante était foldingue.

— Il a dit qu'il va n'en faire qu'une bouchée, ça oui.

— Quel garçon poli, a marmonné Elizabeth en s'absorbant dans ses recherches. Mais il a intérêt à finir sa part jusqu'à la dernière miette, compris, sinon c'est la dernière fois qu'il mange ici.

— Pas de souci, Elizabeth, je vais tout dévorer, ai-je affirmé en me jetant sur mon assiette.

Ne plus revoir Luke, ni sa tante… je ne voulais même pas y penser. Elizabeth arborait un regard triste, de grands yeux noisette, et j'étais convaincu qu'en laissant mon assiette toute propre j'allais la rendre heureuse. La pizza a disparu en deux temps trois mouvements.

— Merci, Colm, déclara Elizabeth en s'emparant des clefs que lui tendait le policier.

— Saoirse a quitté la voiture moins de cinq minutes après sa fuite, et on l'a trouvée tout de suite.

La jeune femme tourna lentement autour de la BMW, inspecta la carrosserie.

— Rien d'abîmé, la rassura Colm.

— Pas la voiture, en tout cas, ironisa-t-elle avant de tapoter le capot, toujours dans ses petits souliers.

Une fois par semaine minimum se produisait un incident qui impliquait les forces de l'ordre, et même s'ils ne se départaient jamais de leur professionnalisme et de leur politesse, Elizabeth ne pouvait s'empêcher de ressentir de la honte. En leur présence, elle mettait les bouchées doubles pour paraître normale, prouver qu'elle n'y était pour rien, que le reste de la famille n'avait pas d'araignée au plafond. Elle essuya les éclaboussures de boue à l'aide d'un mouchoir.

Colm lui adressa un sourire navré.

— On a dû l'arrêter.

Elizabeth tendit l'oreille, sur le qui-vive.

— Mais pourquoi ?

C'était une première. Jusque-là, la police se bornait à déposer Saoirse là où elle était hébergée et la relâchait avec un simple avertissement. Pas très professionnel, Elizabeth s'en rendait compte, mais dans une petite ville où tout le monde se connaissait, ils préféraient garder l'œil sur sa sœur et l'empêcher de provoquer une catastrophe avant qu'il ne soit trop tard plutôt que de la mettre sous les verrous. Saoirse avait trop longtemps profité de cette impunité.

Colm tripotait son képi bleu marine.

— Elle conduisait en état d'ivresse une voiture volée… sans compter qu'elle n'a pas le permis.

Ces mots donnèrent la chair de poule à Elizabeth : Saoirse était un danger public. Pourquoi s'entêtait-elle à la protéger ? Pourquoi restait-elle aveugle et refusait-elle de se rendre à l'évidence : jamais sa sœur ne deviendrait l'ange qu'elle voyait en elle ?

— Mais elle ne l'a pas volée, cette voiture, bégaya-t-elle, je lui ai dit que…

— Elizabeth, ne vous fatiguez pas, l'interrompit Colm d'une voix ferme.

La main sur la bouche, elle prit une grande inspiration et essaya de se maîtriser.

— Elle doit passer en jugement ? souffla-t-elle.

Colm baissa les yeux, déplaça un caillou du pied.

— Oui. Non seulement elle se fait du mal à elle-même, mais elle représente aussi une menace pour les autres.

Elizabeth ravala sa fierté.

— Laissez-lui une chance, Colm, supplia-t-elle. Une dernière chance… s'il vous plaît.

Cette tirade exigea d'elle un effort surhumain : Elizabeth, qui ne demandait jamais d'aide à qui que ce soit, se rabaissait pour le compte de sa sœur. La voix chevrotante, elle poursuivit :

— Je vais la surveiller. Je vous promets de ne pas la quitter des yeux une seule minute. Son état va s'améliorer, vous allez voir. Elle a besoin de temps, c'est tout.

— Trop tard, malheureusement. Impossible de retourner en arrière.

— Qu'est-ce qu'elle risque ?

— Tout dépend de l'humeur du juge. C'est son premier délit – enfin, son premier délit connu. Il peut avoir la main légère comme il peut être implacable.

Colm haussa les épaules, inspecta ses mains.

— Et ça dépend aussi du témoignage du policier qui l'a appréhendée.

— Comment ça ?

— Si elle s'est montrée coopérative et n'a pas rué dans les brancards, ça va, sinon…

— J'ai compris. Alors ? Est-ce qu'elle s'est montrée coopérative ?

Colm laissa échapper un petit rire.

— Il a fallu deux personnes pour en venir à bout.

— Merde ! Et qui l'a arrêtée ?

Un long silence.

— Moi, déclara Colm.

Elizabeth n'en crut pas ses oreilles. Depuis toujours, Colm avait un petit faible pour Saoirse. Il prenait son parti en permanence et ce retournement de situation rendait Elizabeth muette d'angoisse.

— Je ferai mon possible…, promit le policier. Essayez seulement de la surveiller de plus près jusqu'à l'audience, d'ici quelques semaines.

Elizabeth, le souffle coupé, se remit à respirer normalement.

— Merci.

Le soulagement lui nouait la langue. Elle avait gagné une bataille, mais pas la guerre. Cette fois-ci, personne ne se mouillerait pour sa sœur ; Saoirse allait devoir affronter les conséquences de ses actes. Par contre, comment garder l'œil sur elle quand Elizabeth ne savait même pas où la chercher ? Saoirse ne pouvait habiter sous le même toit qu'elle et Luke – son comportement erratique mettait le petit garçon en danger – et son père l'avait chassée de chez lui depuis belle lurette.

— Bon, je vais vous laisser, hasarda Colm avec sa gentillesse habituelle.

Il vissa son couvre-chef sur son crâne et descendit l'allée pavée.

Elizabeth alla s'asseoir sur les marches du perron, les jambes encore flageolantes, et examina sa voiture boueuse. Saoirse se sentait obligée de salir tout ce qu'elle touchait… elle mettait en fuite toutes les personnes qui comptaient pour sa sœur aînée… Des nuages noirs s'amoncelaient sur la tête d'Elizabeth. Elle redoutait la réaction de son père lorsque les policiers lui ramèneraient sa cadette et lui donnait cinq minutes, à tout casser, pour l'appeler et se répandre en jérémiades.

La sonnerie du téléphone tira Elizabeth de sa rêverie. Découragée pour de bon, elle se mit debout et se dirigea vers la porte. Une fois l'entrée franchie, la sonnerie se tut. Elizabeth repéra Luke installé sur l'escalier, le combiné collé à l'oreille. Elle s'adossa au chambranle en bois, bras croisés, et esquissa un léger sourire. Ce chenapan grandissait tellement vite qu'elle se sentait coupée de la réalité, comme si Luke parvenait à se débrouiller sans elle, sans l'affection qu'elle était censée lui fournir mais qu'elle était incapable de manifester. Elle exprimait difficilement ses émotions, ne leur donnait jamais libre cours et, chaque jour qui passait, regrettait de manquer à ce point d'instinct maternel. Quand Luke tombait et s'entaillait le genou, elle se contentait de désinfecter la plaie et de coller un sparadrap dessus. À ses yeux, cela suffisait amplement : pas besoin, comme le faisait Édith, de le prendre dans ses bras pour sécher ses larmes, ou de valser avec lui à travers le salon.

— Bonjour, Papy, articula Luke, la politesse incarnée.

Il se tut et écouta la question de Brendan.

— On est en train de déjeuner avec Elizabeth et mon nouveau meilleur copain, Ivan.

Une pause.

— Une pizza au fromage et aux tomates, avec des olives pour Ivan parce qu'il aime bien ça.

Pause.

— Des olives, Papy.

...

— Non, je crois pas que tu peux faire pousser ça dans ta ferme.

...

— Des olives. O, L, I, V, E, S.

...

— Attends, Papy, Ivan est en train de me dire quelque chose.

Luke regarda dans le vide, l'air concentré. Puis il reprit :

— Ivan m'a expliqué que les olives sont des petits fruits qui contiennent des noyaux. On les cultive dans les régions méditerranéennes pour les manger ou pour en tirer de l'huile.

Il marqua un temps d'arrêt, à l'écoute, puis reprit son discours :

— Il y a plein d'olives différentes.

Troisième interruption.

— Les olives pas mûres elles sont vertes, mais les olives mûres elles sont vertes ou noires.

Coup d'œil dans le vague.

— Les olives qui mûrissent sur les arbres sont utilisées pour l'huile, le reste est conservé dans du sel et on les conditionne dans de l'huile d'olive, de la saumure ou une solution vinaigrée. Ivan, c'est quoi la saumure ?

Silence.

— Ah, d'accord.

Elizabeth émit un petit rire nerveux. Par quel miracle Luke était-il devenu incollable sur le chapitre des olives ? Il avait dû apprendre ça à l'école et le retenir grâce à son excellente mémoire.

Le garçonnet se tut et prêta l'oreille à son grand-père.

— Oui, Ivan lui aussi a hâte de te rencontrer.

Elizabeth leva les yeux au ciel et se précipita vers Luke, de peur qu'il n'en dise trop. Son père n'avait pas besoin qu'on lui embrouille l'esprit avec l'existence – ou l'absence – d'un gamin invisible.

— Allô, s'écria-t-elle en se saisissant du téléphone.

Luke retourna dans la cuisine en traînant les semelles, un bruit qui irritait sa tante au plus haut point.

— Elizabeth, commença une voix sévère dotée d'un fort accent du Kerry, je rentre chez moi et qui je trouve étalée par terre dans la cuisine ? Ta sœur. Je l'ai secouée avec ma canne, mais pas moyen de savoir si elle respire encore.

Elizabeth poussa un soupir.

— Ce n'est pas drôle, et je te rappelle que ma sœur est aussi ta fille.

— Oh, arrête avec tes fariboles. Dis-moi plutôt ce que tu vas faire d'elle. Elle ne peut pas rester ici. La dernière fois, elle a ouvert la porte du poulailler et j'ai passé la journée à courir après ma volaille. Avec mon dos et ma hanche, merci bien.

— J'en ai conscience, mais elle ne peut pas rester ici non plus. Elle fait peur à Luke.

— Ce gosse ne la connaît pas assez pour en avoir peur. La plupart du temps elle ne se souvient pas qu'il s'agit du sien. Sois réaliste, tu ne peux pas le garder rien que pour toi.

Elizabeth se mordit la langue.

— Saoirse ne peut pas venir, se força-t-elle à prononcer. Elle était là un peu plus tôt et elle a de nouveau embarqué la voiture. Colm me l'a rapportée il y a à peine cinq minutes. Cette fois-ci elle ne va pas s'en tirer à si bon compte.

Elle prit une profonde inspiration avant d'annoncer :

— Ils l'ont arrêtée.

— Et ils ont eu raison. Ça va lui faire un bien fou, déclara Brendan, puis il s'empressa de changer de sujet : Comment ça se fait que tu ne travailles pas ? On est vendredi, et le Seigneur n'a prévu que le dimanche comme jour de repos.

— Justement. Aujourd'hui j'avais un rendez-vous important et…

— Tiens, ta sœur est de retour parmi les vivants et je vois qu'elle essaie d'envoyer les vaches au tapis. Dis au petit de venir lundi avec son nouveau copain. On va lui faire visiter la ferme.

Son invitation lancée, Brendan raccrocha. Bonjour, au revoir, il ne connaissait pas ; et il croyait encore que les portables constituaient un échantillon de technologie extraterrestre destinée à berner les humains. *Make fools of*

Elizabeth raccrocha à son tour et retourna dans la cuisine. Seul à table, Luke se tenait les côtes, en proie à un fou rire. Elle s'assit, chipota sa salade. Manger, elle s'en serait bien passée ; elle se nourrissait uniquement parce que son organisme le réclamait. Les longs dîners l'ennuyaient et elle avait un appétit d'oiseau : elle se tracassait toujours trop, *fuss* ou n'arrivait pas à rester en place, immobile, à table. Elle jeta un coup d'œil à l'assiette en face d'elle et la trouva, à sa grande surprise, vide.

— Luke ?

Luke interrompit son monologue et se tourna vers sa tante.

— Ouais ?

— Oui, rectifia-t-elle. Qu'est-ce que tu as fait de la tranche de pizza qui refroidissait dans cette assiette ?

Luke suivit son regard, la jaugea comme si elle avait perdu la tête et mordit dans sa propre part.

— Ifan l'a manchée.

— Pas la bouche pleine.

Luke recracha le morceau dans son assiette.

— Ivan l'a mangée.

À la vue de la bouillie qu'il avait régurgitée, il se mit à hurler de rire.

Elizabeth sentit une douleur lancinante lui marteler le crâne. Quelle mouche l'avait piqué ?

— Et les olives ?

Devinant la colère de sa tante, Luke attendit d'avoir avalé ce qu'il mastiquait avant de répondre :

— Il les a mangées aussi. Je t'ai dit que c'est ce qu'il préfère, les olives. Papy a voulu savoir s'il pouvait en faire pousser dans sa ferme.

Luke lui offrit un grand sourire qui dénuda ses gencives. Elizabeth lui sourit en retour. Son père n'avait pas la moindre idée de ce à quoi ressemblait une olive. Les aliments soi-disant « exotiques », ce n'était pas sa tasse de thé ; lui faire manger du riz relevait déjà de l'exploit. Il réussissait à trouver les grains trop petits et à regretter ses « bonnes vieilles patates ».

Le cœur lourd, Elizabeth se résolut à jeter le reste de sa salade à la poubelle, non sans vérifier au préalable si Luke avait réservé le même sort à la tranche de pizza aux olives. Apparemment non. Luke n'était pourtant pas un gros mangeur et il finissait une tranche avec difficulté, alors deux… Elle présuma qu'elle retrouverait la coupable des semaines plus tard, moisie au fond d'un placard. Mais s'il s'était empiffré, il serait malade toute la nuit et Elizabeth allait devoir se retrousser les manches… une fois de plus.

— Merci, Elizabeth.

— Je t'en prie, Luke.

— Hein ? s'étonna celui-ci en surgissant au coin du mur.

— Luke, je te l'ai déjà dit cent fois, c'est « Excuse-moi », pas « Hein ».

— Excuse-moi ?

— J'ai répondu « Je t'en prie ».

— Mais je ne t'ai pas encore remerciée.

Elizabeth glissa les assiettes dans le lave-vaisselle et s'étira en se massant le dos.

— Mais si. Tu as dit « Merci, Elizabeth ».

— Non, j'ai rien dit.

Luke fronça les sourcils ; sa tante commença à perdre patience.

— Arrête de raconter n'importe quoi, tu veux bien ? On s'est bien amusés pendant le repas, maintenant cette petite comédie est terminée.

— Non. C'est Ivan qui t'a dit merci, s'énerva Luke.

Sa réplique donna le frisson à Elizabeth. Elle ne trouvait pas ça drôle. Pas drôle du tout. Elle claqua la porte du lave-vaisselle, trop agacée pour répondre à son neveu. Est-ce qu'il pouvait, pour une fois, la laisser tranquille ?

Elizabeth passa en trombe devant Ivan, une tasse dans la main, et son parfum mêlé à l'odeur du café noir emplit les narines de son invité. Elle s'assit à la table, les épaules affaissées, la tête dans les poings.

— Ivan, tu viens ? s'impatienta Luke, déjà dans la salle de jeux. Je te laisserai gagner cette fois-ci !

Sa tante poussa un petit grognement.

Ivan resta pétrifié. Ses Converse étaient clouées au carrelage de la cuisine.

Elizabeth l'avait entendu dire merci. Il en était certain.

Il contourna la jeune femme, étudiant son visage, ses réactions. Il claqua des doigts, fit un bond en arrière et l'observa attentivement. Rien. Il frappa dans ses mains, tapa du pied. Le bruit résonna dans la pièce mais Elizabeth demeura immobile. Rien, pas de réponse. Pourtant, elle avait prononcé « Je t'en prie »…

Tous ses efforts pour se faire entendre d'elle se soldant par un échec, Ivan fut surpris d'éprouver une véritable déception. Elizabeth était un parent, après tout, et qui s'en souciait, des parents ? Perplexe, il se planta derrière elle, attacha son regard sur le sommet de son crâne et poussa un gros soupir.

Soudain, Elizabeth se redressa, frémit et remonta la fermeture Éclair de son haut de survêtement.

Ivan sut alors qu'elle avait perçu son souffle.

4

Elizabeth s'enveloppa dans son peignoir et resserra le nœud de la ceinture. Repliant ses longues jambes, elle se pelotonna dans le fauteuil extralarge qui trônait au milieu du salon. Elle avait enturbanné ses cheveux mouillés, et sa peau embaumait le bain moussant aux fruits de la passion. Une tasse de café fraîchement préparé dans les mains – elle n'avait pas oublié la cuillérée de crème –, elle regardait son programme favori à la télévision, une émission sur la décoration. Il fallait voir comment les architectes arrivaient à métamorphoser le pire taudis en demeure élégante et sophistiquée.

Petite déjà, elle adorait transformer tout ce qui lui tombait sous la main. Dans l'attente de voir revenir sa mère, elle tuait le temps en décorant la table de la cuisine avec des pâquerettes, le paillasson de l'entrée avec des paillettes saupoudrées jusque sur les dalles en pierre, les cadres à photo avec des fleurs fraîches, le couvre-lit avec des pétales. Elle mettait cette tendance sur le compte de sa nature perfectionniste, jamais comblée, jamais satisfaite.

Elle y voyait aussi un moyen de convaincre sa mère, à sa façon, de rester à la maison, certaine qu'un joli foyer la dissuaderait de prendre le large. Mais les pâquerettes ne connaissaient qu'une gloire éphémère, les paillettes étaient piétinées, les fleurs se fanaient et les pétales tombaient par terre à cause du sommeil agité de sa mère. Dès que celle-ci se lassait de ces trouvailles, Elizabeth se mettait aussitôt à imaginer une façon spectaculaire d'attirer et de retenir son attention plus de cinq minutes, de la retenir pour de bon à la maison. La petite fille ne se rendait pas compte, à l'époque, que sa présence seule aurait dû suffire à conquérir sa mère.

Au fil des années, Elizabeth avait appris à mettre les objets en valeur. Elle s'était fait la main dans la ferme familiale. À présent, rien ne lui plaisait tant que restaurer des cheminées vétustes, découvrir des parquets somptueux sous des tapis mangés par les mites. Même chez elle, pas une journée ne se passait sans qu'elle change un élément du décor, qu'elle l'arrange, l'améliore. Elle voulait atteindre la perfection. Intimement persuadée qu'un environnement agréable améliore le quotidien, elle se fixait des objectifs parfois impossibles à atteindre pour se prouver que la laideur recèle toujours des trésors de beauté.

Elle adorait son travail, la satisfaction qu'il lui procurait, et gagnait très bien sa vie grâce aux lotissements en chantier à Baile na gCroíthe et dans les villages alentour. Dès qu'un projet se mettait en branle, tous les promoteurs faisaient appel à ses services, parce qu'elle concevait des espaces attrayants, confortables et fonctionnels.

Sa propre chambre à coucher regorgeait de couleurs pâles et de textures douces, de coussins en daim et de tapis moelleux ; Elizabeth adorait toucher, caresser, palper. Tout était dans les tons crème ou chocolat et, comme la tasse qu'elle maniait délicatement, ces nuances l'aidaient à s'éclaircir les idées, l'entouraient d'une atmosphère paisible qui lui permettait de rester saine d'esprit et de laisser ses problèmes à l'extérieur. Sous son toit, rien de négatif ne pouvait la toucher. Ses invités ne pouvaient entrer sans sa permission, ni s'installer là où ils le voulaient, encore moins s'éterniser. Et elle pouvait tout aussi bien n'inviter personne, laisser sa porte fermée… verrouillée, comme son cœur.

Le rendez-vous loupé de vendredi avait été capital. Elle avait consacré des semaines entières à le planifier, à réviser ses croquis, vérifier ses diapos, constituer un épais dossier de presse. Le travail de toute une vie, réuni dans un dossier destiné à convaincre ces gens de l'embaucher.

Une tour médiévale dressée sur le flanc d'une colline surplombant Baile na gCroíthe allait être démolie pour faire place à un hôtel. Cet édifice avait autrefois protégé la bourgade des envahisseurs vikings mais Elizabeth n'en voyait plus l'utilité : l'endroit n'avait aucun charme, ne présentait aucun intérêt historique. Lorsque les autocars de tourisme, aux vitres desquels se pressaient des dizaines d'yeux avides, traversaient la ville, pas un ne s'arrêtait devant la tour. Tout le monde se fichait de cette ruine hideuse qu'on avait laissée à l'abandon et qui accueillait la journée une horde d'ados, la nuit les ivrognes du village, deux groupes dont Saoirse avait fait partie en son temps.

De nombreux riverains s'étaient quand même opposés à la construction de l'hôtel et avaient prétendu que la tour possédait une aura romantique, voire légendaire. Une rumeur circula selon laquelle détruire la tour revenait à chasser l'amour de la région. Tabloïds et émissions de variétés s'en emparèrent et les promoteurs y virent l'opportunité de se remplir les poches. Ils décidèrent de remettre la tour à neuf et de bâtir autour, afin de la garder et de préserver l'amour dans la Ville des Cœurs. Soudain un regain d'intérêt se fit sentir de la part de gens désireux de passer une nuit à proximité d'un édifice que l'amour avait béni.

Cette tour, Elizabeth l'aurait bien passée au bulldozer. Elle jugeait cette histoire ridicule. Seule une ville terrifiée par le changement, déterminée à conserver le passé en l'état, pouvait inventer des sornettes pareilles à l'intention des touristes – et des rêveurs. Elle devait pourtant avouer que s'occuper de la décoration de l'hôtel n'était pas pour lui déplaire. Il s'annonçait comme un établissement de taille modeste mais qui créerait des emplois dans la région. Cerise sur le gâteau, il était situé à quelques minutes en voiture de Fuchsia Lane ; elle n'aurait pas à s'inquiéter de laisser Luke seul trop longtemps quand elle travaillerait sur place.

Avant la naissance de Luke, Elizabeth avait passé son temps à bourlinguer. Elle ne restait jamais plus de quelques semaines d'affilée à Baile na gCroíthe et cette grande liberté de mouvement la rendait heureuse – son dernier projet d'envergure l'avait même entraînée à New York. L'arrivée de son neveu avait changé la donne : tant que le petit dépendait d'elle, elle ne pouvait pas se permettre de vadrouiller par monts et par vaux, en Irlande ou aux quatre coins du globe. Monter sa société tout en se réhabituant à la présence d'un enfant lui avait donné du fil à retordre. Vu que son père refusait de l'aider et que Saoirse se moquait de son fils comme de sa première chemise, elle avait dû se

42

résoudre à embaucher Édith. Maintenant que Luke avait grandi et allait à l'école, Elizabeth prenait conscience que trouver du travail dans la région devenait de plus en plus ardu. Le boom immobilier finirait par ralentir et elle redoutait que, ce jour-là, la manne ne se tarisse pour de bon.

Son équipe comptait deux jeunes recrues : Becca et Poppy. Becca, la réceptionniste, était une jeunette de dix-sept ans, discrète et maladivement timide, qui avait effectué un stage aux côtés d'Elizabeth et décidé d'arrêter ses études. Une bosseuse qui ne fourrait pas son nez partout, qualité qu'appréciait Elizabeth. Elle avait pris la suite de Saoirse, qu'Elizabeth avait employée à temps partiel. La patronne s'en était vite mordu les doigts et avait cherché une remplaçante à Saoirse en catastrophe. Afin de limiter les dégâts. Une fois de plus…

Ensuite il y avait Poppy, vingt-cinq ans, fraîche émoulue de l'école d'art, qui débordait d'idées extravagantes et de projets pharaoniques. En plus de ses deux employées, Elizabeth faisait fréquemment appel à Mrs Bracken, une septuagénaire aux doigts de fée qui dirigeait un atelier de tapisserie. Cette ronchonneuse sans égale répondait uniquement au nom de Mrs Bracken, et non de Gwen, par respect pour son cher défunt, Mr Bracken, dont Elizabeth ignorait jusqu'au prénom. Enfin venait Harry, cinquante-deux ans, bricoleur de génie pour qui retaper une maison de la cave au grenier n'avait aucun secret mais qu'une femme active, à plus forte raison une célibataire flanquée d'un mioche qui n'est pas le sien, laissait perplexe.

Elizabeth s'adaptait au budget de ses clients et pouvait rallier une armada de peintres et de menuisiers, mais elle pouvait aussi se retrousser les manches et s'atteler à la tâche en solo. Elle préférait tout de même mettre la main à la pâte. Ce qui la fascinait, c'était la transformation d'un endroit en temps réel, sous ses yeux.

Il n'était pas inhabituel que Saoirse débarque chez elle sans prévenir, comme ce matin-là. Elle arrivait ivre, des injures plein la bouche, prête à rafler tout ce qui lui tombait sous la main – et dont elle pourrait tirer profit, bien entendu, ce qui excluait automatiquement Luke. Elizabeth n'aurait su dire si sa sœur était seulement alcoolique ; cela faisait longtemps qu'elles n'avaient pas eu de conversation à cœur ouvert. Elizabeth essayait d'aider sa cadette depuis son quatorzième anniversaire, depuis le jour où un fusible avait sauté sous son crâne et où elle s'était réfugiée dans un autre monde. Elle l'avait envoyée en psychothérapie, en cure de désintoxication, à l'hôpital, lui avait prêté de l'argent, trouvé du travail chez elle et chez d'autres, permis de s'installer sous son toit, aménagé un appartement. Elle avait essayé de devenir son amie, puis son ennemie, avait ri avec elle avant de lui hurler dessus – en pure perte. Saoirse lui avait échappé, s'était réfugiée dans une dimension où rien ne comptait à part elle-même.

L'ironie n'avait pas échappé à Elizabeth : Saoirse, en dépit de son nom, n'était pas libre. Parce qu'elle allait et venait à sa guise, détachée de tous, sans entraves, sans responsabilités, elle en avait l'impression, mais elle était l'esclave de ses dépendances. Elle ne s'en rendait pas compte, voilà tout. Elizabeth, qui ne pouvait l'abandonner à son sort, était à court d'énergie, d'idées et de patience, et son obstination avait effrayé, l'un après l'autre, amis et petits copains dont la frustration prenait de l'ampleur à mesure qu'ils la voyaient se faire mener en bateau. Jusqu'au jour où, excédés, ils claquaient la porte. Contrairement à ce qu'ils pensaient, Elizabeth ne se voyait pas comme une victime. Elle connaissait le pourquoi et le comment de chacun de ses actes et refusait simplement de suivre l'exemple de sa mère, de lâcher sa famille. Toute sa vie tendait vers cet objectif.

Elizabeth appuya sur une touche de la télécommande afin de mettre la télévision en sourdine ; le silence envahit la pièce. Elle avait cru entendre un craquement. Elle parcourut la pièce du regard, remarqua que rien n'avait bougé et augmenta le volume.

Le bruit se fit entendre de nouveau.

Elle éteignit le poste et quitta son fauteuil.

À dix heures et quart, la nuit n'était pas encore complètement tombée. Elle alla inspecter par la fenêtre le jardin plongé dans le crépuscule mais ne distingua que des ombres fuyantes, des formes vagues. Refermant les rideaux d'un geste vif, elle se sentit un peu plus en sécurité, dans l'intimité de son cocon beige. Ajustant son peignoir, elle regagna le fauteuil et s'y recroquevilla, comme pour mieux se protéger. Le canapé trois places en cuir crème semblait l'observer. Elle frissonna, ralluma la télévision en poussant le volume presque à fond et avala une gorgée de café. Sa potion magique la réconforta et elle put se concentrer sur l'émission.

La journée avait été marquée par des sensations étranges. Son père soutenait qu'un courant d'air frais le long de la nuque est le signe qu'un esprit vous hante. Elizabeth n'en croyait pas un mot, ce qui ne l'empêcha pas de se détourner du canapé et de sd'oublier l'impression inquiétante que quelqu'un l'espionnait.

Ivan regarda la jeune femme s'escrimer sur la télécommande, poser sa tasse sur le guéridon et se ruer hors de son siège comme si elle était assise sur une planche à clous. La voilà qui remet ça, pensa-t-il. Le regard affolé d'Elizabeth, qui ricochait de meuble en meuble, trahissait sa terreur. Ivan se tint prêt et glissa jusqu'au bord du divan. Son jean fit craquer le cuir.

D'un bond, Elizabeth se retrouva face à lui.

Elle saisit un tisonnier planté dans l'imposante cheminée en marbre, pivota sur ses talons. Ses doigts aux jointures blanchies agrippaient l'arme improvisée de toutes leurs forces. Elle parcourut la pièce sur la pointe des pieds, attentive, les yeux écarquillés. Le cuir du canapé grinça de nouveau et Elizabeth se précipita vers le meuble. Ivan s'élança à son tour et alla se réfugier dans un coin de la pièce.

Il se cacha derrière les rideaux et regarda Elizabeth envoyer valser les coussins en grommelant dans sa barbe, mettant sa frayeur sur le compte des souris. Au terme de dix minutes de furetage, elle remit les coussins en place, au centimètre près.

Elizabeth ramassa la tasse et se dirigea, la démarche empruntée, vers la cuisine. Ivan lui emboîta le pas, de si près que des mèches folles échappées de la serviette-éponge lui chatouillèrent le visage. Les cheveux de la jeune femme fleuraient la noix de coco, sa peau les fruits mûrs.

Ivan ne comprenait pas pourquoi elle le fascinait autant. Il ne la quittait pas des yeux depuis le premier déjeuner commun. Luke voulait jouer sans arrêt alors que lui n'avait qu'une seule envie : rester auprès d'Elizabeth. Au début, il avait simplement cherché à vérifier si elle l'entendait ou le sentait encore, mais au bout de quelques heures il était tombé sous le charme. Chez elle, le souci de l'ordre tournait à l'obsession. Il remarqua qu'elle ne pouvait pas quitter une pièce, par exemple pour répondre au téléphone ou ouvrir la porte, sans avoir tout rangé autour d'elle, sans s'être assurée que l'endroit était impeccable. Elle se gorgeait de café, admirait son jardin, épousssetait tout et n'importe quoi, sous le moindre prétexte. Et elle réfléchissait. Beaucoup. Il le voyait sur son visage : la concentration plissait son front, elle esquissait des mimiques comme si elle discutait avec elle-même. À en juger par l'activité frénétique de ses sourcils, ses débats intérieurs étaient houleux.

Il remarqua qu'elle vivait dans le silence. Chez elle, pas de musique, pas de bruit de fond – le blabla de la radio, les bruits de l'été qui s'immisçaient par la fenêtre entrebâillée, le pépiement des oiseaux, le rugissement des tondeuses à gazon… Luke et elle parlaient peu ; elle n'ouvrait la bouche que pour lui donner des ordres, lui pour demander la permission, rien de bien drôle. Le téléphone sonnait rarement, peu de visiteurs s'aventuraient sur le seuil. On aurait dit que les conversations qu'Elizabeth déroulait dans sa tête suffisaient à meubler le silence.

Ivan passa le reste de son vendredi, et le samedi tout entier, à la suivre à la trace. Le soir, il s'installa sur le canapé et la contempla en train de regarder la seule émission qu'elle semblait apprécier. Ils rirent ou s'énervèrent aux mêmes moments, complètement synchrones. La nuit, il l'avait observée tandis qu'elle dormait. Elle avait le sommeil agité : elle n'avait fermé l'œil que trois heures ; une fois réveillée, elle avait ouvert un livre, l'avait reposé au bout de cinq minutes, s'était recueillie, avait repris sa lecture, parcouru quelques pages, relu ce qu'elle avait déjà feuilleté, fermé les yeux, allumé le plafonnier, griffonné croquis et plans, inspecté des échantillons de tissu de différentes couleurs, éteint la lumière.

Son remue-ménage avait épuisé Ivan, assis sur une chaise en paille dans un coin de la pièce. Les expéditions café jusqu'à la cuisine n'avaient pas dû arranger son insomnie. Le dimanche, elle s'était levée tôt pour ranger, passer l'aspirateur, chasser la poussière et les taches dans une maison pourtant impeccable. Elle y avait consacré sa matinée alors qu'Ivan et Luke jouaient à chat dans le jardin. Elizabeth avait paru bouleversée par le spectacle de son neveu, gai comme un pinson, fuyant un poursuivant invisible. Elle les avait rejoints dans la cuisine et, inquiète, avait regardé Luke perdre, aux cartes dans une bataille contre lui-même.

Lorsque l'enfant s'était blotti sous les draps à neuf heures, Ivan lui avait lu l'histoire de Tom Pouce plus vite qu'à l'accoutumée et était reparti contempler Elizabeth. Il la sentait plus nerveuse à mesure que les heures s'égrenaient.

Elle rinça sa tasse avec application, la glissa dans le lave-vaisselle puis sécha l'évier avec un torchon qu'elle jeta dans le panier à linge sale à l'intérieur du cagibi. En chemin, elle essuya quelques meubles, ramassa des miettes par terre, éteignit toutes les lampes et recommença son manège au salon. Ivan l'avait vue faire de même les deux soirées précédentes.

Cette fois-ci, avant de quitter la pièce, elle stoppa net. Ivan faillit la heurter. Son cœur battait la chamade. Est-ce qu'elle avait senti sa présence ?

Elle se retourna lentement.

Il lissa sa chemise, histoire de se rendre présentable, et sourit de toutes ses dents.

— Salut, lança-t-il, intimidé.

Elle se frotta les paupières avant de murmurer :

— Oh, Elizabeth, tu perds la boule.

Et de foncer sur Ivan.

5

Elizabeth savait qu'elle devenait folle. Sa mère et sa sœur avaient ouvert la voie, l'une avec sa farouche excentricité, l'autre avec son alcoolisme, et elle marchait sur leurs traces. Ces derniers jours, elle s'était sentie les nerfs à fleur de peau, épiée sans relâche. Elle avait verrouillé toutes les portes, tiré les rideaux, branché l'alarme. En d'autres circonstances cela aurait suffi, mais la situation appelait des mesures extrêmes.

Elle fondit vers la cheminée, s'empara du tisonnier, sortit de la pièce d'un pas ferme, verrouilla la porte et s'engagea dans l'escalier. Sa rapière providentielle à portée de main sur son chevet, la réalité lui apparut : oui, elle devenait folle. Elle éteignit la lampe.

Ivan émergea de derrière le canapé, qui l'avait sauvé de cette furie, et parcourut le salon du regard. Lorsqu'il avait entendu la serrure cliqueter et Elizabeth s'éloigner, une vague de déception l'avait envahi. Elle ne l'avait pas vu. Dommage.

Je ne suis pas magicien, vous savez. Je ne sais pas disparaître et apparaître à volonté rien qu'en fronçant le nez ou en claquant des doigts. Je n'habite pas à l'intérieur d'une lampe, je n'ai pas d'oreilles bizarres ni de grands pieds couverts de poils, encore moins d'ailes diaphanes. Ce n'est pas moi qui troque les dents contre de la menue monnaie, dépose des cadeaux sous le sapin, cache des œufs en chocolat dans le décor. Quant à voler, escalader les immeubles ou courir à la vitesse de la lumière… à d'autres.

Oh, et je ne peux pas non plus ouvrir les portes.

Il faut que quelqu'un se dévoue pour moi. Ça fait bien rire les adultes, cette histoire, mais ils rigolent moins quand leurs chères têtes blondes ouvrent une porte sans raison valable devant tout le monde. Ça ne s'explique pas, c'est comme ça : je peux toucher une poignée, pas l'abaisser. À titre de comparaison, les gens sont capables de sauter en l'air, quitter deux secondes le sol, mais pas voler pour autant.

Conclusion : Elizabeth n'avait pas besoin de fermer la porte à double tour, vu que même tourner la poignée, pour moi, c'est mission impossible. Comme je l'ai déjà dit, je ne suis pas un super-héros ; je ne vois pas à travers les murs, je n'éteins pas les feux de forêt en soufflant dessus. Mon super-pouvoir à moi, c'est l'amitié, point barre. Je me tiens à l'écoute des gens, je les comprends. Je décrypte la manière dont ils s'expriment, les mots quemploient, et, surtout, je devine ce qu'ils ne disent pas. Les soupirs, les silences, les sous-entendus sont aussi importants que le reste.

Cette nuit-là, il ne me restait plus qu'à cogiter sur le sort de mon nouveau copain, Luke. Prendre du recul, j'en ai besoin de temps à autre. Dans ma tête s'accumulent une foule de notes qui finiront dans un dossier destiné aux services administratifs. Nos archives servent à former les petits nouveaux, qui arrivent en flux continu. À vrai dire, entre deux copains, je donne des cours.

Il fallait que je découvre la raison de ma présence chez Elizabeth. Pourquoi Luke avait-il tenu à me voir ? Quel profit pouvait-il tirer de notre amitié ? Notre établissement est géré par des professionnels ultra-consciencieux qui réclament les antécédents de nos copains et dressent une liste d'objectifs à atteindre en fonction de leurs problèmes. D'habitude, je repère le problème au premier coup d'œil, mais ce scénario-là m'embrouillait un peu. Vous comprenez, jamais encore je n'ai été copain avec un adulte. Je m'explique : quand une personne me distingue d'une manière ou d'une autre, cela signifie qu'elle a besoin de moi, que nous sommes destinés à devenir amis. Faites-moi confiance, je suis au courant, c'est un peu mon boulot. Lorsqu'on voit comment fonctionne un adulte, on comprend mieux pourquoi mes copains ne dépassent pas un certain âge. Je n'ai pas envie de prendre en charge des rabat-joie qui obéissent aux horaires et aux règlements, qui se focalisent sur des crétineries du genre hypothèque ou compte en banque quand tout le monde sait que c'est l'amour qui donne le sourire. Ils ne pensent qu'à bosser, jamais à s'amuser. Je bosse dur, vous pouvez me croire, mais m'amuser c'est ce que je préfère, et de loin.

Prenez par exemple Elizabeth : elle n'arrive pas à fermer l'œil et se ronge les sangs pour les factures, la voiture, le téléphone, la nounou, la couleur des murs de ses clients. Si on ne peut pas les peindre en magnolia, ces murs, il y a un tas d'autres couleurs possibles ; si on ne peut pas payer sa facture, il suffit d'écrire à la compagnie du téléphone pour l'en informer. Je ne sous-estime pas l'importance de ces choses – il faut bien manger et, pour manger, il faut des sous –, mais il faut aussi dormir pour avoir la forme, sourire pour être heureux, être heureux pour profiter de chaque journée et ne pas se payer de crise cardiaque. Les gens oublient qu'ils ont le choix. Et ils oublient que les problèmes d'argent comptent pour du beurre. Ils devraient se réjouir de ce qu'ils ont, au lieu de pleurer sur ce qu'ils n'ont pas… Au fait, espérer et rêver, ça ne signifie pas pleurnicher sur son sort. Il s'agit de positiver et d'encourager les ambitions, la confiance, pas les jérémiades. Mais je m'éloigne encore du sujet.

Pour la première fois de ma vie, la nuit où je me suis retrouvé coincé dans le salon, j'ai commencé à m'inquiéter. Je ne voyais pas ce qui m'avait amené à Fuchsia Lane. Luke n'avait pas une famille parfaite – rien de follement original là-dedans – mais il se sentait aimé. Il était heureux, il adorait jouer, il dormait comme un loir, il finissait ses assiettes, il avait un copain sympa du nom de Sam. Quand il parlait, j'avais beau l'écouter de toutes mes oreilles, à l'affût des mots qu'il ne prononçait pas, rien de louche ne se manifestait. Il était ravi d'habiter chez sa tante, avait peur de sa maman et aimait causer légumes avec son grand-père. Mais le fait qu'il me voie et qu'il réclame ma compagnie signifiait forcément qu'il avait besoin de moi.

Par contre, sa tante était insomniaque, picorait plus qu'elle ne mangeait, évoluait dans un silence assourdissant, n'avait personne à qui se confier – c'est du moins ce qu'il me semblait – et ses paroles ne dissimulaient pas grand-chose. Elle m'avait entendu la remercier une fois, avait senti mon souffle de loin en loin, m'avait surpris sur son canapé et pourtant elle ne me voyait pas – sans compter qu'elle ne pouvait pas supporter ma présence.

Elizabeth ne voulait pas s'amuser.

En plus, c'était une grande personne, elle me fichait la frousse et suintait l'ennui, malgré mes efforts pour la divertir. Impossible que j'aie atterri dans cet endroit pour l'aider elle. Absolument inconcevable.

Les gens me qualifient d'ami imaginaire, ou d'ami invisible. Comme si j'étais l'homme-mystère. J'ai lu ces bouquins dans lesquels des spécialistes très sérieux se demandent pourquoi les enfants me perçoivent, pourquoi ils croient dur comme fer en moi pendant des années et m'oublient du jour au lendemain. J'ai aussi vu quantité d'émissions sur le sujet.

Enfoncez-vous ça dans le crâne : je ne suis pas invisible, je ne suis pas imaginaire. Je respire le même air, je marche dans les mêmes rues que vous. Et les enfants ne choisissent pas de me voir, ils me voient, un point c'est tout. Ce sont les coincés dans votre genre, et dans celui d'Elizabeth, qui refusent la main que je leur tends.

6

Le lundi matin, Elizabeth fut réveillée dès six heures par les rayons du soleil qui se déversaient sur son visage. Elle dormait toujours les rideaux ouverts – une habitude qui venait de sa vie à la ferme. Petite, de son lit, elle pouvait surveiller le jardin, l'allée et même le portail au-delà duquel se déroulait, sur près de deux kilomètres, une route de campagne. Elizabeth apercevait sa mère au retour de ses aventures au moins vingt minutes avant que celle-ci n'atteigne la porte d'entrée. Elle aurait reconnu cette démarche sautillante entre mille, et cette vingtaine de minutes lui semblait une éternité. La longue route avait une manière bien à elle d'accentuer sa nervosité, presque de la torturer.

Enfin elle percevait le bruit tant attendu, le grincement du portail : les gonds rouillés accueillaient sa mère en fanfare. Elizabeth détestait et haïssait cette barrière, qui la narguait comme la narguait la route qui menait à la ferme. Il lui arrivait, certains jours, alertée par le couinement, d'y courir pour découvrir que le facteur leur apportait le courrier. Son cœur, alors, se serrait.

Avec sa manie de laisser les rideaux ouverts, Elizabeth s'était mis à dos petits copains et colocataires à la fac. Elle n'aurait su dire pourquoi elle y tenait tant ; désormais, elle n'attendait plus personne. Les rideaux faisaient en définitive office de réveil : elle savait que la lumière qu'ils laissaient entrer l'empêcherait de se rendormir. Même dans son sommeil elle se sentait alerte, en totale maîtrise d'elle-même. La nuit était faite pour se reposer, pas pour rêver.

Elle plissa les yeux, la tête comme prise dans un étau. Il lui fallait du café, et vite. Par la fenêtre, les roulades d'un oiseau transpercèrent le silence du petit matin. Quelque part dans le lointain, une vache meugla. En dépit de ce réveil idyllique, Elizabeth n'attendait rien de cette journée. Elle devait reporter un rendez-vous avec les promoteurs de l'hôtel, ce qui s'annonçait difficile car, depuis le battage publicitaire sur le nouveau nid d'amour, des tombereaux de projets leur parvenaient quotidiennement. Cette situation hérissait Elizabeth, qui considérait Baile na gCroíthe comme son territoire. Et il y avait un autre problème...

Son père avait invité Luke à passer la journée à la ferme. Jusque-là, Elizabeth n'y avait rien trouvé à redire. Ce qui l'inquiétait, c'était que le grand-père s'attende à voir arriver un deuxième garçonnet de six ans répondant au nom d'Ivan. Elle allait devoir engager une discussion sérieuse avec Luke avant son départ, parce qu'elle n'osait imaginer l'effet qu'aurait sur son père la mention d'un ami imaginaire.

À soixante-cinq ans, Brendan était un colosse aux épaules larges, taciturne et morose. Il ne s'était pas attendri avec le temps, au contraire : l'âge l'avait rempli d'amertume, de rancœur et d'intolérance. Il avait l'esprit étroit et détestait le changement. S'il s'était accommodé de son caractère difficile, Elizabeth aurait fait l'effort de le comprendre mais, à ce qu'elle voyait, son attitude lui pesait et le rendait encore plus malheureux. D'allure sévère, il ne daignait adresser la parole qu'à ses légumes et à ses vaches, ne riait jamais et si, d'aventure, il jugeait quelqu'un digne de l'écouter, il se lançait dans d'interminables sermons. Pas la peine d'espérer glisser un mot : ses monologues ne servaient qu'à exposer son point de vue. En plus, il consacrait très peu de temps à Luke, agacé qu'il était par le côté farfelu des enfants, leurs jeux stupides, leurs bêtises. S'il aimait Luke, c'est parce qu'il voyait en lui un bout de glaise, trop ignorant pour le remettre en question ou le critiquer, qu'il pouvait modeler à sa guise. Les contes de fées, les délires de l'imagination n'avaient pas leur place à la ferme ; sur ce terrain, père et fille se rejoignaient.

Elizabeth bâilla et s'étira. Aveuglée par la lumière éclatante, elle chercha son réveil à tâtons. Elle avait beau se réveiller chaque jour à la même heure, elle n'oubliait jamais de mettre l'alarme. Son bras heurta un objet dur et froid qui atterrit par terre avec un cognement sourd. De peur, elle sursauta.

poker

Hasardant la tête hors du lit, elle aperçut le tisonnier sur le tapis blanc. Son «arme» lui rappela illico qu'elle devait appeler Rentokil, l'entreprise de dératisation, afin de se débarrasser une bonne fois de ces satanées souris. Elles l'avaient importunée tout au long du week-end et, ces dernières nuits, sa paranoïa l'avait empêchée de fermer l'œil – rien d'inhabituel, au final.

Elizabeth prit sa douche, s'habilla, alla réveiller Luke et descendit dans la cuisine. Un peu plus tard, son espresso à la main, elle composa le numéro de Rentokil. Luke débarqua dans la cuisine encore somnolent, ses cheveux blonds en bataille, son tee-shirt orange à moitié rentré dans son short rouge – tenue complétée par des chaussettes bizarres et une paire de baskets dont la semelle clignotait à chaque pas.

— Il est où, Ivan? demanda-t-il d'une voix éteinte, l'air désorienté.

Chaque matin, c'était la même histoire : une fois levé et habillé, il lui fallait au moins une heure pour se tirer du sommeil. En hiver, c'était encore pire. Elizabeth présumait qu'à un moment il se rendait compte qu'il était en classe et finissait par se secouer.

— Il est où, Ivan? répéta-t-il.

Elizabeth le fit taire d'un geste assorti d'un regard noir : elle consultait une employée de Rentokil. Luke avait appris à ne pas l'interrompre quand elle parlait au téléphone.

— Eh bien, j'ai remarqué le problème ce week-end. Depuis vendredi après-midi, en fait, et je me dem...

— IVAN? hurla Luke en jetant un œil sous la table, derrière les rideaux, les portes.

Elizabeth leva les yeux au ciel : la comédie reprenait.

— Non, je n'en ai pas vu...

— IVAAAAAN?

— ... une seule, mais je sens qu'elles sont là, répondit la jeune femme avant de s'ingénier à attirer l'attention de son neveu.

— IVAN, T'ES OÙÙÙÙÙÙÙ?

— Des crottes? Non, aucune.

— QUOI? J'ARRIVE PAS À T'ENTENDRE!

— Non, je n'ai pas installé de pièges. Écoutez, je suis très occupée, je n'ai pas le temps de répondre à une rafale de questions. Pourriez-vous m'envoyer quelqu'un, qu'il vérifie par lui-même ? s'impatienta Elizabeth.

Sans crier gare, Luke se précipita dans le couloir. Elle l'entendit cogner à la porte du salon, tirer sur la poignée.

— MAIS QU'EST-CE QUE TU FABRIQUES ICI, IVAN ?

Elizabeth mit un terme à la conversation et reposa brutalement le téléphone sur la table, furieuse. Dans le couloir, Luke s'époumonait.

— LUKE ! VIENS ICI TOUT DE SUITE !

Les coups stoppèrent immédiatement. Le petit garçon réapparut, tout penaud, dans la cuisine.

— ET LÈVE LES PIEDS QUAND TU MARCHES !

Luke obtempéra ; ses semelles clignotèrent de plus belle. Il se planta devant sa tante et lui demanda, d'une voix aussi calme, aussi innocente que possible :

— Pourquoi tu as enfermé Ivan au salon cette nuit ?

Elizabeth ne pouvait laisser cette situation délirante traîner en longueur. Elle allait profiter de cette belle matinée pour en discuter tranquillement avec Luke qui, vaincu par ses arguments, se rendrait à l'évidence. Elle l'aiderait à y voir clair et à renoncer à cette histoire d'ami invisible.

— Et Ivan veut aussi savoir pourquoi tu as emporté le tisonnier avec toi, renchérit le petit futé, que le silence de sa tante avait rendu audacieux.

Elizabeth explosa :

— Je ne veux plus entendre parler de cet Ivan, compris ?

Luke se décomposa.

— COMPRIS ? s'écria-t-elle sans lui laisser le temps de répondre. Tu sais aussi bien que moi que ton ami, c'est du n'importe quoi. Il ne joue pas à chat perché, il ne mange pas de pizza et il ne traîne pas au salon parce qu'il n'existe pas, tout bêtement.

Le garçonnet semblait au bord des larmes, mais Elizabeth continua sur sa lancée :

— Aujourd'hui tu passes la journée chez ton grand-père et si j'apprends que tu lui as parlé d'Ivan, ne serait-ce qu'une seule fois, ça va barder pour ton matricule. C'est bien clair ? le sermonna-t-elle.

Luke se mit à pleurer.

— C'est bien clair ?

Les joues trempées, Luke hocha vaguement la tête.

— Dans ce cas va t'asseoir et je t'apporte ton bol de céréales, déclara Elizabeth, soudain calmée.

Elle lui rapporta la boîte de Coco Pops. En temps normal elle lui interdisait de se gaver de cochonneries sucrées mais, après cette mise au point inattendue, le pauvre avait besoin d'un remontant. Elle se mettait trop facilement en colère, elle en avait conscience. Elle rejoignit Luke à table et le regarda se verser une bonne dose de céréales avant de se débattre avec la brique de lait. Quelques gouttes se répandirent sur la table. Elizabeth se retint de lui hurler dessus, même si, la veille au soir, elle avait astiqué la table jusqu'à ce que le verre flamboie. Luke avait dit quelque chose qui l'avait mise mal à l'aise, mais impossible de s'en rappeler. Le menton calé dans la paume, elle l'observa.

Luke mâchonnait lentement. Tristement. Un silence pénible régnait, interrompu par les bruits de mastication. Quelques minutes plus tard le garçon prit la parole, le regard fuyant.

— Où est la clef du salon ?

— Pas la bouche pleine, s'il te plaît.

Elizabeth sortit la clef de sa poche et alla débloquer le verrou.

— Et voilà, Ivan est libre de quitter la maison, blagua-t-elle en regrettant aussitôt sa plaisanterie.

— En fait non, rectifia Luke, toute la douleur du monde sur ses épaules. Il ne peut pas ouvrir les portes tout seul.

— Ah bon ? s'étonna sa tante.

Luke, sûr de lui, opina de la tête. C'était la chose la plus absurde qu'Elizabeth ait entendue. Quel genre d'ami imaginaire était incapable de traverser les murs et les portes ? Un bras cassé, de toute évidence. S'il croyait qu'elle allait ouvrir la porte pour lui… elle s'était déjà ridiculisée avec la serrure. Elle entreprit de rassembler ses affaires ; Luke, lui, finit son bol, le plaça dans le lave-vaisselle, se lava les mains, les essuya avec soin puis se dirigea vers le salon. Il tourna la poignée, ouvrit la porte en grand, s'en écarta, offrit un large sourire au vide, posa un index sur ses lèvres et, de son autre main, désigna Elizabeth en riant sous cape. Elizabeth le scruta, pétrifiée d'horreur. Elle le rattrapa sur le seuil et jeta un coup d'œil dans la pièce.

Personne.

La spécialiste de Rentokil avait expliqué que des souris au beau milieu de mois de juin, c'était une chose assez inhabituelle, et Élizabeth se demanda si ses oreilles lui avaient joué des tours.

Le rire de Luke la tira de sa transe. Elle le découvrit installé à la table de la cuisine, les jambes ballantes, lancé dans un concours de grimaces en solitaire. Face à lui, un bol rempli de Coco Pops.

— Ben mon vieux, elle est drôlement vache, j'ai chuchoté en essayant d'enfourner des cuillerées de Coco Pops sans me faire pincer.

D'habitude je parle à voix haute même quand les parents sont dans les environs mais, comme elle m'avait déjà entendu deux ou trois fois au cours du week-end, mieux valait ne courir aucun risque.

Luke a éclaté de rire, acquiescé.

— Elle est comme ça tout le temps ?

Nouveau hochement de tête.

— Elle ne joue jamais avec toi ? Elle ne te fait jamais de câlins ? ai-je demandé.

Je regardais Élizabeth, qui décrassait sa cuisine déjà rutilante et déplaçait des trucs d'un poil sur la gauche, d'un cheveu vers la droite.

Luke a réfléchi un instant avant de hausser les épaules.

— Pas vraiment.

— Mais c'est horrible ! Ça ne t'embête pas ?

— Édith m'a expliqué qu'il y a des gens qui ne font pas des câlins tout le temps et qui ne jouent pas avec toi, mais ça ne veut pas dire qu'ils ne t'aiment pas. Seulement ils ne savent pas le montrer.

Sa tante l'observait, nerveuse.

— C'est qui, Édith ?

— Ma nounou.

— Et elle est où ?

— En vacances.

— Alors qui va s'occuper de toi en son absence ?

— Toi, a annoncé Luke, tout content.

— Marché conclu, ai-je dit en lui tendant la main. Chez nous, on se serre la pogne de cette manière.

Sans le lâcher j'ai tremblé de tous mes membres, comme pris de convulsions. Luke s'est mis à piailler et à m'imiter. On a rigolé encore plus fort quand Elizabeth a laissé tomber son éponge. Elle faisait une drôle de tête.

— T'es sacrément fouineur, a murmuré Luke.

— Et toi pas très discret, ai-je répliqué.

Encore un peu et on explosait de rire.

La BMW cahotait sur le chemin défoncé qui menait à la ferme. Elizabeth, exaspérée par la poussière qui s'élevait du sol et ternissait la carrosserie briquée, agrippa le volant. Qu'elle ait pu vivre dix-huit ans dans ce trou paumé où s'immisçaient la crasse et le désordre la dépassait. Les fuchsias sauvages, en dansant sous la brise légère, la saluaient au bord de la route. Alignés comme pour signaler une piste d'atterrissage, ils caressaient les flancs du véhicule. Luke baissa la vitre, passa la main dehors et se laissa chatouiller le bout des doigts.

Elizabeth pria le ciel de ne pas croiser une voiture venant en sens inverse, car la voie n'autorisait qu'un seul équipage à la fois. Dans ce cas, elle devrait effectuer une marche arrière jusqu'à son point de départ, à un kilomètre de là. Par moments, c'était la route la plus longue au monde…

Par bonheur, en dépit de leur retard, ils n'eurent aucune mauvaise surprise en chemin. Les ordres d'Elizabeth étaient tombés dans l'oreille d'un sourd : Luke avait refusé de quitter la maison tant qu'Ivan n'avait pas fini son petit déjeuner. Il avait ensuite exigé d'avancer le siège passager afin d'installer son ami sur la banquette arrière.

Elle examina son neveu assis à côté d'elle, sa ceinture bouclée, le bras par la fenêtre, fredonnant la ritournelle qu'il avait chantonnée tout au long du week-end. Il rayonnait de bonheur. Pourvu qu'il ne poursuive pas son cinéma trop longtemps – qu'il se tienne à carreau, au moins, chez son grand-père.

Elle aperçut Brendan qui les attendait près du portail. Un spectacle familier pour une occupation qui l'était tout autant : attendre, telle était la spécialité du vieil homme. Il portait en toute saison le pantalon en velours marron dans lequel il était né, Elizabeth en aurait mis sa main au feu.

Aux pieds, des bottes vertes crottées qui servaient également de chaussures dérieur. Son pull en coton grisâtre arborait, en plus d'un motif brodé en losange, un superbe trou qui dénudait son polo kaki. Une casquette en tweed vissée sur le crâne, il s'appuyait sur une canne en épine ; sa barbe argentée se complétait de sourcils broussailleux qui, quand il les fronçait, recouvraient entièrement ses yeux gris. Avec son grand nez, son visage creusé de rides, ses mains comme des battoirs, ses épaules larges, il dominait la ferme.

Luke se tut dès qu'il aperçut son grand-père et rentra son bras dans l'habitacle. Elizabeth se gara, coupa le moteur et s'extirpa de la BMW. Elle avait un plan, qu'elle mit à exécution sans attendre. À peine Luke était-il sorti de la voiture qu'elle referma et verrouilla la portière. Trop vite pour que Luke puisse aider Ivan à sortir à son tour. En comprenant sa ruse, le garçonnet se décomposa.

Le portail grinça ; l'angoisse étreignit Elizabeth.

— Bonjour, retentit une voix de stentor.

Ce n'était pas un salut, mais une affirmation.

Luke, nez et paumes collés à la vitre arrière, avait le regard voilé de larmes. Elizabeth croisait les doigts pour qu'il ne pique pas une colère.

— Luke, tu ne dis pas bonjour à ton grand-père ? demanda-t-elle, parfaitement consciente qu'elle n'avait pas salué Brendan.

— Bonjour, Papy, hasarda Luke d'une voix chevrotante, sans se détacher de la voiture.

Elizabeth envisagea d'ouvrir la portière afin d'éviter une scène mais se ravisa à la dernière seconde. Le petit devait retenir la leçon.

— Où est l'autre ? s'enquit Brendan.

— L'autre quoi ?

Prenant Luke par la main, elle le détourna du véhicule. Le regard suppliant du garçon plongea dans le sien, un regard qui lui fendit le cœur. Faire un caprice, ce n'était pas son genre.

— L'autre môme qui s'y connaissait en légumes pas de chez nous.

— Ivan, précisa Luke dans un trémolo.

— Ivan n'a pas pu venir aujourd'hui, pas vrai, Luke ? l'interrompit Elizabeth. Peut-être un autre jour. Bon, je ferais mieux d'y aller, autrement je vais arriver en retard au bureau. Luke, amuse-toi bien avec Papy, d'accord ?

Luke, l'air indécis, hocha la tête.

— Allez, file, lança Brendan en décrivant un geste de sa canne, comme s'il renvoyait sa fille, avant de lui tourner le dos.

Le dernier bruit qui parvint aux oreilles d'Elizabeth fut le grincement du portail, puis elle claqua la portière. Sur la route elle dut faire demi-tour à deux reprises pour laisser passer des tracteurs. Dans le rétroviseur elle voyait Luke et son père déambuler dans le jardin, géant et nain côte à côte. Elle avait hâte de s'éloigner de cette maison sinistre.

Elizabeth se souvenait parfaitement du moment où, à l'âge de dix-huit ans, elle avait saisi les rênes de sa vie. Elle quittait la ferme familiale en vue de s'installer à Cork, munie de ses bagages et de la ferme intention de ne pas revenir à Baile na gCroíthe avant Noël. Elle avait gagné la partie contre son père qui, en retour, l'avait écrasée de son mépris. Au lieu de partager son bonheur, il avait refusé de lui dire au revoir. La seule personne qui l'avait accompagnée jusqu'au portail en cette belle journée d'août avait été, du haut de ses six ans, Saoirse qui, avec ses couettes, son grand sourire édenté et la fierté débordante qu'elle éprouvait pour sa grande sœur, l'avait saluée de toutes ses forces.

Le soulagement qu'elle avait rêvé de connaître lorsque le taxi l'arracherait à son foyer avait fait place à une inquiétude mêlée d'angoisse. Pas face à ce qui l'attendait, non, mais face à ce qu'elle laissait derrière elle. Elle ne pouvait pas s'occuper de Saoirse éternellement : elle avait besoin de goûter à la liberté, de trouver sa place dans le monde. Son père, quant à lui, devait prendre le relais et endosser une responsabilité qu'il avait toujours refusée. Elizabeth espérait de tout cœur qu'il ouvrirait les yeux et donnerait libre cours à son affection vis-à-vis de sa cadette.

Mais s'il n'en faisait rien ? Le regard embué, elle observa sa petite sœur par la lunette arrière, pleine de la prémonition qu'elle ne la reverrait jamais, cette minuscule boule d'énergie à la crinière flamboyante qui bondissait sur place. Que lui réservait le sort une fois passé l'amusement des derniers adieux, quand la pauvre se retrouverait seule avec un homme qui restait mutique, ne proposait jamais son aide, n'offrait pas une miette d'amour ? Elizabeth faillit demander au conducteur de s'arrêter et de la laisser descendre, pour se reprendre aussitôt. Il fallait qu'elle pense d'abord à elle.

Un jour, tu feras comme moi, ma petite Saoirse, avait-elle déclaré à la silhouette qui s'estompait dans le lointain. Promets-moi de suivre mon exemple. Quitte cet endroit, envole-toi.

Les nerfs à vif, Elizabeth regarda la ferme diminuer dans son rétroviseur avant de disparaître de son champ de vision. Aussitôt la tension quitta ses épaules, elle reprit une respiration normale.

— Eh bien, Ivan, déclara-t-elle en jetant un œil sur la banquette vide, je présume que tu vas m'accompagner au bureau.

Sur ce, elle fit une drôle de chose.

Elle pouffa de rire.

7

À l'instant où Elizabeth franchissait le pont en pierres grises qui faisait office de voie d'accès, Baile na gCroíthe se tirait lentement du sommeil. Deux gigantesques autocars remplis de touristes se disputaient le passage dans une ruelle étroite. Les mastodontes se touchaient presque. Des dizaines de personnes émerveillées se pressaient contre les vitres ; certains se récriaient d'admiration, d'autres souriaient, d'autres encore désignaient tel ou tel bâtiment du doigt. Des appareils photo se disputaient la meilleure place pour immortaliser sur pellicule la petite ville de conte de fées. L'un des conducteurs, le front dégouttant de sueur, les lèvres pincées, concentré au maximum, manœuvrait son véhicule dans un passage destiné à l'origine aux chevaux et aux carrioles. À côté de lui, le guide, micro à la main, redoublait d'efforts en vue de divertir son public en cette heure matinale.

Elizabeth tira son frein à main et poussa un soupir. Ce genre de problème se produisait souvent ; elle devrait faire preuve de patience. D'expérience, elle savait que les autocars ne se gareraient pas, sauf pour la pause pipi réglementaire. Les touristes traversaient Baile na gCroíthe mais ne s'y arrêtaient jamais. On ne pouvait pas leur en vouloir : il n'y avait rien à visiter. Les cars bloquaient la circulation et les passagers en prenaient plein les yeux, puis le conducteur, pied au plancher, filait vers la sortie et des cieux plus cléments.

Non que Baile na gCroíthe manquât de charme, au contraire. La bourgade tirait une grande fierté du fait qu'elle avait remporté, pour la troisième année consécutive, le concours des Villes fleuries. À l'entrée du village, au-dessus du pont, une composition de fleurs épanouies sou-

lamppost

haitait la bienvenue aux arrivants. Les rues n'étaient pas en reste : des jardinières ornaient les devantures, des paniers pendaient aux réverbères noirs ; la rue principale – la seule rue digne de ce nom –, aux trottoirs immaculés, était ombragée d'arbres à la cime élevée. Les maisons qui la longeaient offraient un arc-en-ciel de teintes pastel ou plus vives : vert menthe, rose saumon, lilas, jaune citron, un camaïeu de bleus. L'œil, lorsqu'il se détachait des toits en ardoise, découvrait une chaîne de montagnes majestueuses. Baile na gCroíthe semblait béni des dieux, comme niché dans le giron de Mère Nature. *lap, bosom*

Un nid douillet… ou une prison. *cosy*

Le bureau d'Elizabeth était situé dans un bâtiment bleu pâle attenant au bureau de poste, vert, et à un supermarché, jaune. Il occupait l'étage au-dessus de l'atelier de confection de Mrs Bracken. L'atelier avait d'abord accueilli la quincaillerie tenue par Mr Bracken dont la mort, dix ans plus tôt, avait poussé Gwen à fonder son propre commerce. Les décisions de la vieille dame semblaient dépendre uniquement de ce que son défunt mari en aurait pensé. Elle avait ouvert la boutique « parce que c'est ce que Mr Bracken aurait souhaité ». Elle refusait de sortir le week-end ou d'avoir une vie sociale « parce que Mr Bracken n'aurait pas approuvé ». Ce qui aurait rendu heureux ou malheureux Mr Bracken s'accordait à la perfection à la philosophie de Gwen.

Les autocars se déplaçaient à une vitesse d'escargot. L'heure de pointe à Baile na gCroíthe : un embouteillage causé par deux véhicules qui tentaient de se frayer un passage dans une rue trop étroite. Contre toute attente, ils réussirent leur manœuvre. Le guide, surexcité, se mit à bondir dans son siège et donna à son assistance un compte rendu homérique d'un épisode somme toute ennuyeux à mourir. Applaudissements et hourras accueillirent son annonce. Les flashs crépitèrent, les occupants des deux bus se saluèrent après avoir vécu ensemble l'aventure de la matinée.

Elizabeth démarra, vit dans son rétroviseur que les bus se croisaient de nouveau sur le pont au moment de quitter le village. Bras et appareils photo furent baissés tandis que les passagers se résignaient à une nouvelle bataille au sommet, aussi interminable que la première.

Baile na gCroíthe avait tendance à vous accueillir à bras ouverts, à déployer sous vos yeux son éventail de boutiques fleuries et proprettes puis, presque à dessein, à vous décevoir d'une manière ou d'une autre. Cela revenait à conduire un enfant dans une confiserie, à lui montrer les étagères garnies de délices chamarrés avant de refermer les bocaux au nez du petit gourmand et de lui interdire d'y toucher. En prenant la mesure de sa joliesse, on se rendait compte que la bourgade n'avait rien d'autre à offrir.

Chose étrange, le pont était plus facile à franchir à l'aller qu'au retour. Sa courbe irrégulière rendait la sortie malaisée, contrairement à l'entrée. À chaque fois, Elizabeth se faisait avoir. En cela, le pont lui rappelait la route qui débouchait de la maison de son enfance : impossible de le traverser à toute vitesse. Le village avait le don de la ramener en arrière et elle avait passé des années à se dépêtrer de son emprise. Un temps, elle avait réussi à s'installer à New York, où elle avait suivi son petit ami de l'époque et décroché l'opportunité de rénover un night-club. Elle avait adoré l'expérience. Là-bas, les gens ne connaissaient ni son nom, ni sa famille, ni son parcours. Elle pouvait boire un café sans subir des regards de pitié ou un interrogatoire sur les dernières frasques de Saoirse. Tout le monde se fichait que sa mère l'ait abandonnée, que sa sœur ait échappé à son contrôle, que son père lui adresse à peine la parole. Et elle était amoureuse… à New York, elle était libre d'être qui elle voulait. À Baile na gCroíthe, son passé la harcelait.

Elizabeth s'aperçut qu'elle avait chantonné tout au long du trajet le refrain dont, à en croire Luke, Ivan était l'auteur. Luke l'avait baptisée « la chanson à fredonner », une rengaine entêtante, guillerette et répétitive. Soudain silencieuse, elle se gara et récupéra son attaché-case sur la banquette en repoussant le siège avant. Priorité absolue : un café. Baile na gCroíthe n'avait pas succombé aux délices de Starbucks ; à vrai dire, cela faisait à peine un mois que Joe avait permis à Elizabeth d'emporter son café, et déjà il en avait assez de courir après ses tasses.

Elizabeth se disait parfois que les habitants avaient besoin d'une injection massive de caféine : quand le froid s'abattait sur lui, le village semblait hiberner. Un bon stimulant ne lui ferait pas de mal. En été, par contre, les rues étaient envahies de promeneurs.

La jeune femme entra chez Joe. À cette heure, le café à la façade violette était encore vide. Prendre le petit déjeuner hors de leur cuisine... les villageois n'avaient pas assimilé ce concept révolutionnaire.

— Ah, la voilà enfin, en personne, déclama Joe de sa voix mélodieuse. Qui réclame son élixir à cor et à cri.

— Bonjour, Joe.

Ledit Joe étudia ostensiblement sa montre et en tapota le cadran.

— Un peu à la bourre ce matin, pas vrai ? Je me suis dit que la grippe avait dû vous clouer au lit. Tout le monde l'a attrapée cette semaine, on croirait.

Il tenta de baisser la voix, mais ne réussit qu'à la rendre plus aiguë.

— Pour sûr, Sandy O'Flynn l'a chopée juste après avoir quitté le pub l'autre soir au bras de P.J. Flanagan, qui l'a eue la semaine d'avant. Elle a pas bougé de chez elle de tout le week-end. Il l'a raccompagnée à la maison, mon œil. Faut pas me faire prendre des vessies pour des lanternes.

L'agacement envahit Elizabeth, qui se moquait d'autant plus des ragots que sa propre famille avait alimenté la rumeur locale des années durant. Elle préféra ignorer les divagations de Joe.

— Un café, s'il vous plaît. À emporter. Avec de la crème à la place du lait, précisa-t-elle alors qu'elle commandait la même chose chaque jour, tout en farfouillant dans son sac à la recherche de son porte-monnaie.

Elle espérait faire comprendre au patron qu'elle n'avait pas le temps de jacasser.

Joe se dirigea lentement vers la bouilloire. Au grand dam d'Elizabeth, il ne proposait qu'une seule variété de café : du soluble. Elle se rappela avec nostalgie le festival de saveurs dégustées à l'étranger : au coin d'un zinc parisien, une boisson à l'arôme vanillé, doux et sucré ; à New York, dans une gargote bondée, le parfum crémeux et riche de la noisette ; à Milan, les nuances veloutées de la noix de macadamia, un véritable chef-d'œuvre ; et son chouchou, le Coco Mocha-Nut, un mélange de chocolat et de noix de coco qui l'avait transportée, d'un banc à Central Park, sur une plage des Caraïbes. À Baile na gCroíthe, Joe se contentait de remplir sa bouilloire au robinet et d'appuyer sur le bouton. Une petite bouilloire minable, de l'eau courante… Elizabeth sentit la colère la gagner.

Joe la dévisagea. C'était l'affaire d'une seconde avant qu'il ne pose la question fatidique :

— Alors, pourquoi vous avez traîné ?

Bingo.

— Je n'ai que cinq minutes de retard, Joe, s'étonna Elizabeth.

— Je sais, je sais, mais cinq minutes chez vous ça donne cinq heures chez les autres. Ça me surprendrait guère que Big Ben se règle sur votre montre.

Elizabeth ne put réprimer un sourire.

Joe laissa échapper un gloussement, lui adressa un clin d'œil.

— Voilà qui est mieux.

La bouilloire signala par un déclic qu'elle avait rempli son office et Joe prépara son jus de chaussettes.

— C'est à cause des autocars, murmura Elizabeth en prenant la tasse chaude des mains du gérant.

— Ah oui, j'ai vu ça. Jaimsie s'est débrouillé comme un chef, j'ai trouvé.

— Jaimsie ?

Elizabeth ajouta une cuillère de crème qui fondit rapidement dans le liquide brûlant et menaça de faire déborder la tasse. Joe lança un regard dégoûté à sa mixture.

— Jaimsie O'Connor. Le fils de Jack. Jack, qui a aussi une fille, Mary, qui s'est fiancée avec le gars de Dublin l'autre week-end. Celle qui vit à Mayfair. Et qui a pondu cinq gosses. Le cadet a été arrêté la semaine dernière parce qu'il avait balancé une bouteille de vin sur Joseph.

Pour toute réponse, Elizabeth lui offrit un regard vide.

— Joseph McCann, voyons, expliqua Joe, interloqué. Le fils de Paddy, celui qui s'est installé à Newtown. Sa femme, la pauvre, elle s'est noyée dans l'étang l'année dernière. Et sa fille, Maggie, a raconté qu'il s'agissait d'un accident mais bon, on se pose quand même des questions, vu cette histoire avec ce bon à rien qui venait de Cahirciveen et le ramdam que ça a causé dans la famille.

Elizabeth posa quelques pièces sur le comptoir et, d'un sourire, mit un terme à cette conversation surréaliste.

— Merci, Joe, dit-elle en se dirigeant vers la porte.

— Bon, quoi qu'il en soit, conclut Joe, c'était Jaimsie qui conduisait le bus. Et n'oubliez pas de rapporter la tasse. Du café à emporter... jamais rien entendu d'aussi ridicule.

Elizabeth se retourna avant de refermer la porte derrière elle.

— Joe, et si vous achetiez une machine à café ? Comme ça vous pourriez préparer des lattes, des cappuccinos et des espressos, plutôt que ce truc imbuvable.

Joe croisa les bras, s'appuya sur le comptoir et rétorqua d'un ton blasé :

— Elizabeth, personne vous force à boire mon café. Moi, je bois du thé. Et il n'y en a qu'un que j'aime : le thé tout bête. Pas besoin de noms emberlificotés. *tangled*

— En fait, il en existe de très nombreuses variétés. Du thé de Chine...

— Ah, débarrassez-moi le plancher. Si on vous écoutait, on boirait notre thé avec des baguettes et on mettrait du chocolat dans notre café comme si c'était un gâteau. Et puisqu'on joue franc jeu, chacun son tour, je vais vous suggérer un truc : pourquoi vous achèteriez pas une bouilloire pour votre bureau ? Comme ça, j'aurais la paix.

— Et zéro client en prime, répliqua Elizabeth avant de pousser la porte et de s'échapper dans la rue encore somnolente.

Elizabeth arrivait toujours la première au bureau ; elle appréciait le silence, la tranquillité du début de la journée, une pause qui l'aidait à se concentrer sur les tâches à venir avant l'arrivée en fanfare de ses employées et le réveil du village. Loin d'être un moulin à paroles, Elizabeth n'ouvrait la bouche que pour dire ce qu'elle avait sur le cœur, ni plus ni moins. Elle méprisait ces femmes dont elle surprenait les conversations au restaurant ou au café, qui ricanaient *sneggi* et déblatéraient sur ce qu'untel avait dit tel jour sur tel sujet. Les tête-à-tête oiseux ne l'intéressaient pas le moins du monde.

Elle n'analysait jamais les paroles des autres, ne décortiquait pas les mots, les regards, les gestes, les situations. À ses yeux, les sous-entendus n'existaient pas : elle s'expri-

insinuation

mait sans détours, détestait les débats houleux ou stériles. Dans la paix de son petit bureau, elle en conclut que c'était pour cette raison qu'elle n'avait pas d'amis. Elle avait bien essayé de nouer quelques amitiés, de se fondre dans un moule, en particulier à la fac, mais déjà à l'époque elle se coupait très vite des bavardages stupides.

Même enfant, elle ne recherchait l'amitié de personne. Elle préférait la solitude, l'introspection puis, l'adolescence venue, Saoirse avait présenté une distraction suffisante. Sans amis, elle ne perdait pas son temps, elle ne dépendait que d'elle, elle contrôlait sa vie comme elle l'entendait. À son retour de New York, elle avait donné une petite soirée entre voisins dans sa nouvelle maison, avec l'idée de repartir sur de nouvelles bases, de lier des relations cordiales à l'instar de la plupart des gens, mais Saoirse avait déboulé en plein repas dans le salon et, d'un seul coup, réussi à se mettre à dos tous les invités. Elle avait accusé Ray Collins de tromper sa femme, Fiona Conway de s'être fait refaire les seins, et Kevin Smith, soixante printemps au compteur, de la reluquer d'un œil égrillard. Résultat : le petit Luke, âgé de neuf mois, s'était mis à brailler, quelques dîneurs avaient préféré prendre la poudre d'escampette et le gigot d'agneau avait été carbonisé.

Bien entendu, les voisins d'Elizabeth avaient compris qu'elle n'était pas responsable de sa famille mais, après cette scène, elle avait jeté l'éponge. Elle se sentait incapable d'affronter la honte de devoir, à chaque fois, présenter excuses et explications.

Elle considérait que le silence était d'or, parce qu'il lui apportait paix et clarté d'esprit. Tout comme la nuit, où ses pensées se télescopaient, se faisaient écho en un gigantesque brouhaha et l'empêchaient de trouver le sommeil.

Le comportement de Luke alarmait Elizabeth. Ce guignol d'Ivan le parasitait depuis trop longtemps à son goût. Elle avait observé son neveu tout au long du week-end : il s'était promené seul, avait papoté seul et joué dans son coin, toujours plié en quatre. Peut-être fallait-il réagir, ne pas rester les bras croisés. Comble de malchance, Édith n'était pas là pour assister à ce spectacle étrange et régler le problème en trois coups de cuillère à pot, comme elle savait si bien le faire… Une fois encore, les mystères de la maternité se rappelèrent à Elizabeth et elle se retrouva prise au dépourvu. Personne à qui demander conseil, aucun exemple à suivre. En fait, la jeune femme avait surtout retenu les gaffes à ne pas commettre – une leçon qui en valait bien une autre. Jusque-là elle avait suivi son instinct et commis quelques erreurs de parcours mais, dans l'ensemble, Luke, en grandissant, était devenu un enfant poli et équilibré. Et si elle se trompait sur toute la ligne ? Et si Luke finissait comme sa mère ? Qu'est-ce qui avait transformé Saoirse en rebelle égocentrique ? Elizabeth poussa un grognement de frustration et posa son front sur son bureau.

Elle finit par allumer son ordinateur et sirota son café en attendant que l'écran se charge. Elle alla ensuite sur Google, pianota les mots clés « ami imaginaire » et lança la recherche. Des centaines de sites défilèrent sous ses yeux ébahis. Une demi-heure plus tard, ses inquiétudes sur l'« affaire Ivan » s'étaient volatilisées.

À sa grande surprise, elle apprit que les enfants s'inventaient très souvent des amis imaginaires et qu'il n'y avait pas de quoi s'affoler tant que cette création n'empiétait pas trop sur le quotidien ; les médecins qui intervenaient en ligne n'y voyaient aucun problème. Tous les sites conseillaient d'ailleurs de demander à l'enfant ce que son ami pensait ou faisait, car ses réponses donnaient un aperçu de ce que lui-même vivait à ce moment-là. Ils encourageaient les parents à réserver à leur invité fantôme une place à table ; pas besoin de seriner à leur progéniture que l'ami n'existait que dans son imagination. Elizabeth fut soulagée d'apprendre que c'était là un signe de créativité, pas de solitude mal vécue ou de stress.

Au final, peu importait : la jeune femme allait devoir se faire violence, car une telle attitude était contraire à ses convictions. Son monde à elle et le pays des chimères existaient sur deux plans totalement différents. Il lui semblait impensable de bêtifier avec un bébé, de se cacher derrière ses mains ou de faire parler un nounours ; même à la fac, elle n'avait pas su jouer la comédie. Elle avait grandi en s'interdisant de reproduire les schémas de Gráinne, de peur de pousser son père à bout. Ce qu'elle s'était inculqué dès son plus jeune âge, les spécialistes lui recommandaient de le rectifier.

Elle avala le fond de son café refroidi et déchiffra la dernière ligne de l'article affiché à l'écran :

Les amis imaginaires disparaissent au bout de trois mois, qu'on les conforte ou non dans leur présence.

Trois mois entiers… Elizabeth serait plus qu'heureuse de voir Ivan tirer sa révérence. Elle feuilleta son agenda et entoura le 1ᵉʳ septembre d'un cercle au feutre rouge. Si Ivan n'avait pas déguerpi de chez elle dans les temps, elle se ferait un véritable plaisir de lui ouvrir la porte et de lui montrer la sortie.

8

den, calé

Calé au fond du siège en cuir noir qu'il faisait tournoyer derrière la réception, Ivan se tordait de rire tandis que, dans son antre, Elizabeth parlait au téléphone : de sa voix soporifique de grande personne elle organisa un rendez-vous et, à peine le téléphone raccroché, se remit à fredonner sa chanson. Ivan se moqua d'elle. Impossible de se débarrasser de cette mélodie : une fois vissée dans le crâne, elle n'en sortait plus.

Ivan s'élança de plus en plus vite, s'offrit pirouette sur pirouette jusqu'à être pris de vertige et de nausée. Il décréta que virevolter dans un fauteuil de bureau était son jeu pré-féré, et de loin. Il savait que cela aurait plu à Luke et, en se représentant le visage du petit garçon collé contre la vitre, il se mit à rêvasser et le siège ralentit. Ivan avait très envie de visiter la ferme, et le grand-père de Luke semblait en manque de rigolade. Exactement comme sa fille : deux vieux enquiquineurs barbifiants. *annying bores*

En tout cas, cette séparation temporaire donnait à Ivan l'occasion d'étudier Elizabeth en détail afin de rédiger son fameux rapport. Dans le cadre de la prochaine réunion il devait rédiger un compte rendu censé expliquer au reste de l'équipe le cas sur lequel il travaillait. Son instinct lui avait dicté de faire une entorse au règlement et de suivre Eliza-beth au lieu de rejoindre Luke chez son grand-père. Il lui suffirait de deux ou trois journées supplémentaires pour démontrer qu'elle ne pouvait pas le voir, puis il se concen-trerait à nouveau sur Luke. Peut-être une pièce du puzzle lui échappait-elle encore, en dépit de sa longue expérience.

Le tournis le gagna et Ivan posa un pied par terre. Il réso-lut de sauter à bas du siège comme s'il s'éjectait d'une voiture lancée à fond de train et effectua une roulade spec-

71

taculaire, digne d'un film d'action. Quand il se releva, il se retrouva nez à nez avec une jeune fille qui regardait tournoyer son fauteuil, bouche bée.

Becca parcourut la pièce pour vérifier qu'elle était bien seule. Elle fronça les sourcils, s'approcha de son poste de travail à pas feutrés et posa doucement son sac sur le bureau, comme pour ne pas déranger le siège. Après lui avoir jeté un coup d'œil à la dérobée, elle se risqua vers le meuble sur la pointe des pieds et tendit le bras. On aurait dit qu'elle voulait dompter un cheval sauvage.

Ivan pouffa de rire.

Troublée, Becca se gratta la tête. Peut-être Elizabeth venait-elle de s'offrir un tour de manège. À la pensée que sa patronne, avec son chignon impeccable, son strict tailleur noir et ses chaussures confortables, pouvait se divertir comme une gamine, elle esquissa un sourire narquois. Non, ça ne collait pas. Dans le monde d'Elizabeth, les fauteuils n'avaient qu'une seule et unique fonction. Becca s'installa donc à son poste et se mit immédiatement au travail.

— Bonjour tout le monde, s'exclama une voix haut perchée.

Poppy, qui s'était teint les cheveux en prune, entra dans le bureau en se trémoussant. Sa tenue se composait d'un jean pattes d'éph'brodé de fleurs, de chaussures à semelles compensées et d'un tee-shirt tie-dye. Elle avait peinturluré le moindre centimètre carré de peau laissée à nu.

— Alors ce week-end ? L'éclate totale, j'espère ?

Elle chantait plutôt qu'elle ne parlait, et se déplaçait les bras en l'air, ondulant avec une grâce de pachyderme.

Becca hocha la tête.

— Super.

Poppy se planta face à sa collègue, les mains sur les hanches, avant de poursuivre :

— Qu'est-ce que tu as fait, tu t'es incrustée dans un groupe de discussion ? Tu es sortie avec un type et tu l'as soûlé tellement tu parlais, hein ?

Becca tourna la page du livre qu'elle était en train de bouquiner et snoba Poppy.

— Ouah, trop cool, ça m'a l'air délirant, tout ça. Tu sais, on se fend tellement la gueule dans ce bureau, j'en crois pas ma veine.

Becca tourna la page suivante.

— Non, sans rire ? Mais tu causes, tu causes, j'en ai la tête qui tourne. Qu'est-ce qui… ?

Poppy s'écarta en hâte du bureau de Becca, frappée de stupeur.

Becca ne leva même pas le nez.

— Ton fauteuil tourne comme ça depuis ce matin, déclara-t-elle d'une voix posée. Le mien aussi, avant, mais il a arrêté.

Poppy ne trouva rien à répliquer.

Le silence s'installa dans la pièce quelques minutes. Becca lisait, Poppy n'arrivait pas à détacher son regard du siège ensorcelé. Elizabeth trouva ce calme préoccupant et passa la tête par la porte.

— Un problème, les filles ?

En guise de réponse, un grincement énigmatique.

— Poppy ?

— Mon fauteuil.

Elizabeth sortit de son bureau et braqua les yeux vers le bruit horripilant. Le siège maculé de peinture – depuis des mois, Elizabeth suppliait Poppy de s'en débarrasser – tournoyait tout seul. Les vis produisaient un véritable raffut. Poppy laissa échapper un hennissement nerveux. Toutes deux s'approchèrent du fauteuil fou et l'examinèrent avec attention. Becca resta absorbée dans son livre, en silence, l'air de rien.

— Becca, glapit Elizabeth, tu as vu ça ?

— Il tourne comme ça depuis une heure. Il s'arrête, il repart, il s'arrête, il repart.

— Une de tes nouvelles créations, Poppy ?

— J'aimerais bien, répondit l'enfant-fleur, impressionnée.

Couic, couic, couic, couinait le fauteuil, indifférent à son public.

— Je vais appeler Harry. Ça doit être un problème de boulons, affirma Elizabeth.

— Oui, c'est sûrement ça, les boulons ont décidé d'un coup qu'ils en avaient marre de rester sans bouger, plaisanta Poppy, d'humeur décidément sarcastique.

Elizabeth épousseta la manche de sa veste, qui n'en avait pas besoin, et s'éclaircit la gorge :

— Tu sais, Poppy, tu devrais vraiment faire retapisser ton fauteuil ; c'est la première chose que voient les clients quand ils rentrent et ça fait mauvaise impression. Je suis certaine que Gwen sera ravie de s'en charger.

Poppy écarquilla les yeux.

— Mais c'est le but, justement. Ce fauteuil exprime ma personnalité, il fonctionne comme une extension de moi-même. Il n'y a rien d'autre qui soit original dans cette pièce… dans cette pièce mochissime qui dégouline de beige, cracha-t-elle. Et notre chère Mrs Bracken n'en fout pas une rame : elle préfère dégoiser avec ses copines dégueulasses qui se tournent les pouces.

— Tu sais bien que ce n'est pas vrai, et souviens-toi que tes goûts ne font pas l'unanimité. En plus, en tant qu'architectes d'intérieur, nous devons renvoyer une image moins… alternative, plus en phase avec ce que les gens recherchent. Ton fauteuil, on dirait que quelqu'un a vomi dessus.

Poppy lança un regard fier à sa patronne.

— Contente que mon génie soit reconnu à sa juste valeur.

— En plus, je t'ai déjà laissée installer ce paravent, ajouta Elizabeth en désignant la cloison que Poppy avait décorée à grand renfort de couleurs vives et d'échantillons de tissu, et qui la séparait de Becca.

— Oui, et les gens l'adorent. J'ai déjà trois commandes de clients.

— Ils t'ont commandé quoi ? De l'enlever ? s'amusa Elizabeth.

Elles étudièrent le paravent d'un air pensif, bras croisés et tête penchée, comme s'il s'agissait d'une œuvre d'art dans un musée. Le fauteuil n'en continuait pas moins sa course folle.

Soudain il effectua un vol plané et percuta le paravent, qui s'écrasa par terre. Les trois femmes sursautèrent à l'unisson ; le fauteuil, lui, ralentit peu à peu et s'arrêta.

Poppy, la main devant la bouche, geignit :

— C'est un signe.

Becca, d'habitude placide, éclata de rire.

— Hmmm, grogna Elizabeth avant de s'en retourner dans son bureau.

Étalé par terre – il s'était jeté à bas du siège et avait heurté il ne savait quoi –, Ivan, la tête entre les mains, attendit que le décor arrête de tourner autour de lui. Il en était arrivé à la conclusion que le rodéo sur chaise n'était plus son activité préférée. Il avisa, groggy, Elizabeth qui regagnait son bureau et fermait du pied la porte derrière elle. Il se mit debout d'un bond, plongea à sa suite et réussit à se glisser par l'embrasure. Avec l'épisode de la voiture, il avait eu sa dose de portes bouclées à double tour pour la journée.

Il s'installa dans le siège (non pivotant) placé face à la table de travail d'Elizabeth et promena son regard alentour. Il avait l'impression d'être de retour à l'école et de se morfondre dans le bureau du directeur. Il régnait une atmosphère pesante, même si flottait dans l'air le parfum d'Elizabeth, une fragrance qu'Ivan adorait. Grâce à ses anciens copains, il avait une grande expérience des bureaux de directeurs d'école et ce malaise ne lui était pas inconnu. Durant sa formation, il avait appris qu'il valait mieux ne pas accompagner les enfants en classe : non seulement le besoin ne s'en faisait pas sentir, mais cela évitait également que les écoliers s'attirent des ennuis et que leurs parents soient convoqués. L'ami invisible devait donc se tourner les pouces dans la cour en attendant que sonne l'heure de la récré. De cette façon, et même s'il ne jouait pas avec lui, son petit protégé se sentait épaulé et encouragé à se mêler à ses camarades. Des années d'études très sérieuses en étaient arrivées à cette conclusion. Ivan avait pourtant une sainte horreur des statistiques et des faits scientifiquement prouvés : lui et ses collègues les considéraient comme des références plutôt que des directives et, si son meilleur ami du moment réclamait sa présence à l'école, il se retroussait les manches.

Elizabeth se cala dans un énorme fauteuil en cuir, aussi noir que son tailleur. Question vêtements, Ivan avait remarqué qu'elle se cantonnait au noir, au marron et au beige. Sobre, et déprimant comme pas permis. Pas une seule poussière n'était visible sur son grand bureau en verre, qui reluisait et étincelait comme si sa propriétaire venait de l'astiquer. Il accueillait un écran d'ordinateur, un clavier, un épais agenda et une montagne de petits carrés de tissu sans le moindre intérêt sur lesquels se recroquevillait Elizabeth. Le reste avait été relégué dans des classeurs de teinte sombre. En guise de touche personnelle, des photos sous cadre qui présentaient des intérieurs qu'Elizabeth avait, à l'évidence, conçus. Son bureau tout en noir, blanc et transparences, était aussi insipide que sa maison. Ivan se serait cru au cœur d'un vaisseau spatial. Dans le bureau du directeur d'un vaisseau spatial.

Il bâilla à s'en décrocher la mâchoire. Elizabeth était ennuyeuse à mourir. Aucune photo d'amis ou de proches, aucune peluche juchée au sommet de l'ordinateur, aucun gribouillage de son neveu. Pourtant, Luke lui avait offert un dessin réalisé au cours du week-end, et Elizabeth avait promis d'exposer son œuvre dans son bureau. Seule originalité : les tasses de Joe serrées en rang d'oignons sur le rebord de la fenêtre. Joe n'aurait pas trop apprécié cet étalage de trophées.

Ivan s'accouda sur le bureau et approcha son visage de celui de la jeune femme, un visage que la concentration avait lissé, adouci. Ses lèvres pailletées d'un gloss qui embaumait la fraise remuaient insensiblement. Elle fredonnait.

Ivan changea aussitôt d'opinion au sujet d'Elizabeth. Elle avait tombé l'habit de la maîtresse d'école, genre qu'elle se donnait en société ; elle était devenue calme, sereine et paisible, une nouvelle femme dont les inquiétudes s'étaient envolées – sûrement parce qu'elle se focalisait sur autre chose. Ivan l'étudia un instant puis posa son regard sur la feuille de papier qu'Elizabeth coloriait. Un crayon brun à la main, elle travaillait sur le plan d'une chambre à coucher.

La figure d'Ivan s'éclaira. Le coloriage, c'était – de loin – ce qu'il préférait. Il se mit debout et alla se planter derrière Elizabeth, qui était gauchère, de façon à examiner le dessin de plus près et à vérifier si elle dépassait. Il s'inclina par-dessus son épaule et, d'une main, s'appuya sur le bureau. Une bouffée de noix de coco satura alors ses narines. Il prit une profonde inspiration et sentit les cheveux d'Elizabeth lui chatouiller le bout du nez.

Elizabeth posa son crayon, ferma les yeux, se laissa aller en arrière, se détendit et esquissa un sourire. Ivan suivit son mouvement et la frôla imperceptiblement. Une étincelle se propagea dans son corps. Un instant il se sentit tout drôle, mais drôle dans le bon sens. Cela lui rappela les fois où il avait fait de gros câlins à ses meilleurs amis – son activité préférée, et de loin. La tête lui tournait et il était un peu étourdi, mais pas comme sur le fauteuil-tourniquet. Là, c'était mille fois mieux.

Ivan se laissa envahir par cette sensation jusqu'à ce que lui et Elizabeth ouvrent les yeux au même moment et contemplent le dessin. La main d'Elizabeth s'approcha lentement, comme indécise, du crayon marron.

— Ah non, ça suffit les trucs tristounets. Un peu de cran, prends une autre couleur, le vert pistache par exemple, lui susurra Ivan.

Mus par un fil invisible, les doigts de la jeune femme se détachèrent du crayon et jetèrent leur dévolu sur le vert. Amusée par ce choix inédit, Elizabeth ne put retenir un sourire et se saisit de son nouvel outil avec précaution. Elle le palpa, le fit rouler entre ses doigts comme pour l'apprivoiser et s'y accoutumer. Lentement, elle entreprit de rehausser les coussins éparpillés sur le lit, les pompons des rideaux puis, emportée par son élan, s'attaqua au plaid jeté en travers du lit et à la méridienne postée dans un coin de la pièce.

— Voilà qui est mieux, affirma Ivan, tout fier.

Elizabeth, radieuse, ferma de nouveau les paupières et respira à pleins poumons.

Soudain on frappa à la porte.

— Je peux entrer ? modula Poppy, ce qui eut pour effet d'arracher sa patronne à ses songes et de lui faire lâcher le crayon maléfique.

— Oui, répondit Elizabeth qui se redressa vivement.

Ce faisant, son épaule effleura le torse d'Ivan ; la jeune femme se retourna et se massa l'épaule avant d'accorder son attention à Poppy qui avait déboulé dans la pièce, les pupilles brillantes d'excitation.

— Bon, Becca vient de m'apprendre que vous avez un autre rendez-vous avec les types de l'hôtel de l'amour, pépia-t-elle.

Ivan prit place derrière le bureau, sur le rebord de la fenêtre, et déplia toute la longueur de ses jambes. Lui et Elizabeth croisèrent les bras en synchro, ce qui l'amusa beaucoup.

— Poppy, si tu pouvais éviter d'appeler ce projet «l'hôtel de l'amour», débita Elizabeth de cette voix horripilante qui avait le don d'échauffer Ivan.

— Pigé. L'hôtel, si vous préférez, concéda Poppy. À ce propos, j'ai quelques idées. Je verrais bien des lits à eau en forme de cœur, des Jacuzzi, des coupes débordant de champagne qui surgissent des chevets. Un mix entre romantisme et Arts déco. Entre Caspar David Friedrich et Jean Dunand. Une explosion de cramoisi, de bordeaux et de grenat qui donne l'impression de se blottir dans un nid tapissé de velours. Des bougies partout. Un mélange de boudoir français et de…

— Las Vegas, trancha Elizabeth.

Poppy coupa court à son délire et son visage s'assombrit.

— Poppy, on a abordé ce sujet des dizaines de fois. À mon avis, tu devrais t'en tenir au programme.

— Ah, s'exclama Poppy comme si elle venait de recevoir un coup de poing, mais le programme est d'un chiant !

— Exact ! Très juste ! acquiesça Ivan en se mettant debout et en applaudissant Poppy à tout rompre. Barbifiante, souffla-t-il à Elizabeth dans le creux de l'oreille.

Elizabeth tressaillit, se gratta le lobe et attaqua le discours qu'elle réservait à ses clients.

— Navrée que tu freines des quatre fers mais ce que tu qualifies de «chiant», c'est ce que les gens choisissent pour leur intérieur. Et je peux t'assurer qu'après avoir trimé toute la journée au bureau, ce n'est pas un palace débordant de meubles fastueux et de couleurs criardes qui les fait rêver. Ils recherchent un environnement facile à vivre, confortable et apaisant. Gardons à l'esprit que, dans notre monde actuel où le stress fait la loi, un foyer agréable et reposant reste une valeur sûre. Et là il s'agit d'un hôtel, Poppy. Nous nous adressons à une clientèle très variée et pas à de rares, très rares individus qui mettront la main à la poche pour dormir dans un nid tapissé de velours.

Là-dessus, elle afficha une expression de dégoût.

— Elizabeth, grogna Poppy en se vautrant dans la chaise, il faut que vous me laissiez apporter ma touche personnelle. Je me sens à l'étroit ici, ma créativité est bâillonnée et… ooooh, c'est vachement joli ça, chocolat et vert pistache ensemble. De toute beauté. Mais qu'est-ce qui vous a pris de les associer ?

Ivan alla s'accroupir auprès d'Elizabeth qui examinait le dessin comme si elle le voyait pour la première fois. Elle fronça les sourcils avant de se dérider.

— Aucune idée. En fait ça m'a… ça m'a traversé l'esprit, on peut dire.

Poppy opina vivement du chef.

— Ça fonctionne exactement de cette manière chez moi. Je ne peux pas museler mon élan créatif, pas vrai ? Je vous comprends sur toute la ligne. C'est un truc naturel, instinctif…

D'une voix assourdie, elle poursuivit, les yeux étincelants :

— … comme l'amour.

— Exact, très juste, répéta Ivan, le regard braqué sur Elizabeth – ils se tenaient presque joue contre joue – dans un murmure qui fit voleter quelques mèches folles sur sa tempe.

9

— Poppy, c'est toi qui m'as appelée ? demanda Elizabeth, dont le bureau disparaissait sous une montagne d'échantillons de moquette.

— Pour la quarante-douzième fois de la journée, NON, répondit son assistante d'une voix agacée. Et je vous prierais de ne pas me déranger alors que je suis en passe de commander deux mille pots de blanc magnolia en prévision de nos futurs projets. Autant s'organiser et calculer large pour les vingt années à venir, marmonna-t-elle avant d'élever la voix, parce qu'on ne risque pas de changer de créneau de sitôt.

— C'est bon, lança Elizabeth, le sourire aux lèvres, tu peux commander une autre couleur.

Poppy faillit tomber de son fauteuil.

— Quelques centaines de pots de beige, par exemple, tant que tu y es. Orge, ça s'appelle.

— Ah, très bien, fulmina Poppy.

L'étonnement se peignit sur les traits d'Ivan.

— Elizabeth, je rêve ou tu viens de faire une blague ? Non, je ne rêve pas.

De nouveau accoudé sur le bureau, il plongea son regard dans celui de la jeune femme et poussa un soupir à faire pleurer les pierres. Elizabeth se figea, regarda à gauche, puis à droite, avant de se remettre au travail.

— Ah, vous voyez avec quel mépris elle me traite ? s'exclama Ivan avec un geste théâtral, la main plaquée sur le front comme s'il était à deux doigts de s'évanouir, et il s'étala sur un divan en cuir noir qui occupait un coin du bureau. Si je n'existais pas, ça serait pareil. En y réfléchissant, on n'est pas chez le directeur ici, mais chez le psy.

Il adopta séance tenante un accent américain.

— Vous voyez, docteur, mes pépins ont commencé quand Elizabeth a décidé de me tourner le dos. Je me suis senti rejeté, et seul, très très seul. J'ai l'impression d'être transparent, invisible. Elle a transformé ma vie en cauchemar – sur ce, Ivan fit mine de fondre en larmes –, tout est sa faute.

Il coupa court à son monologue et observa un instant Elizabeth : elle comparait des échantillons de moquette, de tissu et de peinture. Lorsqu'il prit à nouveau la parole, sa voix était redevenue normale.

— Mais oui, elle ne peut s'en prendre qu'à elle-même si elle ne me voit pas, parce qu'elle a trop peur de croire en moi. Pas vrai, Elizabeth ?

— Quoi ? s'exclama celle-ci.

— Quoi quoi ? rétorqua Poppy de l'autre côté du mur, visiblement irritée. Je n'ai rien dit.

— Tu m'as appelée.

— Non, je n'ai appelé personne, vous entendez des voix, et si vous pouviez arrêter de miauler cette foutue chanson ! s'égosilla l'autre.

— Quelle chanson ?

— Ce truc, là, que vous fredonnez non-stop depuis ce matin. Ça me rend dingue !

— Merci mille fois ! déclama Ivan en s'inclinant jusqu'à terre avant de retourner à l'horizontale. C'est moi qui ai composé cette chanson. Andrew Lloyd Weber, gare à tes fesses.

Elizabeth replongea dans ses échantillons. Elle se remit également à chantonner, mais contint son enthousiasme juste à temps.

— Tu sais, Poppy, cria Ivan, à mon avis Elizabeth arrive à m'entendre. Elle m'entend même très bien. Pas vrai, Elizabeth ?

— Bon sang, s'énerva la jeune femme, Becca, c'est toi qui prononces mon nom ?

— Pas du tout, objecta Becca d'une voix à peine audible.

Elizabeth piqua un fard, gênée de passer pour une imbécile auprès de son équipe. De manière à regagner leur respect, elle exigea :

— Becca, tu pourrais aller me chercher un café chez Joe ?

— Et tant qu'on y est, ajouta Ivan qui s'amusait comme un petit fou, n'oublie pas de lui dire de rapporter une de ces tasses. Ça va lui faire plaisir, à Joe.

Elizabeth claqua des doigts, sous le coup d'une inspiration subite.

— Oh, et rapporte ça à Joe, par la même occasion, fit-elle en tendant une tasse à Becca qui venait d'entrer dans le bureau. Et d'ajouter, décontenancée : Ça va lui faire plaisir.

— Ça, pour m'entendre, elle m'entend, ricana Ivan, mais elle refuse de se l'avouer. Ses neurones d'adjudant-chef le lui interdisent. Dans son monde, tout est noir et blanc… – une seconde de réflexion – et beige. Mais je m'en vais te secouer un peu tout ça et on va profiter de la vie. Ça t'est déjà arrivé, Elizabeth, de profiter de la vie ?

Le regard pétillant, Ivan sauta sur ses pieds, alla se percher au bord du bureau et parcourut les sorties papier des infos glanées sur Internet.

— Ne me dis pas que tu gobes tout ce charabia sur les amis imaginaires, Lizzie ? Je peux t'appeler Lizzie ?

Elizabeth tressaillit.

— Oh, s'étonna Ivan en s'allongeant de tout son long sur le bureau, tu n'aimes pas ce sobriquet, à ce que je vois. Eh bien, j'ai du nouveau à t'annoncer : j'existe vraiment, et je ne m'en irai pas tant que tu n'auras pas ouvert les mirettes et que tu ne m'auras pas vu.

Elizabeth lâcha ses bouts de tissu, leva lentement le nez et, après une courte hésitation, regarda droit devant elle. Pour une raison qui lui échappait, un calme étrange s'était emparé d'elle, un calme prodigieux. Hypnotisée par l'espace vide, incapable de détourner les yeux, elle éprouva une sensation de chaleur et de sécurité.

Soudain la porte s'ouvrit à toute volée, avec une violence telle que la poignée percuta le mur. Ivan et Elizabeth sursautèrent de frayeur.

Saoirse se tenait sur le seuil.

— Ooooh, navrée d'interrompre vos roucoulades, les tourtereaux.

Ivan sauta à bas de la table.

Elizabeth, interdite, entreprit sur-le-champ de ranger son bureau, un réflexe de panique provoqué par l'arrivée inattendue de l'enfant terrible. Elle lissa sa veste, se recoiffa.

— Ne te dérange pas pour moi, déclara Saoirse. Quelle enquiquineuse, je vous jure. Relax.

Elle toisa Ivan d'un air méfiant.

— Tu ne vas pas me présenter ?

Elizabeth plissa les yeux, examina sa sœur. Par son comportement erratique et ses crises de rage, Saoirse la rendait nerveuse. Avec ou sans alcool, elle était égale à elle-même : ingérable. À vrai dire, Elizabeth n'arrivait pas à distinguer Saoirse sobre de Saoire ivre. Sa sœur ne s'était jamais trouvée : elle n'avait aucune personnalité définie, aucune identité, aucune ambition, aucun désir, aucun projet. À plus de vingt ans, elle était encore à l'état d'ébauche. Elizabeth se demandait souvent de quoi elle serait capable si seulement elle arrêtait de lever le coude. La boisson, ce n'était malheureusement que l'arbre qui cachait la forêt. Un problème parmi d'autres.

Les occasions de discuter seule à seule se présentaient très rarement ; Saoirse rappelait un papillon insaisissable qui ne se laisserait jamais attraper. Sa beauté et l'énergie qu'elle dégageait ne la rendaient pas moins impossible à retenir. Elizabeth la pourchassait sans relâche et, dès qu'elle mettait la main dessus, sa sœur battait frénétiquement des ailes, prompte à s'échapper. Elle avait beau prononcer des paroles d'apaisement et de conciliation destinées à s'attirer sa sympathie, telles des formules magiques, Saoirse la malmenait toujours. Elizabeth la soutenait vaille que vaille de peur de la perdre pour de bon, de peur de la laisser sombrer dans la folie. De plus, elle considérait qu'elle en était responsable. Et elle en avait assez de voir les papillons chatoyants qui peuplaient sa vie lui filer entre les doigts.

— Te présenter à qui ? demanda-t-elle d'une voix douce.

— Pas la peine de me parler comme à une gamine. Si tu ne veux pas me présenter, je m'en fous.

Saoirse s'adressa alors à la chaise vide. Sa politique, c'était de faire enrager son aînée, systématiquement, par exemple en déterrant les souvenirs pénibles.

— Elle a honte de moi, vous comprenez. Elle croit que je traîne la réputation de la famille dans la boue. Vous savez, les ragots, ça circule vite… ou peut-être qu'elle a peur que je vous pousse dehors. Comme le précédent. L'imbécile…

— Très bien, très bien. Écoute, Saoirse, ça tombe bien que tu sois passée parce que j'ai un truc à te dire.

Saoirse, qui ne tenait pas en place, mâchonnait furieusement un chewing-gum.

— Colm m'a rapporté la voiture vendredi après-midi et il m'a expliqué qu'il t'avait embarquée au poste. Cette fois-ci tu t'es mise dans de beaux draps. À partir de maintenant et jusqu'à ton passage devant le juge, tu dois te tenir à carreau. L'audience est prévue d'ici quelques semaines et si tu fais encore des tiennes... la peine sera alourdie.

Saoirse leva les yeux au ciel.

— Elizabeth, reste zen ! Qu'est-ce que je risque ? De me retrouver en taule parce que j'ai conduit la bagnole de ma sœur pendant deux secondes et demie ? Peuvent pas me retirer le permis vu que je l'ai pas, et s'ils m'interdisent de le passer je m'en balance. Tout ce qui m'attend, ce sont des travaux d'intérêt général ou une connerie du même tonneau, genre aider les mémés à traverser la rue. Pas de quoi dramatiser.

Elle fit une bulle qui creva sur ses lèvres gercées.

— Saoirse, tu ne m'as pas emprunté ma voiture, tu l'as prise sans mon autorisation et, le comble, c'est que tu n'as pas le permis. Allons, montre-toi raisonnable, tu sais que tu as dépassé les bornes.

Elizabeth marqua une pause, tenta de se calmer. Chaque fois qu'elle tâchait de lui mettre du plomb dans la cervelle, sa cadette refusait de voir la vérité en face.

— Écoute, s'emporta Saoirse, j'ai vingt-trois ans et je fais exactement ce que font tous les jeunes : je m'éclate.

Elle devint aussitôt blessante :

— C'est pas parce que tu te faisais chier comme un rat mort à mon âge que je dois suivre la tradition familiale.

Moi, j'étais occupée à t'élever, s'indigna Elizabeth en son for intérieur. *Et le résultat laisse à désirer, d'ailleurs.*

— Dites donc, vous allez rester le cul sur le sofa et nous espionner encore longtemps ? demanda Saoirse au divan.

Elizabeth profita de cet intermède pour se racler la gorge.

— S'il te plaît, Saoirse, écoute-moi. Essaie de... de freiner un peu sur, euh, sur la boisson, d'accord ?

— Oh, boucle-la. J'en ai ma claque de tes leçons de morale à la noix. J'ai pas de problème avec l'alcool. C'est toi qui en as un, de problème, à te croire irréprochable.

Saoirse ouvrit la porte du bureau et s'époumona :

— Oh, et vous – l'index pointé vers le divan –, faites-moi confiance, vous allez pas faire long feu avec elle. Ils finissent tous par se casser, pas vrai, Lizzie ? cracha-t-elle ensuite.

Les yeux d'Elizabeth se remplirent de larmes amères.

Saoirse claqua la porte derrière elle ; le fracas fit vibrer sa sœur de la tête aux pieds. Elle avait, comme d'habitude, réussi à prendre son envol et à se dérober à l'emprise de son aînée. Un silence de mort envahit la pièce, on aurait entendu une mouche voler. Quelques instants plus tard, une main légère toqua à la porte.

— Oui ? lança Elizabeth.

— Euh, c'est Becca… avec votre café.

La jeune femme rectifia son chignon et se tamponna les yeux.

— Entre.

Tandis que Becca s'affairait avec la tasse, Saoirse débaula de nouveau dans le bureau.

— Au fait, j'ai oublié. Tu pourrais me prêter un peu de fric ? demanda-t-elle, soudain douce comme un agneau.

Elizabeth, découragée, farfouilla dans son sac à main.

— Combien ?

— Oh… cinquante.

— Tu es toujours à l'hôtel ?

Saoirse répondit par l'affirmative. Sa sœur se mit debout, lui tendit un billet de cinquante euros.

— À quoi ça va te servir ?

— Acheter de la drogue. Plein, plein de drogue, se vexa Saoirse.

— Je voulais juste…

— De quoi vivre – du pain, du lait, du papier toilette. Des trucs basiques. Tout le monde ne pète pas dans la soie, tu sais, ajouta-t-elle en jetant un échantillon de tissu à la figure d'Elizabeth.

Ayant obtenu ce qu'elle souhaitait, elle quitta la pièce en coup de vent. Elizabeth regarda le carré de soie noire flotter et atterrir sur la moquette blanche.

En chute libre, exactement comme elle.

10

Quelques heures plus tard Elizabeth éteignit son ordinateur, rangea sa table de travail pour la vingtième fois de la journée et quitta le bureau. Désemparées, Becca et Poppy se tenaient l'une contre l'autre derrière la cloison. Elizabeth les toisa, intriguée, puis suivit leur regard.

— Ça recommence, chantonna Poppy d'une voix nerveuse.

Son fauteuil pirouettait avec enthousiasme.

— Vous croyez que Mr Bracken veut entrer en contact avec nous ? murmura Becca.

Poppy imita Mrs Bracken :

— Faire tourner les chaises, Mr Bracken n'aurait pas apprécié.

— Ne vous inquiétez pas, les filles, avança Elizabeth en se retenant de rire, j'appellerai Harry demain pour qu'il vienne le réparer. Rentrez tranquillement chez vous.

Ses employées parties, Elizabeth observa le siège sans mot dire. Elle s'en approcha précautionneusement, à pas comptés ; il freina.

— Trouillardes, marmonna-t-elle.

Elle se saisit des accoudoirs, s'installa. Rien d'anormal. Elle testa l'assise à plusieurs reprises, vérifia les côtés, inspecta l'envers du dossier. Absolument rien, nulle part. À l'instant où elle s'apprêtait à se lever, le fauteuil se mit à tourner. Lentement au départ, puis il prit de la vitesse. Elizabeth envisagea de sauter mais, grisée par le mouvement, laissa la joie l'envahir. Plus le siège s'emballait, plus elle riait – jusqu'à en avoir mal aux côtes. Elle avait oublié la dernière fois où elle s'était sentie aussi jeune, les jambes relevées, les pieds en l'air, cheveux au vent. Le tour de manège s'acheva et elle reprit son souffle.

Son sourire s'évanouit peu à peu, ainsi que l'écho de son rire. Seul l'entourait le silence pesant de la pièce déserte. Elizabeth se mit à fredonner et parcourut le bureau de Poppy, un bric-à-brac de livres, de tissus, de tubes de peinture, de dessins et de magazines de déco. Son regard se posa alors sur une photo dans un cadre doré où l'on voyait Poppy, ses deux sœurs, ses trois frères et ses parents entassés sur un canapé. On aurait dit une équipe de foot dont tous les joueurs se ressemblaient : même petit nez en trompette, mêmes yeux verts qui se plissaient quand ils souriaient. Dans un coin du cadre était glissée une série de photos d'identité qui montraient Poppy et son petit copain en train d'offrir des grimaces à la postérité. Sur le quatrième cliché, ils se lançaient une œillade débordante d'amour : un moment précieux immortalisé à jamais.

Elizabeth, la gorge nouée, s'arrêta de fredonner. Elle aussi, jadis, avait été amoureuse.

Elle scruta la photo et se débattit – en vain – contre le flot de souvenirs qui affluaient en elle. Elle perdit pied et fondit en larmes. Ses sanglots discrets se transformèrent bientôt en gémissements de douleur qui provenaient du plus profond de son être. Son chagrin s'exprimait à travers chaque pleur, comme un appel à l'aide que personne n'avait encore jamais entendu, n'avait même pas pris la peine d'écouter. Et sa détresse ne fit que redoubler.

11

Le chuintement de l'eau bouillante rappela soudain Elizabeth à l'ordre. Elle se précipita vers la cuisinière, souleva le couvercle de la cocotte et baissa le feu avant de vérifier la cuisson du poulet et des légumes avec une fourchette. Où avait-elle la tête aujourd'hui ?

— Luke, à table !

Elle était allée chercher le garçonnet chez Brendan après le bureau, malgré la crise de larmes qui l'avait affaiblie et démoralisée. Cela faisait des années qu'elle n'avait pas pleuré et elle se demandait ce qui l'avait transformée en fontaine. Depuis plusieurs jours son esprit partait à la dérive, ce qui ne lui arrivait jamais : elle restait concentrée, courageuse, en toutes circonstances. Cet accès de déprime ne lui ressemblait pas.

Luke débarqua dans la cuisine déjà vêtu de son pyjama Spiderman.

— Tu as encore oublié Ivan.

Elizabeth voulut protester mais se souvint à temps des conseils prodigués sur les sites web.

— Ah, quelle tête en l'air.

Luke lui jeta un regard surpris.

— Excuse-moi, Ivan.

Elle sortit une troisième assiette du placard. Tu parles d'un gâchis, se dit-elle en servant brocolis, chou-fleur et pommes de terre.

— Je suis certaine qu'il n'aime pas le poulet, alors il devra se contenter de ça.

Sur ce, elle posa la platée de légumes à côté de la place dévolue à Luke.

Luke secoua la tête.

— Nan, il dit que le poulet, il aime beaucoup ça.

— Laisse-moi deviner. C'est son plat préféré.

— Il dit qu'en fait, c'est sa volaille préférée.

— Génial.

Elizabeth inspecta l'assiette d'Ivan, curieuse de voir comment Luke se débrouillerait avec sa double portion. Déjà que lui faire finir la sienne, c'était la croix et la bannière…

— Ivan m'a raconté qu'il s'est bien amusé dans ton bureau aujourd'hui, déclara Luke en mastiquant une fleurette de brocoli, ce qui provoqua une mimique écœurée.

Il avala l'objet de son dégoût en toute hâte et le fit passer avec une gorgée de lait.

— Vraiment ? s'intéressa Elizabeth. Et qu'est-ce qui l'a tellement amusé ?

— Il a bien aimé le fauteuil qui tournait.

Elizabeth s'arrêta de mâchonner et observa son neveu.

— Comment ça, le fauteuil qui tournait ?

Luke engloutit une pomme de terre.

— Il dit que tourner dans le fauteuil de Poppy, c'est ce qu'il préfère.

Elizabeth en oublia qu'il parlait la bouche pleine.

— Tu as bavardé avec elle aujourd'hui ?

Luke adorait Poppy et il leur arrivait de papoter lorsque Édith appelait Elizabeth au travail afin de vérifier un détail auprès d'elle. Comme il connaissait le numéro par cœur – elle l'avait forcé à l'apprendre dès la maternelle –, il n'était pas impossible qu'il ait téléphoné pour pallier l'absence de sa nounou. Oui, c'était sûrement ça, se rassura Elizabeth. La réponse la désarçonna :

— Non.

— Et avec Becca ?

— Non plus.

Elizabeth eut soudain l'impression de mastiquer du carton. Elle avala sa bouchée avec peine, reposa ses couverts et, perdue dans ses pensées, observa Luke. L'assiette d'Ivan restait intouchée, comme elle s'y attendait.

— Tu as parlé à Saoirse, alors ?

Elle épia le visage du petit, curieuse de savoir si la comédie qu'avait jouée Saoirse lors de sa visite avait un rapport avec la nouvelle obsession de son fils. Saoirse était bien capable de ridiculiser Elizabeth si, par malheur, cette histoire d'ami invisible était parvenue à ses oreilles.

— Non.

Peut-être s'agissait-il d'une simple coïncidence. Peut-être Luke avait-il lancé ça au hasard. Peut-être, peut-être, peut-être… mais où étaient passées toutes ses certitudes ? Autant tirer parti de cette situation rocambolesque.

— On ne joue pas avec la nourriture, Luke. Ivan m'a dit de te dire que les légumes, c'est bon pour la santé.

Luke éclata de rire.

— Qu'est-ce qu'il y a de si drôle ?

— Ivan m'a raconté que toutes les mamans profitent de lui pour forcer les enfants à manger des trucs verts.

— Eh bien, tu peux expliquer à Ivan que c'est parce que les mamans sont le mieux placées pour en juger.

Enfin, certaines, du moins.

— Explique-lui toute seule, gloussa Luke.

— Très bien.

Elizabeth se pencha vers la chaise vide qui lui faisait face et s'adressa à elle comme à un gamin :

— D'où tu viens, Ivan ?

Luke se moqua chaudement d'elle ; elle se sentit ridicule.

— De Jynérimah.

Ce fut au tour d'Elizabeth de s'esclaffer.

— Oh, vraiment ? Et ça se trouve où, Jynérimah ?

— Loin, très loin d'ici.

— Loin comment ? Comme le Donegal ?

Luke haussa les épaules, déjà lassé par la conversation.

— Hé, s'exclama Elizabeth, comment tu as fait ça ?

— Quoi ?

— Faire disparaître une pomme de terre de l'assiette d'Ivan.

— J'y suis pour rien. C'est Ivan qui l'a mangée.

— Arrête tes…, commença Elizabeth avant de s'interrompre.

Un peu plus tard dans la soirée, à plat ventre sur la moquette du salon, Luke fredonnait, encore et toujours, cette fichue mélodie et apportait la dernière touche à un dessin tandis que sa tante regardait la télévision en dégustant un café. Cela faisait une éternité qu'ils n'avaient pas passé du temps ensemble. D'habitude, ils vaquaient à leurs occupations chacun de son côté une fois le dîner fini, un dîner qui, en temps normal, se déroulait dans un silence absolu. Et, en temps normal, Elizabeth ne se prêtait pas aux jeux stupides de Luke. Elle regrettait déjà d'avoir cédé au cours du repas. Elle regarda son neveu s'absorber dans son œuvre, un crayon de couleur à la main. Il s'était installé sur un tapis censé protéger la moquette et, même si elle désapprouvait de le voir prendre ses aises hors de la salle de jeux, elle se réjouissait qu'il s'occupe avec des objets réels. Après la pluie vient toujours le beau temps. Elizabeth reporta son attention sur l'émission de déco.

Une petite tape sur son épaule.

— Elizabeth.

— Oui, Luke ?

— Je l'ai dessiné pour toi.

Le garçon lui tendit une illustration aux couleurs vives.

— C'est moi et Ivan et on joue dans le jardin.

Elizabeth esquissa un sourire et étudia la scène. Luke avait tracé deux bonshommes filiformes. Surprise de taille : Ivan était deux fois plus grand que Luke. Il portait un tee-shirt bleu, des baskets de la même couleur et un jean ; il avait une tignasse noire, de grands yeux azur et une barbe de plusieurs jours. Luke et lui se tenaient par la main, tout sourire. Elizabeth ne sut que dire. Un ami imaginaire n'était-il pas censé avoir le même âge que celui qui l'imaginait ?

— Euh, Ivan est drôlement grand, non, pour un garçon qui n'a que six ans ?

Possible que Luke l'ait représenté plus grand qu'en réalité parce qu'il occupait une place importante dans sa vie…

— Ivan dit toujours que personne n'a que six ans et, en plus, il n'a pas six ans du tout. Il est vieux pareil que toi !

Horrifiée, Elizabeth écarquilla les yeux. *Vieux pareil qu'elle ?* Qu'est-ce que c'était que cet ami imaginaire ?

12

Je comprenais sans problème la réaction d'Elizabeth, ce qui ne veut pas dire que je partageais son opinion. Les amis, il y en a de toutes les formes et de toutes les tailles, même les andouilles savent ça, alors pourquoi cet adage ne vaudrait-il pas pour les amis imaginaires ? Elizabeth se mettait le doigt dans l'œil. En fait, elle se trompait sur toute la ligne car elle n'avait aucun ami. Normal, vu qu'elle recherchait la compagnie de femmes de trente-quatre ans qui s'habillaient, se coiffaient et se comportaient exactement comme elle. Ça m'avait sauté à la figure : à l'instant où elle avait posé les yeux sur le dessin, elle s'était dit que Luke aurait mieux fait de se trouver un copain de son âge. Avec ce genre de préjugés, elle ne risquait pas d'aller loin.

L'important n'est pas notre apparence, mais le rôle qu'on joue dans la vie de notre meilleur copain. Les gens choisissent leurs amis selon leur besoin et leur envie du moment, pas en fonction de leur taille, de leur âge ou de leur couleur de cheveux. Franchement, vous en repérez beaucoup, des hommes adultes, dans l'entourage immédiat de Luke ? Peut-être que je réponds à un besoin en lui. Souvent, mais pas de manière systématique – je prends un exemple –, un enfant me verra moi et pas Tommy, un de mes collègues qui fait morveux, dans tous les sens du terme.

Et ce n'est pas parce que vous voyez un ami imaginaire que vous les verrez tous. Les gens en sont peut-être capables mais, comme ils n'exploitent qu'une infime partie de leurs facultés mentales, le reste demeure en friche. Il existe tant de merveilles à découvrir, si seulement ils prenaient la peine de se concentrer dessus. La vie ressemble un peu à un tableau, une œuvre abstraite extrêmement bizarre qui ne montre qu'une masse indistincte. On peut donc décider de vivre dans un tableau chaotique, presque à tâtons, ou choisir d'y regarder de plus près, de fournir un effort et d'utiliser son imagination pour transcender les apparences. Et sur la toile confuse, constellée de taches, se dévoilent alors, par-delà la bouillie initiale, le ciel, la mer, un groupe de potes, des maisons, un papillon posé sur une fleur…

Après la journée riche en émotions passée dans le bureau d'Elizabeth, j'ai demandé une réunion d'urgence. Durant ma carrière, je pensais avoir tout vu ; il faut croire que j'avais tort. Le fait que Saoirse me remarque et m'adresse la parole m'avait vraiment secoué. Que Luke me voie, c'était normal. Qu'Elizabeth arrive plus ou moins à me percevoir, il y avait déjà de quoi se poser des questions mais je commençais à m'y habituer. Mais Saoirse ? Bien entendu, il arrive que plusieurs enfants me distinguent en même temps – un adulte, jamais. Deux, carrément impossible. Olivia, une de mes collègues, s'était spécialisée, par la force des choses, dans l'accompagnement d'adultes : seules les grandes personnes parvenaient à entrer en contact avec elle. Je me sentais un peu perdu, je l'avoue.

Nos réunions SOS, comme je les ai baptisées, ont pour but d'examiner la situation des uns et des autres, de proposer des idées et des suggestions, de secourir ceux qui se retrouvent dans la panade. Vu que je n'avais encore jamais appelé le groupe – six «amis imaginaires» parmi les plus chevronnés de la boîte – à la rescousse, le patron a eu l'air abasourdi par ma demande.

Quand j'ai fait mon entrée, l'ambiance était joyeuse. J'ai salué mes collègues, on a pris place et attendu le chef. Notre salle de réunion n'est pas une pièce sinistre aux murs aveugles, encombrée par une table interminable et des fauteuils en cuir qui empestent à plein nez – au contraire. Nous, on a une approche moins rigide des réunions de travail et personne ne s'en plaint : les gens se sentent à l'aise, les idées fusent. On est assis en cercle dans des sièges confortables. Moi, j'ai un pouf ; Olivia, un rocking-chair. Plus pratique pour tricoter, paraît-il.

Le patron, en fait, est une patronne et elle n'a rien d'un cheffaillon, on l'appelle juste comme ça pour rire. Il n'y a pas plus gentil qu'elle. Opale connaît toutes les ficelles du métier de meilleur ami et plus rien ne l'étonne. C'est la plus patiente, la plus attentionnée, la plus à l'écoute et la plus perspicace du lot. Avec sa tunique lilas, ses lunettes rondes aux verres violets, ses longues dreadlocks nouées en queue de cheval et piquetées de perles qui scintillent au gré de ses mouvements gracieux, elle est belle comme le jour. Elle ne sourit pas, elle rayonne.

Cette fois-ci elle est arrivée coiffée d'une couronne de pâquerettes, des fleurs au cou et aux poignets.

— Jolie parure, s'est émerveillée Calendula, assise juste derrière moi.

— Merci, Calendula. La petite Tara et moi, on l'a tressée aujourd'hui dans le jardin. Mais tu es très élégante aujourd'hui. Cette couleur te va à ravir.

Perchée sur sa chaise en bois, Calendula a semblé ravie. Cela fait des lustres qu'elle a rejoint la société mais elle a gardé l'apparence d'une petite fille. Le regard myosotis, elle est haute comme trois pommes et blonde comme les blés – ce jour-là elle s'était fait de belles anglaises enrubannées de jaune – et elle n'élève jamais la voix. Elle portait une robe d'été assortie à ses rubans et des chaussures toutes neuves, blanches et vernies. Sa chaise couleur citron, ornée de cœurs et de sucres d'orge peints à la main, me fait toujours penser à Hansel et Gretel.

— Merci, a soufflé Calendula, rose de plaisir. Après la réunion je suis invitée à un goûter avec la petite Maeve.

— Oh ? a lancé Opale. Très bien. Où ça ?

— Dans le jardin de ses parents. Elle a reçu un service à thé hier, à l'occasion de son anniversaire.

— Formidable. Et ça se passe comment avec elle ?

— On ne peut mieux, merci, déclara Calendula en baissant les yeux et en tripotant une cocarde.

Les bavardages se sont éteints et tous les participants ont fixé leur attention sur l'échange Opale-Calendula. Opale n'est pas du genre à exiger le silence avant le début d'une réunion. Elle sait que les conversations cesseront bien assez tôt, que chacun se taira à son heure. Elle a pour coutume de répéter que le temps arrange tout et que la plupart des difficultés se règlent d'elles-mêmes.

— Est-ce qu'elle continue à te mener la vie dure ?

Peinée, Calendula a hoché la tête.

— Elle me donne des ordres à la pelle et, quand ses parents se mettent en colère parce qu'elle a fait une bêtise, elle rejette la faute sur moi.

Olivia, une vieille dame, s'est indignée à voix haute sans lever les yeux de son tricot.

— Tu sais pourquoi Maeve se comporte ainsi, n'est-ce pas ?

— Oui, elle profite de ma présence pour jouer au tyran et reproduire l'autorité parentale. Je suis parfaitement consciente de ses motivations mais se faire étriller au quotidien, il y a de quoi baisser les bras.

Sa remarque a fait l'unanimité. Tout le monde s'est retrouvé dans la situation de Calendula à un moment ou à un autre de sa carrière. La plupart des enfants adorent nous chahuter car l'occasion de se défouler sur quelqu'un sans être puni ne se présente qu'une fois.

— Tu sais bien que ça ne va pas durer, l'a encouragée Opale.

Calendula nous a rassurés d'un signe. La patronne s'est alors tournée vers un petit garçon au visage angélique, la casquette à l'envers, assis sur une planche de skate. Lorsque Opale a prononcé son nom, il s'est immobilisé.

— Bobby, il va falloir arrêter les jeux vidéo avec le petit Anthony, d'accord ? Tu sais pourquoi ?

Le skateur a parlé d'une voix grave qui démentait son apparence juvénile :

— Parce qu'il n'a que trois ans et qu'il a besoin de jouets qui développeront son indépendance, sa créativité et son imagination. De nombreuses activités risquent de retarder ses progrès.

— Et quels jeux tu préconiserais, dans son cas ?

— Je pense me polariser sur, euh, pas grand-chose à vrai dire, pour qu'on puisse forger des scénarios : boîtes en carton, ustensiles de cuisine, ou rouleaux de papier toilette.

Éclat de rire général. Les rouleaux de papier toilette, c'est ce que je préfère : on peut faire plein de choses avec.

— Très bien, Bobby. N'oublie pas ces objectifs quand Anthony voudra jouer sur sa console. À l'exemple de Tommy… tiens, où est passé Tommy ?

— Désolé pour le retard !

Tommy a déboulé dans la pièce en roulant des mécaniques. Son visage était couvert de boue, ses vêtements et ses mollets de taches vertes – de l'herbe –, ses bras d'écorchures et de croûtes. Il s'est jeté sur son pouf en mimant un bruit d'explosion.

Opale a ri de bon cœur.

— Bienvenue, Tommy. Surchargé de travail, on dirait ?

— Ouais, a lancé Tommy. Moi et Johnny on déterrait des asticots dans le parc.

Il s'est essuyé le nez sur son bras nu.

— Pouah ! s'est exclamée Calendula, révoltée, et elle a rapproché sa chaise de mon pouf.

— Relax, princesse, a rétorqué Tommy avec un clin d'œil avant de poser ses pieds sur la table basse, qui croulait sous les sodas et les biscuits au chocolat.

Calendula a détourné le regard et observé Opale.

— Donc le petit John est toujours égal à lui-même.

— Oui, il continue à me voir, s'est vanté Tommy. En ce moment il se fait persécuter à l'école par des petites brutes qui l'ont menacé. Il refuse d'en parler à ses parents car il a peur qu'ils le critiquent ou qu'ils interviennent, ce qui ne fera qu'envenimer la situation. En plus, il a honte d'offrir une proie facile. Bref, rien de nouveau sous le soleil.

Ayant parlé, Tommy a gobé un bonbon.

— Et qu'est-ce que tu comptes faire ? s'est inquiétée Opale.

— Manque de pot, le problème c'est que John se laissait facilement intimider, même avant que j'arrive. Il a pris l'habitude de se soumettre aux exigences injustes de ceux qu'il considère comme plus forts que lui, et lui-même s'identifie avec ces garnements et imite leur comportement. Je ne me suis pas laissé rudoyer pour autant. On a travaillé sa manière de se tenir, sa voix et son regard – qui trahissaient sa vulnérabilité. Je lui enseigne à repérer les individus dont il doit se méfier et, tous les jours, on récapitule notre liste.

Il s'est étiré, a croisé les mains derrière la tête.

— Tout ça pour qu'il acquière un point de vue objectif sur ce qui est juste ou injuste.

— Donc vous déterrez des asticots.

— On trouve toujours le temps pour ça, pas vrai, Ivan ?

Opale a dirigé ensuite son attention sur une fillette vêtue d'une salopette en jean, aux baskets crasseuses et aux cheveux très courts. Elle était assise sur un ballon de foot.

— Jamie-Lynn, comment se débrouille la petite Samantha ? J'espère que vous avez arrêté de vous acharner sur les plates-bandes de sa mère.

Calendula se contentait d'assister à des goûters d'anniversaire, d'arborer de jolies robes et de jouer à la Barbie ou au Petit Poney. Jamie-Lynn, le garçon manqué de la bande, met toujours ses amies dans de sales draps. Elle a ouvert la bouche et un flot de paroles incompréhensibles s'en est échappé.

Opale a paru mécontente.

— Je vois que Samantha et toi continuez à utiliser votre langage secret.

Jamie-Lynn n'a pu qu'acquiescer.

— À ta guise, mais sois prudente. Je te rappelle que, sur le long terme, c'est un outil à double tranchant.

Jamie-Lynn s'est remise à parler normalement :

— Pas de souci, Samantha apprend à s'exprimer par des phrases entières et, en parallèle, elle développe sa mémoire. Je vais bientôt laisser tomber. En plus, elle ne m'a pas vue ce matin au réveil. Le contact n'a repris qu'à l'heure du déjeuner, a-t-elle ajouté d'une voix triste.

L'assemblée lui a présenté ses condoléances car la fin d'une amitié est toujours un moment douloureux – on en sait tous quelque chose.

— Olivia, comment va Mrs Cromwell ?

Olivia a posé son tricot et poussé un soupir.

— Ses jours sont comptés, hélas. Hier soir on a eu une discussion stimulante sur une escapade à la mer qui remonte aux années trente, avec sa famille. Ça l'a mise de bonne humeur. Mais lorsque, ce matin, elle a parlé de moi à ses enfants, ils ont déguerpi aussi sec. Ils pensent qu'elle fait référence à sa grand-tante, une Olivia qui est morte il y a quarante ans, et ils sont certains qu'elle perd la tête. Quoi qu'il en soit, je vais rester avec elle jusqu'à la fin. Comme je l'ai dit, elle n'en a plus pour très longtemps, et elle n'a reçu que deux visites ce mois-ci. Elle n'a plus personne à qui se raccrocher.

Olivia se fait des amis dans les hôpitaux, les hospices et les maisons de retraite. Elle aide les gens à évoquer leurs souvenirs, occuper les heures solitaires et les longues nuits d'insomnie. À l'instar des enfants, les personnes âgées sont capables de croire et d'espérer, en particulier lorsqu'elles sont très malades ou qu'elles se sentent décliner. Dans ces périodes d'angoisse, elles puisent la force de méditer sur leur destinée, leur but sur cette terre et les possibilités qui leur restent. Elles relâchent leurs défenses, s'ouvrent à de nouvelles expériences, se mettent à l'écoute de leur corps et de leur esprit. Seuls ceux qui se situent entre les deux bornes de la vie, l'enfance et la vieillesse, portent des œillères. Témoin Elizabeth.

— Merci, Olivia, a conclu Opale, puis elle s'est adressée à moi : Alors, Ivan, comment ça se passe à Fuchsia Lane ? Un pépin ? Le petit Luke semble pourtant en pleine forme.

Je me suis étendu sur le pouf.

— Oui, lui ça va. Il y a deux ou trois petites choses à régler, par exemple la manière dont il s'inscrit dans le contexte familial, mais rien de méchant.

— Très bien.

— Là n'est pas le problème.

J'ai jeté un regard à la ronde.

— Sa tante, Elizabeth, qui l'a adopté et qui a trente-cinq ans, perçoit ma présence de manière épisodique.

Les autres ont échangé des coups d'œil horrifiés – une réaction à laquelle je m'attendais.

— Mais attendez la suite, ai-je renchéri en me frottant presque les mains. La mère de Luke, qui en a vingt-trois, a débarqué aujourd'hui dans le bureau d'Elizabeth, m'a vu et m'a même parlé !

Ça leur a coupé la chique. Opale, elle, est restée impassible. La complicité faisait briller ses yeux. Sa réaction m'a tranquillisé car je me doutais qu'elle saurait comment gérer cette situation. Rien ne la prenait de court, jamais.

— Et où se trouvait Luke quand tu étais dans le bureau d'Elizabeth ? a-t-elle demandé, un sourire flottant sur ses lèvres.

— Chez son grand-père, qui a une ferme en dehors du village. Elizabeth n'a pas voulu me laisser sortir de la voiture parce qu'elle redoutait sa réaction s'il apprenait que

Luke a un copain invisible. Résultat, je l'ai accompagnée, contraint et forcé, à son travail.

Ouf. Quelle tirade.

— Dans ce cas, pourquoi tu es resté auprès d'elle au lieu de rejoindre Luke à pied une fois délivré de la bagnole ? m'a interrogé Tommy, toujours affalé dans son siège.

Les prunelles d'Opale pétillaient de malice. Qu'est-ce qui lui prenait ?

— Parce que.

— Parce que quoi ? s'est immiscée Calendula.

Ils s'y mettaient à deux, maintenant. On n'était pas sortis de l'auberge.

— La ferme est loin du bureau ? a demandé Bobby.

Pourquoi est-ce qu'ils me bombardaient de questions ? On était tous là pour régler mon problème, non ?

— Deux minutes en voiture, mais une bonne vingtaine si on marche, ai-je expliqué. C'est quoi, un examen ?

— Ivan, a gloussé Olivia, ne joue pas à l'imbécile. Tu sais très bien que, quand on est séparé de son ami, on s'arrange toujours pour le retrouver. Vingt minutes de marche, ce n'est rien par rapport aux distances que tu parcourais pour rejoindre ton copain précédent.

— Mais qu'est-ce que vous me chantez ? J'essayais de voir si Elizabeth voulait établir un contact. J'étais complètement paumé. C'est la première fois que ça arrive, ce genre de chose.

— Ne t'inquiète pas, Ivan, a susurré Opale avant de déclarer, à la surprise générale : C'est rare, mais pas nouveau.

Elle s'est mise debout, a rassemblé ses dossiers et s'est disposée à partir.

— Minute papillon, ai-je protesté. Vous ne m'avez pas encore donné d'instructions.

Elle a ôté ses lunettes et vrillé son regard noisette dans le mien.

— Il n'y a pas d'urgence, Ivan. Et je n'ai aucun conseil à te fournir. Tu vas devoir compter sur toi seul et prendre la bonne décision le moment venu.

— Quelle décision ? À quel sujet ? me suis-je exclamé, doublement ahuri.

— Tu comprendras en temps et en heure. Bonne chance.

Sur ces sages paroles elle m'a planté là et je me suis retrouvé pris sous un feu croisé de regards dubitatifs. Les visages ébahis qui m'entouraient m'ont démoralisé pour de bon.

— Navrée, Ivan, je compatis, a affirmé Calendula.

Elle s'est mise debout à son tour, a défroissé sa robe, m'a pris dans ses bras et a planté une bise sur la joue.

— Je ferais mieux d'y aller, sinon je vais arriver en retard.

Je l'ai suivie du regard jusqu'à la porte. Elle sautillait, et ses boucles virevoltaient à chacun de ses pas.

— Amuse-toi bien ! ai-je lancé avant de grommeler entre mes dents : La bonne décision, facile à dire. La bonne décision sur quoi ?

Une pensée terrifiante m'a alors traversé l'esprit : et si je faisais fausse route au moment crucial ? Qui paierait les pots cassés ?

13

Elizabeth se projeta doucement vers l'avant sur la balancelle, une tasse de café fumant au creux de ses mains fines. Le crépuscule enveloppait le jardin, le froid nocturne avait commencé à la gagner. Elle leva les yeux et contempla le firmament, un tableau traversé de nuages parfaits, des polochons en barbe à papa, roses, rubis et cuivrés. Un feu ambré perçait derrière la montagne, comme le faisceau qui filtrait sous la couverture de Luke lorsqu'il lisait en cachette à la lueur de sa lampe de poche.

Elle inspira une grande goulée d'air frais. Une brise légère s'était levée et lui caressait les cheveux. Cela faisait près d'une heure qu'elle était assise dehors, à ne rien faire. Luke jouait, dans sa chambre, avec son copain Sam, et elle attendait le père de son petit invité – un homme qu'elle n'avait encore jamais rencontré –, censé arriver d'une minute à l'autre. La tâche d'accueillir les parents et de leur restituer leur progéniture incombait d'habitude à Édith. Elizabeth n'avait pas vraiment hâte de tailler une bavette avec le papa de Sam.

Il n'était pas encore dix heures du soir et déjà l'obscurité gagnait du terrain. Perchée sur la balancelle, Elizabeth faisait l'impossible pour ravaler des larmes qui ne demandaient qu'à couler et balayer les idées noires qui menaçaient de l'engloutir. Elle avait l'impression de se battre avec le monde entier. Elle luttait contre les intrus qui s'immisçaient dans son existence bien réglée : contre Luke et ses enfantillages, contre Saoirse et ses problèmes, contre Poppy et ses projets farfelus, contre Joe et son café infect, contre ses concurrents. Ils ne lui laissaient pas un instant de répit. Et voilà qu'elle se retrouvait aux prises avec ses propres émotions…

Elle avait l'impression d'être au centre d'un ring, d'avoir tenu une centaine de rounds, d'avoir encaissé tous les coups que ses adversaires lui avaient assénés. L'épuisement l'avait terrassée. Les courbatures paralysaient ses muscles, sa défense faiblissait, ses blessures ne cicatrisaient plus.

Un chat se laissa tomber du muret qui séparait le jardin d'Elizabeth de celui des voisins et atterrit mollement dans l'herbe. Il toisa la jeune femme, la tête haute, et traversa la pelouse d'une démarche nonchalante ; ses pupilles phosphorescentes trouaient l'obscurité. Sûr de lui, confiant, satisfait, il gagna d'un bond le sommet du mur opposé et disparut dans la nuit. Elizabeth jalousa la liberté et l'indépendance de cette créature à qui tout était égal, même ceux qui l'aimaient et prenaient soin de lui.

D'un coup de pied, elle remit la balancelle en mouvement. Un léger grincement se fit entendre. Au loin, les crêtes des montagnes s'étaient embrasées sous le soleil couchant ; en face, la pleine lune attendait d'occuper le devant de la scène. Les criquets s'en donnaient à cœur joie, les enfants désertaient la rue pour se préparer à la visite du marchand de sable. Les gens qui rentraient du travail retrouvaient leur paisible chez-soi. Un silence absolu enveloppa Fuchsia Lane et de nouveau Elizabeth se retrouva seule, étrangère dans son propre jardin, un jardin qu'elle ne reconnaissait plus à la tombée de la nuit.

Elle se repassa le film des événements de la journée et revint sur la visite de Saoirse. Elle la visualisa à plusieurs reprises, le volume s'amplifiant à chaque rediffusion. *Ils finissent tous par se casser, pas vrai, Lizzie ?* La phrase se répétait à l'infini, à la manière d'un disque rayé. Elizabeth sentit un doigt s'enfoncer dans son torse, d'abord à fleur de peau, puis plus violemment, s'acharnant, fouillant jusqu'à atteindre le cœur, là où la douleur était la plus intense.

Elle ferma les paupières et, pour la seconde fois de la journée, fondit en larmes. *Pas vrai, Lizzie ? Ils finissent tous par se casser, hein ?*

La question ne lui laisserait aucun répit tant qu'elle resterait sans réponse. Elizabeth sortit de ses gonds. OUI ! hurla-t-elle en son for intérieur. Oui, ils finissent tous par se défiler. Tous sans exception, à chaque fois. Aussitôt qu'une personne illuminait ses journées et lui remontait le moral, elle se volatilisait. Chez elle, le bonheur ne durait que le temps d'un week-end et fondait comme neige au soleil. Sa mère avait été la première d'une longue série : en la quittant, elle avait laissé la voie libre aux ténèbres, tout comme le soleil couchant.

Ensuite l'avaient abandonnée les oncles, les tantes qui rendaient visite à son père et repartaient aussi vite qu'ils étaient venus ; les instituteurs, les profs bienveillants auxquels elle s'attachait le temps d'une année scolaire ; les amis qui avaient leur propre chemin à tracer. Ceux qui avaient le cœur sur la main, ceux qui n'avaient pas peur de sourire ni d'aimer... ceux-là la lâchaient inéluctablement.

Elizabeth, secouée de sanglots, était redevenue une petite fille qui s'est écorché le genou en faisant une mauvaise chute. Si seulement sa mère était là pour la réconforter, la prendre dans ses bras et la hisser sur la table de la cuisine afin d'appliquer un pansement là où elle avait mal. Et pour la bercer, comme chaque fois, danser avec elle à travers la pièce et chantonner le temps de lui faire oublier la douleur et de sécher ses larmes. Si seulement Mark, son seul et unique amour, était là pour l'enlacer de ses bras tellement puissants qu'elle disparaissait dans son étreinte, pour la calmer, lui chuchoter des paroles apaisantes au creux de l'oreille, lui caresser les cheveux. Quand il la rassurait, elle le croyait aveuglément. Il parvenait à la tranquilliser au sujet de l'avenir et, recroquevillée dans ses bras, elle savait qu'il avait raison, le sentait au plus profond de son cœur.

Et plus Elizabeth pensait à sa mère, à Mark, plus ses larmes coulaient : elle pleurait sur son père qui pouvait à peine la regarder, sur sa sœur qui avait oublié son propre enfant, sur son neveu qui l'observait de ses grands yeux bleus et la suppliait de l'aimer...

Assise sur la balancelle, en larmes, Elizabeth se demanda par quel miracle elle pouvait se laisser démolir et mettre KO d'une seule phrase par une gamine qui, au cours de sa vie, n'avait pas reçu assez de tendresse ni de chaleur humaine et dont les lèvres n'avaient jamais exprimé le moindre témoignage d'affection. Saoirse était parvenue à la mettre au tapis – comme le carré de soie noire.

Qu'elle aille au diable, elle et sa haine de l'existence, son indifférence et son mépris, elle qui envoyait tout balader alors qu'Elizabeth remuait ciel et terre pour son bien. De quel droit la traitait-elle avec autant de grossièreté ? Comment pouvait-elle l'insulter aussi facilement ? Et la petite voix qui résonnait sous le crâne d'Elizabeth lui rappela que ce n'était pas l'alcool qui faisait agir ainsi Saoirse, mais le chagrin.

— Oh, aidez-moi, murmura la jeune femme d'une voix entrecoupée de sanglots, la tête entre les mains, je vous en supplie, que quelqu'un m'aide…

Une explosion de clarté électrique en provenance de la cuisine la fit tressaillir. Sur le seuil de la porte-fenêtre se tenait un homme, baigné d'un halo de lumière, pareil à un ange.

Elizabeth ravala ses larmes, le cœur battant la chamade, honteuse d'avoir été prise en flagrant délit. Elle s'essuya les yeux d'un geste brusque, se recoiffa et quitta la balancelle.

— Vous devez être le papa de Sam, chevrota-t-elle, encore sous le coup de l'émotion. Moi, je suis Elizabeth.

Silence. Le type devait se demander ce qui lui avait traversé la tête de confier la prunelle de ses yeux aux soins de cette femme, une hystérique qui laissait son neveu ouvrir la porte d'entrée à dix heures du soir, sans surveillance…

— Désolée, je n'ai pas entendu la sonnette. Luke a dû avertir Sam que vous êtes arrivé mais…

Mais quoi, Elizabeth ?

— … mais je vais l'appeler quand même, au cas où.

Elle s'enveloppa dans son cardigan et croisa les bras, réticente à entrer dans le cercle de lumière et à montrer qu'elle avait pleuré. Elle se dirigea vers la maison tête courbée et se frotta le front du plat de la main.

À la porte-fenêtre, elle plissa les yeux mais garda le nez baissé afin de ne pas croiser le regard du visiteur. Tout ce qu'elle vit de lui, ce fut ses Converse bleues et le bas d'un jean délavé.

14

— Sam, ton papa est là ! Il est venu te chercher ! cria Elizabeth au pied de l'escalier.

Pas de réponse. Elle poussa un soupir et inspecta son reflet dans le miroir – celui d'une inconnue au visage bouffi, écarlate, échevelée.

Un bruit de pas précipités à l'étage, et Luke apparut au sommet des marches, tout assoupi. Pour la énième nuit consécutive il avait enfilé son pyjama Spiderman : il refusait mordicus qu'Elizabeth le confie à la machine à laver et, pour s'assurer qu'elle ne retrouve pas sa trace, le mettait en lieu sûr derrière George, son ours en peluche préféré. De ses petits poings il frotta ses paupières alourdies de sommeil et scruta sa tante, désorienté.

— Hein ?

— On dit pardon, pas hein, le corrigea Elizabeth par réflexe. Tu pourrais demander à Sam de descendre, son papa est là à faire le pied de grue.

— Mais…, hasarda Luke en se grattant l'occiput.

— Mais quoi ?

— Le papa de Sam l'a récupéré quand tu étais dans…

Le regard de Luke se posa alors sur le nouveau venu et un large sourire fendit son visage.

— Oh, bonjour, le papa de Sam. Sam descend dans une minute, gloussa-t-il avant de repartir en quatrième vitesse dans sa chambre.

Elizabeth n'avait d'autre choix que de se retourner et de faire face à l'inconnu : à force de l'éviter, elle risquait de passer pour une malpolie. Au premier coup d'œil elle remarqua sa contenance éberluée. Il regarda Luke rebrousser chemin et pivota vers elle, l'air inquiet. Adossé au mur, les mains enfoncées dans les poches de son jean, il portait un tee-shirt bleu et une casquette assortie d'où s'échappaient des mèches de jais. Sous cet accoutrement d'ado attardé, Elizabeth lui attribua, à vue de nez, le même âge qu'elle.

— Ne faites pas attention à Luke, déclara-t-elle à toute vitesse, il est surexcité ce soir et… excusez-moi, je me suis donnée en spectacle dans le jardin. Bizarre, ça ne m'arrive jamais.

Sur ce elle se tamponna les yeux et joignit les mains afin de réprimer son tremblement : l'afflux d'émotions l'avait désarçonnée.

— Ne vous bilez pas, répondit le père de Sam d'une voix grave mais douce. Ça arrive à tout le monde, les coups de barre.

Elizabeth se mordit la joue.

— En ce moment Édith est en congé. Vous avez déjà dû avoir affaire à elle, voilà pourquoi nous n'avons jamais fait connaissance.

— Oh, Édith. Luke m'en a beaucoup parlé. Il l'aime énormément.

— En effet, affirma Elizabeth avec un pauvre sourire, curieuse de savoir si le garçon lui avait parlé d'elle, sa tante. Mais asseyez-vous, je vous en prie.

Elle le conduisit au salon, lui proposa à boire et revint de la cuisine avec un verre de lait – pour lui – et un espresso – pour elle. Arrivée à la porte, elle le découvrit en train de tournoyer dans le siège en cuir. Ce spectacle inattendu la fit sourire.

Il l'avisa, lui sourit en retour, s'arrêta, lui arracha le verre des mains et alla s'installer dans le canapé. Elizabeth choisit son fauteuil de prédilection, si profond qu'il l'engloutissait presque. Elle se prit à espérer que son invité ne salirait pas la moquette avec ses tennis et s'en voulut aussitôt.

— Navrée, je ne sais pas comment vous vous appelez, remarqua-t-elle en s'efforçant de paraître plus joviale.

— Ivan.

D'étonnement, Elizabeth s'étrangla et recracha son café.

Ivan se précipita sur elle pour lui taper dans le dos. Le front soucieux, il plongea son regard dans celui de la jeune femme.

Elizabeth toussota, penaude, détourna la tête et s'éclaircit la gorge.

— Tout va bien, tranquillisez-vous, murmura-t-elle. C'est une drôle de coïncidence, parce que…

Elle s'interrompit à temps. Quelle bêtise venait-elle d'éviter ? Celle de confier à un inconnu que son neveu avait des hallucinations ? Malgré les informations recueillies sur Internet, elle doutait encore que le comportement de Luke puisse être qualifié de normal.

— Oh, c'est une longue histoire. Alors dites-moi, Ivan, qu'est-ce que vous faites dans la vie ? Si ce n'est pas trop indiscret, bien entendu.

Elle avala son café. Un frisson familier et rassurant la parcourut des pieds à la tête et elle se sentit revivre, émerger du coma.

— On peut dire que je suis dans l'industrie de l'amitié, Elizabeth.

— Comme nous tous, pas vrai ?

Ivan médita ces bonnes paroles.

— Et comment s'appelle votre société ?

Le regard de l'invité s'éclaira.

— C'est une société formidable. J'adore mon boulot.

— Formidable, vous dites ? Connais pas. Elle a son siège dans la région ?

— Elle a son siège partout.

— C'est une multinationale ?

Ivan acquiesça, but une gorgée de lait.

— Et quel est son domaine d'action ?

— Les enfants. Sauf Olivia, qui se charge des personnes âgées, mais moi je m'occupe des enfants. Je leur apporte mon aide, vous comprenez. Enfin… j'ai l'impression qu'on est en train de diversifier notre cible… je crois…

La voix d'Ivan s'estompa et il tapota de l'index son verre vide.

— Ah, très bien, se réjouit Elizabeth – voilà qui expliquait sa tenue et son tempérament joueur. Quand une brèche s'ouvre dans un autre marché il faut savoir s'y engouffrer, pas vrai ? Se développer, augmenter les profits. C'est une de mes priorités.

— Quel autre marché ?

— Celui des personnes âgées.

— Elles tiennent un marché ? Génial. Je me demande quel jour. Le dimanche, je suppose. On peut toujours mettre le grappin sur des babioles de récup'pas trop mal, hein ? Le papa de Barry, mon ancien copain, achetait des voitures d'occasion pour les réparer. Sa maman taillait des habits dans de vieux rideaux. On aurait dit qu'elle sortait de *La Mélodie du bonheur*. Elle a de la chance de vivre à Baile na gCroíthe car ça lui permet de se balader dans la montagne tous les week-ends. Et comme Barry, c'était mon meilleur ami, il fallait bien que je me dévoue aussi. Quand est-ce que c'est prévu ? Le marché des petits vieux, hein, pas la séance ciné.

Plongée dans ses pensées, Elizabeth ne l'écoutait que d'une oreille.

— Dites, ça va ? s'enquit Ivan.

La jeune femme leva les yeux du fond de sa tasse et scruta son hôte. Pourquoi se préoccupait-il d'elle ? Qui était ce personnage énigmatique au timbre de velours, en compagnie duquel elle se sentait si bien ? Ses pétillants yeux bleus lui donnaient la chair de poule, l'hypnotisaient, ne la lâchaient pas une seconde. Il s'était invité chez elle et lui avait posé une question que personne, pas même les membres de sa famille, ne se donnait la peine de lui poser : *ça va ?* Alors, que répondre ? Est-ce que ça allait ? Elizabeth fit tournoyer le café et regarda le liquide brunâtre lécher les parois de la tasse comme la mer s'écraserait sur une falaise. Elle réfléchit un instant et parvint à la conclusion que, puisqu'elle avait entendu ces mots pour la dernière fois de longues années auparavant, la réponse était forcément négative. Non, ça n'allait pas.

Elle était lasse de verser des larmes dans son oreiller, de faire défiler des souvenirs romantiques dans sa tête au lieu de les revivre. Lasse d'attendre avec impatience que la journée se finisse et de guetter la suivante dans l'espoir de meilleurs lendemains, d'un horizon plus dégagé. Mais ses espoirs étaient fatalement brisés. Elle s'échinait au travail, payait ses factures, allait se coucher, ne fermait pas l'œil de la nuit. Le poids qui pesait sur ses épaules augmentait de jour en jour et elle comptait les minutes avant la tombée de la nuit, ce moment indicible où enfin elle se fourrait sous les draps, retrouvait son oreiller et la chaleur de ses couvertures.

Elizabeth croisa le regard bienveillant de l'inconnu et y lut une sympathie que personne ne lui avait témoignée jusqu'alors. Elle brûlait d'envie de lui ouvrir son cœur et de l'entendre la rassurer, lui dire qu'elle n'était pas seule, qu'ils se marieraient et qu'ils auraient beaucoup... elle s'arrêta net. Rêves, souhaits et espoirs, le vent les emportait toujours au loin. Il fallait empêcher son esprit de partir à la dérive. Elle gagnait bien sa vie, Luke et elle étaient en bonne santé : que demander de plus ?

Alors, est-ce que ça allait oui ou non ?

Ivan finit son verre. Elizabeth éclata de rire – au-dessus de la bouche d'Ivan s'étalait une moustache de lait si large qu'elle atteignait ses narines – et finit par déclarer :

— Oui, merci, ça va.

Le jeune homme s'essuya, perplexe, et poursuivit son interrogatoire :

— Alors comme ça vous êtes décoratrice d'intérieur.

— Oui, vous êtes au courant ?

Ivan lui adressa un coup d'œil malicieux.

— Je sais tout.

— C'est ce que prétendent les hommes, tous sans exception. J'ignore ce que Sam traficote, ajouta-t-elle en vérifiant l'heure à sa montre, votre femme va croire que je vous ai kidnappés l'un et l'autre.

— Oh, je ne suis pas marié, rétorqua Ivan en faisant la grimace. Les filles, beurk !

Elizabeth ne put contenir sa gaieté, mais elle retrouva vite un ton sérieux :

— Désolée, Fiona ne m'a pas dit que vous étiez séparés.

— Fiona ?

— La mère de Sam ?

— Ah, elle ! Marié avec Fiona ? Sûrement pas.

Il se pencha vers l'avant et le cuir du canapé couina – un bruit familier aux oreilles d'Elizabeth.

— Vous savez, elle a une recette pas terrible pour le poulet. La sauce gâche tout.

— Original, comme motif de rancune.

Coïncidence amusante, Luke avait formulé le même reproche après avoir dîné chez Sam au cours du week-end.

— Quand on aime le poulet, on ne trouve pas ça original, renchérit Ivan. Et le poulet c'est ce que je préfère, de loin.

Elizabeth approuva ce détail, à deux doigts d'éclater.

— C'est ma volaille préférée, à vrai dire.

Il n'en fallut pas plus à Elizabeth pour se remettre à rire. Luke avait dû lui emprunter plusieurs de ses expressions.

— Quoi? s'exclama Ivan dans un sourire qui révéla une rangée de dents éclatantes.

— Vous, hoqueta Elizabeth, stupéfaite de se comporter ainsi face à un parfait étranger.

— Quoi moi?

— Vous êtes drôle.

— Et vous, vous êtes belle.

Abasourdie, Elizabeth vira à l'écarlate. Qu'est-ce qu'il venait de dire? Un silence gêné s'installa dans la pièce; la jeune femme hésitait entre l'insulte et la flatterie. Peu de personnes se fendaient de tels compliments à son sujet, et elle ne savait pas quelle attitude adopter.

Elle observa Ivan à la dérobée et fut surprise de remarquer qu'il ne semblait ni contraint ni embarrassé – comme si complimenter une femme constituait son lot quotidien. Ce qui était à coup sûr le cas, pensa-t-elle amèrement, encore un séducteur-né, un parmi tant d'autres. Pourtant, incroyable mais vrai, cet homme qui ne la connaissait pas, qui l'avait rencontrée à peine dix minutes plus tôt et qui venait d'affirmer qu'elle était belle ne bougeait pas du canapé et admirait le salon comme s'il s'agissait de la huitième merveille du monde. Il était terriblement cordial, à l'écoute et compréhensif; son éloge l'avait prise de court sans la mettre mal à l'aise – en dépit de ses vêtements fatigués, ses yeux bordés de rouge et ses cheveux gras. Les minutes s'égrenaient, et Elizabeth comprit qu'il s'était contenté de lui tirer son chapeau.

— Merci, Ivan.

— Moi pareil, je vous remercie.

— Pour quoi?

— Parce que vous me trouvez drôle.

— Ah oui. Eh bien, euh… je vous en prie.

— On ne vous fait pas beaucoup de compliments, pas vrai?

En temps normal, Elizabeth se serait levée et, parce qu'il se mêlait de ce qui ne le regardait pas, lui aurait demandé de débarrasser le plancher. Pourtant elle n'en fit rien car cet interrogatoire ne la dérangeait pas, même s'il allait à contre-courant des règles qu'elle s'était fixées.

— Non, c'est vrai, soupira-t-elle.

Ivan lui adressa un sourire radieux.

— Dans ce cas, que le mien soit le premier d'une longue série.

Elizabeth ne put soutenir son regard franc et impassible. Elle baissa le nez.

— Est-ce que Sam reste dormir chez vous ce soir ?

— J'espère que non. Pour un gamin de seulement six ans, il ronfle comme un camion.

— Pourquoi « seulement » ? Six ans, ce n'est pas…

Elle se tut, lampa son café. Ivan fronça les sourcils.

— Pardon ?

— Non, rien.

Elizabeth profita de ce que l'attention du visiteur était détournée pour l'étudier avec un regain d'intérêt. Elle n'arrivait pas à lui donner un âge précis. Elle le jugea grand et musclé, viril mais encore gamin. Comme il la désorientait, elle décida de saisir le taureau par les cornes.

— Ivan, quelque chose me chiffonne.

Cela posé, elle prit une grande inspiration.

— Il ne faut pas. Ne laissez jamais rien vous chiffonner, conseilla Ivan.

Elizabeth se sentit sourire et tiquer en même temps.

— Très bien. Ça vous embête si je vous demande votre âge ?

— Pas le moins du monde.

Silence.

— Alors ?

— Alors quoi ?

— Vous avez quel âge ?

— Disons qu'une certaine personne m'a dit que j'étais vieux comme vous.

Elizabeth pouffa. C'était bien ce qu'elle pensait. De toute évidence, Luke ne lui avait pas épargné ses remarques grossières.

— Mais les enfants forment la jeunesse, vous savez, déclara Ivan, le visage soudain grave et pensif. Mon boulot, c'est de m'en occuper, de les soutenir et d'être là pour eux.

— Vous êtes assistant social ?

— On pourrait dire ça, oui. Assistant social, meilleur ami professionnel, mentor… Vous savez, seuls les enfants comprennent exactement la marche du monde. Ils voient au-delà de ce que voient les adultes, sont ouverts à l'inconnu, ne connaissent pas l'hypocrisie et, en toutes circonstances, vous remettent à votre place d'une phrase, d'un simple regard.

Le père de Sam adorait sa double casquette – assistant social et papa –, cela sautait aux yeux.

— Un autre truc fascinant, reprit-il en s'inclinant vers Elizabeth, c'est que les enfants ont des aptitudes d'apprentissage qui dépassent largement celles des adultes. Vous savez d'où ça vient ?

Se préparant à un laïus scientifique, la jeune femme fit signe que non.

— Parce qu'ils sont ouverts d'esprit. Parce qu'ils ont un appétit insatiable de savoir. Les grandes personnes, elles, se croient revenues de tout. Les gens prennent de l'âge, vident leur mémoire et, au lieu d'élargir leur champ de vision, choisissent ce qui vaut ou non la peine d'être cru, selon eux, alors que ces choses ne se choisissent pas : elles s'imposent à nous. Voilà pourquoi ils se retrouvent à la traîne par rapport aux enfants. Leur cynisme, leur scepticisme et leur esprit étriqué, tout cela les ralentit. Ils ne pensent qu'à s'en sortir au jour le jour, sans voir plus loin que le bout de leur nez. Les à-côtés, ils s'en fichent. Mais, Elizabeth, souffla Ivan, les yeux écarquillés, irradiant un enthousiasme qui fit frissonner son auditoire, ce sont justement les à-côtés qui font la vie.

— Qui font la vie quoi ? hasarda Elizabeth, la gorge nouée.

— Qui font la vie, point.

— C'est tout ?

— Comment ça, c'est tout ? Qu'est-ce que vous voulez de plus ? Ça ne vous suffit pas ? La vie est un cadeau inestimable et on ne la vit pas à plein tant qu'on ne croit pas.

— Qu'on ne croit pas en quoi ?

Ivan leva les yeux au plafond, esquissa un sourire.

— Oh, vous trouverez la réponse toute seule.

Elizabeth les voulait à tout prix, ces fameux à-côtés. Elle voulait une existence émaillée d'étincelles et de joie. Ses yeux larmoyèrent et son cœur se mit à battre la chamade, car la perspective de fondre en larmes devant Ivan la terrifiait. Elle n'aurait pas dû s'en préoccuper : il se mit lentement debout.

— Elizabeth, sur cette note optimiste je vais devoir vous laisser. Ça a été un plaisir de passer ces quelques minutes en votre compagnie.

Il lui tendit alors la main et serra fort celle que la jeune femme, muette, lui offrait à son tour.

— Et bonne chance pour votre réunion demain matin, l'encouragea-t-il en quittant le salon.

Ce fut Luke qui se chargea de le raccompagner jusqu'à la porte d'entrée. Il lança un « Salut, Sam ! » retentissant qu'il fit suivre d'un rire joyeux avant de gravir l'escalier quatre à quatre.

Un peu plus tard dans la soirée, Elizabeth gagna son lit le front brûlant, le nez bouché et les yeux mouillés de larmes. L'oreiller serré contre elle, elle se pelotonna sous sa couette. À travers les rideaux ouverts se glissait un rayon de lune qui baignait la chambre d'une lueur bleutée. Elle contempla par la fenêtre cette même lune qui avait illuminé les nuits de son enfance, cette même voûte étoilée, et une pensée la frappa soudain.

Ivan était au courant d'une réunion dont elle ne lui avait pas parlé.

15

Elizabeth récupéra sa lourde valise dans le coffre du taxi et s'engouffra, chargée comme un mulet, dans le terminal de Farranfore Airport. Elle poussa un soupir de soulagement : enfin, elle rentrait chez elle. Installée depuis à peine un mois à New York, elle s'y sentait plus à sa place qu'à Baile na gCroíthe. Elle commençait à se faire des amis et, ô miracle, n'avait pas envie de s'arrêter en si bon chemin.

— L'avion décolle à l'heure, c'est déjà ça, déclara Mark en rejoignant la file d'attente à l'enregistrement des bagages.

Elizabeth lui adressa un sourire et appuya son front contre son torse.

— Je vais avoir besoin de nouvelles vacances pour me remettre de celles-ci, plaisanta-t-elle.

Mark pouffa, lui planta un baiser sur le sommet du crâne et lui caressa les cheveux.

— Rendre visite à ta famille, tu appelles ça des vacances ? Dès qu'on rentre, on se casse à Hawaii.

Elizabeth, contrariée, releva la tête.

— Bien sûr, Mark, je te laisse annoncer ça à mon patron. Je suis certaine qu'il sera ravi. Je dois m'atteler d'urgence à ce nouveau projet, tu as oublié ?

Mark scruta son visage où se devinait une détermination farouche.

— Tu devrais te mettre à ton compte.

Elizabeth, exaspérée, replongea dans le duffle-coat de Mark.

— Ah non, on ne va pas remettre ça, gémit-elle d'une voix étouffée.

De l'index, Mark redressa sa figure boudeuse.

— Écoute-moi une seconde. Tu te crèves la santé, tes congés tu n'en vois presque pas la couleur et le stress te bouffe toute crue. Tout ça pour quoi ?

Elizabeth s'apprêta à le mitrailler d'objections quand il l'interrompit.

— Hein, pour quoi ? répéta-t-il, amusé. Vu que tu te défends à contrecœur, je vais répondre à ta place. Tout ça pour les autres, pour qu'ils s'attribuent le mérite de ton travail. Tu bosses, ils se font mousser.

— Navrée mais ce boulot paie très bien et ça, tu le sais parfaitement. En plus, l'année prochaine, au train où ça va – et si on décide de rester à New York, bien entendu –, on va pouvoir se payer cette maison qu'on a vue…

— Ma puce, l'année prochaine, au train où ça va, la maison sera déjà vendue à un autre et à sa place se dressera un gratte-ciel, ou un horrible bar branché qui ne servira pas d'alcool, ou un resto qui ne servira pas de bouffe, « différence oblige » – Mark mima les guillemets de ses doigts repliés, ce qui amusa Elizabeth – et que tu repeindras forcément en blanc, avec des néons en guise de plancher. Bien sûr, zéro meuble, de peur que ça encombre l'espace. Et des filous se feront applaudir pour toutes tes brillantes idées. Rends-toi compte. C'est ta page blanche à toi, et personne n'a le droit de te voler ton œuvre. Je veux emmener tous nos potes dans cet endroit et annoncer : « Regardez, c'est Elizabeth qui s'est chargée de la déco. Concevoir cet endroit tristounet et sans chaises, ça l'a occupée trois mois durant, et je suis fier d'elle. Elle est géniale, non ? »

Elizabeth se tenait les côtes de rire.

— Jamais je ne les laisserai démolir cette maison. Et quoi que tu en dises, ce boulot rapporte.

— C'est la seconde fois que tu parles de fric. On ne s'en sort pas mal. À quoi il te sert, cet argent ?

— En cas de coup dur, expliqua la jeune femme.

Elizabeth repensa à Saoirse et à Brendan, et son sourire s'évanouit aussitôt. En cas de coup très dur, même. Elle considéra le ciel pluvieux par l'immense baie vitrée et prit conscience que la semaine qui venait de s'écouler avait été une perte de temps absolue. Elle ne s'était pas attendue à un comité d'accueil ni à des banderoles hissées aux fenêtres du village, pourtant ni sa sœur ni son père n'avaient semblé affectés par son retour, voire intéressés un minimum par ce qui l'avait tenue occupée durant son absence. Par chance, elle n'était pas revenue pour débiter des anecdotes sur sa nouvelle vie, mais pour vérifier qu'ils allaient bien.

Son père refusait d'adresser la parole à Elizabeth sous prétexte qu'elle l'avait abandonné. Qu'elle passe quelques mois, de temps à autre, à l'étranger, représentait déjà le comble de l'égoïsme, mais qu'elle s'installe à des milliers de kilomètres avait marqué le point de non-retour. Avant son départ, Elizabeth avait pris des dispositions de manière à ne pas laisser sa famille à son sort. Saoirse avait quitté le lycée l'année précédente, à sa grande déception, et en était à son huitième emploi en deux mois : elle travaillait dans un supermarché local, où elle rangeait les rayons. Un voisin était censé la conduire deux fois par mois à Killarney, où elle rendait visite à son conseiller d'orientation. Ce coup de pouce constituait, aux yeux d'Elizabeth, un élément essentiel ; Saoirse avait accepté d'être suivie par un professionnel pour la simple raison que ces séances lui permettaient de s'échapper de sa cage. Dans le cas improbable où elle déciderait de prendre sa vie en main, elle aurait au moins une oreille compétente à qui se confier.

Par contre, la femme de ménage qu'Elizabeth avait embauchée ne donnait pas dans l'excès de zèle : la ferme était dans un état déplorable. Au terme de deux jours passés à nettoyer de fond en comble ce taudis poussiéreux et humide, Elizabeth comprit que des bidons entiers de détergent n'y suffiraient pas et jeta, pour ainsi dire, l'éponge. Depuis l'envol de sa mère, l'endroit était resté désespérément gris.

Saoirse avait quitté la ferme familiale pour s'installer dans une maison en dehors du village, avec un groupe de musiciens rencontrés lors d'un festival. Ces chevelus n'avaient d'autre occupation que de s'asseoir en cercle autour de la vieille tour, se vautrer dans l'herbe, grattouiller leur guitare et meugler des complaintes à la gloire du suicide.

Elizabeth n'avait réussi à croiser Saoirse qu'à deux occasions durant son séjour. La première rencontre avait été extrêmement brève : le lendemain de son arrivée, Elizabeth avait reçu un appel de la seule boutique de vêtements de

Baile na gCroíthe. Sa sœur s'était fait prendre alors qu'elle subtilisait des tee-shirts. Elizabeth s'était rendue sur place, répandue en excuses, et avait payé les affaires volées. À peine sortie du magasin, Saoirse avait tracé vers les collines. La fois suivante, Elizabeth lui avait prêté de l'argent et elles s'étaient mises d'accord pour déjeuner ensemble le lendemain. Bien entendu, Saoirse lui avait posé un lapin. Seul point positif : elle semblait avoir pris un peu de poids ; son visage s'était arrondi, ses habits ne pendouillaient plus de ses épaules comme avant. Peut-être que l'indépendance lui réussissait, en définitive.

En novembre, les rues de Baile na gCroíthe étaient dépeuplées. Une fois les enfants confinés dans les salles de classe, les touristes partis pour des destinations plus exotiques, les magasins vides – certains fermés, d'autres à deux doigts du dépôt de bilan –, un climat froid et morne s'en emparait... une atmosphère de ville fantôme que n'égayait pas encore la symphonie des fleurs. Malgré tout, Elizabeth n'avait pas regretté son séjour : désormais, elle savait avec certitude que sa famille ne méritait pas qu'elle s'arrache les cheveux pour elle.

Mark et Elizabeth progressaient lentement vers le guichet. Plus qu'une personne et ils seraient libres, libres de prendre l'avion en partance pour Dublin et, de là, repartir à New York.

À ce moment précis retentit la sonnerie du portable d'Elizabeth. Le sang de la jeune femme se glaça.

Mark se retourna vivement vers elle.

— Ne réponds pas.

Elizabeth sortit le téléphone de son sac à main, vérifia le numéro qui s'affichait.

— Ne réponds pas, chérie, répéta Mark d'une voix ferme.

— Un appel d'Irlande...

— Laisse tomber.

— Mais s'il était arrivé...

La sonnerie s'interrompit.

Mark sourit, visiblement soulagé.

— Bravo.

Elizabeth ne sut que répondre. Son compagnon s'approcha du guichet pile à l'instant où son téléphone carillonnait de nouveau.

Le même numéro apparut à l'écran.

Mark papotait avec l'hôtesse d'accueil, charmant et drôle comme à son accoutumée. Elizabeth agrippa son portable et fixa la série de chiffres jusqu'à ce qu'il se taise.

Un petit bip lui succéda : on avait laissé un message vocal.

— Elizabeth, on a besoin de ton passeport, annonça Mark.

Il pivota sur ses talons, étudia son amie et se troubla.

— J'écoute mes messages en vitesse, expliqua Elizabeth en cherchant son passeport au fond de son sac, le téléphone niché au creux de l'épaule.

— Bonjour, Elizabeth, Mary Flaherty de l'hôpital de Killarney. Votre sœur a été admise à la maternité avec des contractions. Un mois avant terme, comme vous le savez, et Saoirse nous a demandé de vous appeler, au cas où vous voudriez la rejoindre...

Clouée sur place, Elizabeth n'entendit pas la suite. Des contractions ? Saoirse ? Mais elle n'était pas enceinte ! Réécoutant le message, croisant les doigts pour qu'il s'agisse d'une erreur, elle ignora Mark qui réclamait d'une voix forte son passeport.

— Elizabeth ! Tu retardes tout le monde.

C'était vrai : une rangée de faciès exaspérés s'étirait derrière elle.

— Désolée, s'excusa-t-elle, tremblant comme une feuille.

— Un problème ? s'inquiéta Mark.

— Excusez-moi, s'enquit l'hôtesse sur un ton d'une politesse exquise, est-ce que vous comptez prendre cet avion ?

— Euh..., balbutia Elizabeth.

Son regard ahuri passa du visage de Mark à son billet déjà imprimé qui l'attendait sur le comptoir.

— Non, non, je ne peux pas. Désolée.

Elle s'éloigna du comptoir et laissa passer la personne suivante, qui lui décocha un coup d'œil reconnaissant. Elle avisa alors Mark, dont la déconvenue déformait les traits. Il n'était pas déçu par sa décision subite, mais par elle tout entière.

— Monsieur, héla l'hôtesse en lui tendant son billet.

Mark s'en saisit d'une main distraite et rejoignit Elizabeth.

— Qu'est-ce qui s'est passé ?

— C'est Saoirse. Elle est à l'hôpital.

— Elle a encore forcé sur la bouteille ? plaisanta Mark, toute inquiétude envolée.

Elizabeth retourna la question dans sa tête ; la honte de n'avoir pas remarqué la grossesse de sa sœur l'emporta et la poussa à mentir.

— Oui, je crois. J'en sais encore trop rien.

— Écoute, elle va sûrement y gagner un lavage d'estomac, pour changer. Pas de quoi se biler. Achetons ce billet et allons en discuter autour d'un café.

— Non, Mark, je ne peux pas la laisser seule, affirma Elizabeth d'une voix tremblotante.

— Ma puce, tu exagères. Ces coups de fil, tu en reçois des dizaines par an et c'est toujours la même chose.

— Il y a peut-être un problème.

Un problème qu'une grande sœur saine d'esprit aurait deviné.

— Ne fais pas ça.

— Ça quoi ?

— Ne te laisse pas bouffer par ses embrouilles.

— Ne raconte pas n'importe quoi, Mark. C'est ma sœur ; c'est toute ma vie. Je suis obligée de m'occuper d'elle.

— Même si elle, elle ne s'occupe pas une seconde de toi. Même si elle s'en fiche complètement, de toi et de tout le reste.

Elizabeth eut l'impression que le ciel lui tombait sur la tête.

— Voyons, c'est toi mon ange gardien, avança-t-elle dans une tentative désespérée pour détendre l'atmosphère.

— Comment veux-tu que je sois ton ange gardien si tu me repousses à chaque fois ?

Sous l'action du chagrin et de la colère, Mark s'était assombri.

— Mark, je te promets d'embarquer dans le premier avion, dès que j'aurai mené ma petite enquête. Imagine un instant qu'il s'agisse de ta sœur à toi. Tu aurais déguerpi de l'aéroport sans demander ton reste, tu serais déjà à son chevet et on ne serait pas en train d'avoir cette conversation stupide.

— Dans ce cas, qu'est-ce que tu fous encore ici ?

Une douleur fulgurante transperça Elizabeth. Elle empoigna sa valise, tourna le dos à Mark, quitta l'aéroport et se rendit à l'hôpital en quatrième vitesse.

Elle rentra à New York, comme promis, deux jours plus tard, et y demeura le temps de vider leur appartement de ses affaires et de présenter sa démission. Puis elle regagna Baile na gCroíthe le cœur gonflé d'un chagrin si intense qu'elle avait du mal à respirer.

16

Elizabeth se réveilla en sursaut, paralysée par la terreur, et fouilla la chambre d'un regard paniqué. La lune avait achevé sa course de ce côté-ci du globe et pris la tangente, faisant place à un soleil encore timide. Dans la lumière du petit matin, les draps prenaient une teinte dorée. Il était quatre heures trente-cinq, et Elizabeth savait qu'elle ne parviendrait pas à se rendormir. Elle se redressa sur les coudes. La couette traînait à moitié par terre ; l'autre moitié s'était entortillée autour de ses jambes. La jeune femme avait eu un sommeil agité traversé de rêves sans queue ni tête, de cauchemars entremêlés en une masse confuse de visages, d'endroits et de mots saisis au vol. Cette nuit l'avait épuisée.

Elizabeth balaya sa chambre du regard et un agacement irrésistible s'empara d'elle. Alors qu'elle avait fait le ménage deux jours plus tôt, de la cave au grenier, quelques objets mal rangés attirèrent son attention. Elle attendit que sa frustration atteigne un point culminant avant de quitter les draps et se retroussa les manches sans tarder. Elle n'avait pas moins de douze coussins à disposer par paires sur son lit : des carrés, des rectangulaires, des ronds – chacun dans une matière différente, de la fourrure de lapin au cuir suédé, mais toujours dans des tonalités neutres, écru, beige, chocolat. Une fois son exposition peaufinée, elle s'attaqua à sa garde-robe. Ses vêtements s'organisaient en un ordre précis ; les teintes foncées à gauche, les claires à droite, bien qu'Elizabeth ne possédât aucun habit de couleur. À la moindre touche de fantaisie dans sa tenue elle avait l'impression de se balader dans les rues affublée d'une combinaison fluo.

Elle passa l'aspirateur, épousseta les meubles, astiqua les miroirs, consacra plusieurs minutes à aligner les rayures des trois essuie-mains pendus dans sa salle de bains. Elle fit rutiler les robinets et frotta les carreaux tant et si bien qu'elle réussit à se voir dedans. À six heures et demie elle avait fini le salon et la cuisine et, une tasse de café à la main, s'en était allée dans le jardin où, rassérénée, elle avait parcouru les croquis à examiner durant la réunion. Elle n'avait pas dormi plus de trois heures.

Benjamin West leva les yeux au ciel, serra les dents. Son patron, lui, arpentait la cabine préfabriquée tout en déblatérant avec son accent new-yorkais à couper au couteau.

— Tu comprends, Benji, je...

— Benjamin, s'il vous plaît.

— ... je suis épuisé, à bout de nerfs. Ça m'assomme d'entendre toujours la même rengaine. Ces designers, pas un pour racheter l'autre. Du contemporain par-ci, du minimalisme par-là. Franchement, Benji, l'art déco, je m'en tape !

— Je m'app...

— Tu peux me dire combien de cabinets d'archi on a contactés jusque-là ?

Le New-Yorkais interrompit sa déambulation et braqua son regard sur Benjamin, qui feuilleta son agenda.

— Heu, huit, sans compter Elizabeth, la jeune femme qui a dû nous fausser compagnie vendredi...

— Peu importe, de toute façon elle est identique aux autres.

L'entrepreneur esquissa un geste dédaigneux de la main et se tourna vers la fenêtre pour contempler le chantier de construction.

— Eh bien, on a rendez-vous avec elle dans une demi-heure, ajouta Benjamin.

— Annule. Ses propositions ne m'intéressent pas. Elle est coincée comme pas deux. Combien d'hôtels on a construits ensemble, toi et moi, Benji ?

Ledit Benji poussa un soupir :

— Je m'appelle Benjamin, et on a collaboré sur une foule de projets, Vincent.

— Une foule. C'est ce que je pensais. Et parmi ces projets, combien présentaient une vue aussi magnifique ?

Vincent désigna d'un mouvement théâtral le paysage qui s'étalait sous leurs yeux. Benjamin fit pivoter son siège, indifférent, et tâcha d'oublier le vacarme qui s'élevait du chantier. Ils avaient pris un retard considérable. Effectivement, le site était sublime, mais il aurait préféré voir un hôtel se dresser face à lui, non ces collines verdoyantes et ces lacs miroitants. Cela faisait sept mois qu'il vivait en Irlande ; le bâtiment devait être livré avant août, ce qui leur laissait un délai de trois mois. Né dans la bourgade de Haxton, au fin fond du Colorado, New-yorkais d'adoption, Benjamin pensait avoir échappé pour de bon à l'atmosphère étouffante typique des petites villes. Visiblement, il s'était trompé. À trente-huit ans, lui qui n'avait pas remis les pieds depuis près de vingt ans dans cet endroit que ses parents appelaient la «maison» était redevenu un ado asphyxié par son environnement.

— Alors ?

Vincent tirait sur un cigare qu'il venait d'allumer.

— C'est vrai que la vue est magnifique.

— Sensationnelle, tu veux dire, et je ne vais pas permettre à une architecte de mes deux d'y fourrer son nez et de transformer mon bébé en QG sélect et impersonnel.

— Tu as une idée précise en tête, Vincent ?

Au cours des deux derniers mois, Benjamin n'avait entendu que des élucubrations qui lui faisaient froid dans le dos.

Vincent, avec sa fine natte grise et son costume anthracite à l'étoffe soyeuse, se dirigea d'un pas ferme vers son porte-documents, en sortit un dossier et le fit glisser sur la table en direction de son assistant.

— Jette un œil à ces articles. Cet hôtel peut nous rapporter gros, il suffit de répondre à la demande. Les gens ne veulent pas d'un hôtel banal, d'un de ces trucs modernes sans âme, mais d'un endroit romantique, marrant, baroque. Le prochain qui se ramène dans mon bureau et qui me déballe les mêmes plans pourris, je m'occupe moi-même de la déco.

Écarlate, il se colla contre la vitre et mâchonna son cigare avant de poursuivre :

— J'ai besoin d'un artiste authentique, un fou furieux qui balance quinze idées à la seconde. Un créatif avec une bonne dose de flair. Ils me gavent, ces types en costard-cravate qui discutent couleurs comme s'il s'agissait de statistiques et qui n'ont jamais tenu un pinceau de leur vie. Ce qu'il nous faut, c'est le Van Gogh de la déco d'intérieur…

Un coup léger frappé à la porte interrompit sa tirade.

— Qui c'est ? grommela Vincent.

— Sûrement Elizabeth Egan, le rendez-vous dont je vous ai parlé.

— Tu n'étais pas censé l'annuler ?

Benjamin fit la sourde oreille et laissa entrer Elizabeth.

— Bonjour, lança la nouvelle venue en franchissant le seuil avec, accrochée à ses basques, une Poppy aux cheveux violets, les vêtements éclaboussés de peinture, les bras lestés de classeurs débordant d'échantillons de moquette et de tissu.

— Bonjour. Benjamin West, chef de projet. Nous nous sommes vus vendredi dernier.

Elizabeth et lui se serrèrent la main.

— En effet. Excusez-moi d'avoir dû partir plus tôt que prévu, répondit la jeune femme sur un ton sec, le regard fuyant. Et rassurez-vous, cela n'entre pas dans mes habitudes.

Elle pivota alors vers Poppy, qui croulait sous sa charge.

— Je vous présente Poppy, mon bras droit. Vous ne voyez pas d'inconvénient, j'espère, à ce qu'elle assiste à la réunion.

Poppy dut batailler ferme avec ses dossiers afin de serrer la main de Benjamin ; quelques-uns atterrirent par terre.

— Et merde, s'exclama-t-elle.

Elizabeth la foudroya du regard. Benjamin, lui, s'esclaffa.

— Ne vous en faites pas. Je vais vous donner un coup de pouce.

— Mr Taylor, ravie de vous revoir. Je regrette de vous avoir fait faux bond la dernière fois, reprit Elizabeth d'une voix forte.

Elle traversa la pièce et tendit la main à Vincent, qui se détourna de la fenêtre, la toisa des pieds à la tête et tira de plus belle sur son barreau de chaise. Sans lui rendre sa politesse, il s'absorba de nouveau dans la contemplation du chantier.

Benjamin aida Poppy à disposer les échantillons sur la table et tenta d'alléger, de son mieux, l'atmosphère :

— Je propose qu'on se mette tous à l'aise.

Elizabeth, écarlate, baissa lentement la main, s'écarta de Vincent. Tout à trac, elle s'écria :

— Ivan !

Poppy fronça les sourcils et balaya le local d'un coup d'œil circulaire.

— Pas de problème, la rassura Benjamin, les gens ne retiennent mon nom qu'une fois sur deux. Je m'appelle Benjamin, Miss Egan.

— Oh, il ne s'agit pas de vous, gloussa Elizabeth, mais de monsieur, assis à côté. Qu'est-ce que vous fabriquez ici, Ivan ? Vous m'avez caché que vous étiez impliqué dans la construction de l'hôtel. Je croyais que votre domaine, c'était les enfants.

Vincent, les yeux écarquillés, la regarda hocher la tête et adresser des sourires polis à une chaise vide. Il éclata alors de rire, un rire tonitruant qui se conclut en une quinte de toux.

— Est-ce que ça va, Mr Taylor ? s'inquiéta Elizabeth.

— Oui, Miss Egan, ça va. Ça va même très bien. Ravi de vous revoir.

Tandis que les deux femmes s'affairaient autour de leurs dossiers, Vincent prit Benjamin à part et déclara à voix basse :

— J'en connais une qui ne va pas tarder à se trancher l'oreille.

À ce moment la porte s'ouvrit et la secrétaire fit son entrée. Elle tenait un plateau où fumaient des tasses de café.

— Eh bien, ces retrouvailles impromptues m'ont fait plaisir. Au revoir, Ivan, déclara Elizabeth lorsque la porte se referma derrière la jeune femme.

— Il est parti ? demanda Poppy, pince-sans-rire.

— Tout va bien, chuchota Benjamin qui observait Elizabeth d'un œil admiratif, elle correspond parfaitement au profil. Vous avez écouté à la porte, pas vrai ?

Son interlocutrice parut désorientée.

— Faites-moi confiance, je ne vais pas vendre la mèche. Mais avouez-le, vous nous avez espionnés.

Poppy hésita puis, l'air hautement indécise, acquiesça de la tête.

Benjamin pouffa de rire.

— Je le savais. Quelle petite maligne, s'émerveilla-t-il.

Elizabeth et Vincent étaient eux aussi plongés en pleine conversation. Leurs collaborateurs se joignirent à eux.

— Je vous apprécie beaucoup, Elizabeth, vraiment, s'extasiait Vincent. J'adore votre côté excentrique. Vous savez, votre grain de folie. La preuve que vous êtes un génie, et c'est ce que je veux dans mon équipe : des génies.

La jeune femme ouvrait de grands yeux, abasourdie.

— En revanche, développa Vincent, je ne suis pas convaincu par vos idées. Pas convaincu du tout, si vous voulez le fond de ma pensée. Je les trouve bonnes pour la poubelle.

Un silence pesant s'abattit sur l'assistance. Elizabeth, gênée, remua sur sa chaise.

— Très bien, raisonna-t-elle, vous avez quelque chose d'autre en vue ?

— L'amour.

— L'amour ?

— C'est ça, l'amour.

Vincent se renfonça dans son siège et croisa les mains sur son ventre.

— Vous avez en vue... l'amour, répéta Elizabeth, le visage fermé, en cherchant du regard le soutien de Benjamin qui se contenta de hausser les épaules.

— Oh, perso je m'en fous de l'amour, précisa Vincent et, en guise d'explication : vous savez, ma femme et moi on est mariés depuis vingt-cinq ans. Mais c'est ce que réclame la clientèle irlandaise. Il est passé où, ce truc ?

Vincent chercha le dossier de presse et, ayant mis la main dessus, le tendit à Elizabeth. Celle-ci le parcourut avant de donner son avis. Benjamin la sentit dépitée.

— Ah, je comprends mieux. Vous voulez un *hôtel à thème*.

— Dans votre bouche, ça sonne vulgaire, se défendit Vincent.

— Parce que je trouve ça vulgaire, expliqua Elizabeth.

Elle n'avait pas l'intention de jeter ses principes aux orties, même s'il s'agissait d'un boulot en or.

Benjamin et Poppy fixèrent leur attention sur Vincent, qui fourbissait sa réponse. Ils avaient l'impression d'assister à un match de tennis.

— Elizabeth, ronronna-t-il, un petit sourire au coin des lèvres, vous êtes une très belle jeune femme, alors je ne vous apprends rien : l'amour, ce n'est pas un thème, mais une ambiance, un état d'esprit.

— Je vois, hasarda Elizabeth d'un air peu convaincu, vous comptez reproduire une ambiance d'amour dans un hôtel.

— En plein dans le mille! s'emballa Vincent. Mais je ne fais que me plier aux exigences de la future clientèle.

Sur ce, il désigna les coupures de presse.

Elizabeth s'éclaircit la gorge et s'adressa à lui comme à un enfant :

— Mr Taylor, nous sommes en juin, c'est-à-dire en période creuse, et les journaux n'ont rien d'autre à se mettre sous la dent. Les médias véhiculent une image faussée de l'opinion publique, très éloignée de la réalité, vous comprenez, et elle ne reflète ni les rêves ni les espoirs des Irlandais. En vous fiant à la presse, vous risquez de commettre une erreur qui vous coûtera cher.

Vincent restait de marbre.

— Écoutez, votre établissement est situé dans une région idyllique aux panoramas à couper le souffle, en bordure d'une charmante petite ville qui propose un large éventail d'activités de plein air. Mon projet consiste à marier extérieur et intérieur, à intégrer la nature dans l'architecture. Grâce à des tonalités brutes telles que le vert feuillage ou le brun, et des matériaux tels que la pierre, on peut...

— Ça manque de cachet tout ça, souffla Vincent. Je ne veux pas que l'hôtel se fonde dans le paysage, mais qu'il se voie comme le nez au milieu de la figure. Si je vous écoutais, les gens pionceraient sur un tas d'herbe boueuse, à la manière des hobbits.

Il écrasa son cigare dans le cendrier, furieux.

Elle l'a perdu, se dit Benjamin. Dommage : celle-là a du cran. Il observa Elizabeth prendre conscience que le contrat lui filait entre les doigts et se décomposer à mesure.

— Mr Taylor, s'empressa-t-elle d'ajouter, vous n'avez pas entendu la suite.

La pauvre se cramponnait à un reste d'espoir.

Vincent poussa un grognement et jeta un coup d'œil à sa Rolex ornée de diamants.

— Je vous accorde trente secondes.

Elizabeth resta un long moment la gorge nouée, puis finit par articuler quelques mots qui semblèrent lui arracher la langue :

— Poppy, à toi l'honneur.

— Oui !

Poppy sauta sur ses pieds et s'approcha de Vincent d'une démarche aérienne.

— Bon, moi je vois des lits à eau en forme de cœur, des Jacuzzi, des coupes débordant de champagne qui surgissent des chevets. Je vois un mix entre romantisme et Arts déco. Une explosion de cramoisi, de bordeaux et de grenat qui donne l'impression de se blottir dans un nid tapissé de velours. Plein de bougies partout. Un mélange de boudoir français et de…

Tandis que Poppy divaguait et que Vincent, suspendu à ses lèvres, ponctuait chaque phrase d'un hochement de tête vigoureux, Benjamin se tourna vers Elizabeth. Celle-ci, la tête entre les mains, grimaçait d'horreur. Tous deux, exaspérés par leurs collègues respectifs, échangèrent un regard complice.

Puis un petit sourire.

17

— Oh ! là ! là, oh ! là ! là, glapissait Poppy en se dirigeant vers la voiture d'Elizabeth, je voudrais remercier Damien Hirst, qui m'a énormément inspirée, Egon Schiele – elle essuya une larme imaginaire –, Bansksy et Robert Rauschenberg qui ont, grâce à leurs œuvres démentes, permis à ma créativité de prendre son envol, de déployer délicatement ses pétales et de…

— Arrête, siffla Elizabeth, ils nous regardent.

— Bien sûr que non, ne soyez pas si parano.

Sur ce, Poppy tourbillonna et inspecta le local préfabriqué.

— Non, ne te retourne pas ! insista sa patronne.

— Et pourquoi pas ? De toute façon ils ne nous re… oh, mais si ! AU REVOOOOIR ! ENCORE MERCI ! s'écria la jeune femme, aux anges, en agitant frénétiquement la main.

— Tu veux vraiment prendre la porte ? marmonna Elizabeth, droite comme un *i*.

Sa réprimande eut sur son assistante le même effet que sur Luke lorsqu'elle menaçait de lui confisquer sa PlayStation : Poppy suspendit aussitôt son petit manège et se tut. Elizabeth avait l'impression d'être étudiée sous toutes les coutures.

Une fois dans la voiture, Poppy murmura, la main sur le cœur :

— Je n'arrive pas à croire qu'on a décroché ce contrat.

— Moi non plus, marmotta Elizabeth, installée au volant.

Elle boucla sa ceinture de sécurité, démarra.

— Un problème, madame rabat-joie ? Ça vous embête qu'on ait réussi notre coup ? demanda sa passagère.

Elizabeth rumina ces paroles accusatrices. Ce n'était pas elle qui avait réussi son coup, à proprement parler, mais

Poppy – une victoire sans éclat, à la Pyrrhus. Et qu'est-ce qu'Ivan traficotait là ? Il lui avait confié qu'il travaillait avec des enfants ; quel rapport avec l'hôtel ? Il n'était pas resté assez longtemps pour qu'elle tire cette affaire au clair et il avait quitté la pièce à peine les cafés servis, sans saluer personne à part elle. Peut-être lui et Vincent étaient-ils associés, peut-être même avait-elle interrompu une réunion importante, ce qui expliquait l'attitude grossière de Vincent à son égard. Quoi qu'il en soit, une mise au point s'imposait. Elizabeth en voulait à Ivan d'avoir gardé certaines informations pour lui : son esprit organisé détestait les mauvaises surprises.

— Ce Benjamin West est vraiment canon, hein ? clama Poppy en donnant un violent coup de coude à Elizabeth.

— Poppy, geignit celle-ci en redressant le véhicule, agrippée au volant. Je n'ai pas fait attention, finit-elle par concéder.

— Bien sûr, ricana Poppy, qui n'avait pas quitté la conductrice des yeux, avant de coller son nez à la vitre.

— Je n'ai même pas vu son visage, sous cette couche de crasse, déclara Elizabeth en se garant devant l'agence.

— Franchement vous êtes impayable, vous racontez n'importe quoi. Aux dernières nouvelles, ce mec travaille sur un chantier de construction. Vous vous attendiez à quoi, à un costume trois pièces ?

Distraite, Elizabeth se coupa du babillage de Poppy et la chassa au bureau. Elle se rendit ensuite chez Joe afin de s'offrir une pause café bien méritée.

— Bonjour, Elizabeth ! s'écria Joe.

Les trois clients sursautèrent sur leur chaise, frappés par ce soudain accès de jovialité.

— Un café, s'il vous plaît.

— Pour changer ?

L'habituée lui adressa un sourire pincé et alla s'asseoir, dos à la vitrine, à une table qui donnait sur la rue : elle avait besoin de réfléchir, pas d'observer les passants.

— Excusez-moi, miss Egan, prononça une voix masculine aux inflexions américaines.

Elizabeth leva les yeux et répondit, désarçonnée :

— Mr West.

— Appelez-moi Benjamin. Ça vous dérange si je m'assois avec vous ? demanda le chef de projet en désignant une chaise recouverte de dossiers.

Elizabeth s'empressa de lui faire de la place.

— Vous voulez boire quelque chose ?

— Un café, volontiers.

Elizabeth s'empara de sa tasse et l'agita à l'adresse de Joe.

— Joe, deux grands Frappacinos à la mangue, s'il vous plaît.

Le regard de Benjamin s'éclaira.

— Vous plaisantez, moi qui croyais qu'il ne proposait pas ce...

Il fut détrompé par l'arrivée de Joe, qui posa sans ménagement deux cafés au lait. Le liquide beigeâtre se répandit sur la table.

— Oh, conclut Benjamin, déçu.

Elizabeth étudia avec attention le jeune homme à l'allure débraillée, qu'elle avait aperçu de temps à autre dans le village au cours des derniers mois. Elle se rendit compte que Poppy avait raison : il n'était pas mal. Sa tignasse noire et bouclée encadrait un visage hâlé, mangé par une barbe de trois jours qui courait jusque sous le col de sa chemise. Il arborait un jean miteux, maculé de boue, une veste en jean tout aussi douteuse, des bottes couvertes d'herbe qui avaient laissé une traînée de terre séchée entre la porte et la table. Il salissait tout sur son passage. Les mains sur le meuble, il paradait avec ses ongles en deuil, et Elizabeth dut détourner le regard de ce spectacle écœurant. Là encore, elle ne vit pas plus loin que la couche de crasse.

— Félicitations pour le contrat, commença Benjamin, l'air sincèrement heureux. Il y a de quoi se réjouir, vous avez bien mené votre barque. Comment vous dites en Irlande, *sláinte* ?

Il leva sa tasse, comme pour trinquer.

— Pardon ?

— *Sláinte* ? Je me trompe ?

— Oui, enfin non, je ne parle pas de ça, s'énerva Elizabeth. Je n'ai pas bien mené ma barque, comme vous le prétendez, Mr West. Ni rusé pour obtenir ce contrat.

Benjamin piqua un fard.

— Loin de moi cette idée et j'insiste, appelez-moi Benjamin. Mr West, ça semble si formel... Votre assistante, Poppy... elle déborde de talent, d'imagination, et Vincent partage grosso modo la même vision des choses mais il lui arrive de s'emballer. Notre rôle est de le ramener sur terre. Moi, mon boulot consiste à m'assurer que cet hôtel sera livré en temps et en heure et sans dépassement de crédits. Donc j'ai l'intention d'appliquer ma stratégie habituelle, c'est-à-dire de persuader Vincent que le budget est trop serré pour concrétiser les idées de Poppy.

Le rythme cardiaque d'Elizabeth s'accéléra.

— Dans ce cas il fera appel à un cabinet aux tarifs plus abordables. Mr West, est-ce que vous êtes venu me notifier mon renvoi ?

— Non, appelez-moi Benjamin, soupira son interlocuteur, et non, je ne suis pas venu vous notifier votre renvoi. Écoutez, j'essaie de vous rendre service. J'ai bien vu que ce projet d'« Hôtel de l'Amour » ne vous emballe pas et, à mon humble avis, les habitants risquent eux aussi de le descendre en flammes.

Il désigna la salle d'un geste large. Elizabeth imagina Joe en train de déjeuner, un dimanche après-midi, « blotti dans un nid tapissé de velours ». Aucune chance que ce concept fonctionne, sûrement pas dans cette ville.

Benjamin poursuivit sur sa lancée :

— Ce projet me tient à cœur, il recèle un potentiel énorme. Je n'ai pas envie qu'il dégénère en hommage clinquant à *Moulin-Rouge*.

Sous le poids du découragement, Elizabeth s'était avachie.

— Voilà pourquoi, déclara le jeune homme, j'ai voulu vous rencontrer. Parce que j'apprécie vos idées. Je les trouve à la fois sophistiquées et confortables, modernes mais pas trop, et fédératrices. Ce que Vincent et Poppy visent, ça nous aliénera les trois quarts de la population. En attendant, vous pourriez peut-être muscler votre projet par quelques touches de couleur ? Je partage l'avis de Vincent : le concept sent un peu trop la campagne, le rustique. Vous vous sentiriez prête à collaborer avec Poppy ? Vous savez, histoire d'édulcorer ses idées... de manière radicale ?

Elizabeth, qui s'était préparée à une attaque dans les règles, se retrouva prise au dépourvu par cette prévenance. Elle se redressa, se racla la gorge pour gagner du temps et tira sur les pans de sa veste, mal à l'aise, avant de rétorquer :

— Eh bien, je me réjouis qu'on soit sur la même longueur d'onde, mais...

Elle commanda un autre café et retourna la situation dans sa tête.

Benjamin refusa l'offre de Joe, qui voulut resservir son client alors que celui-ci n'avait pas encore touché à sa première tasse.

— Vous buvez beaucoup de café, fit-il remarquer à Elizabeth au moment où le patron posait face à elle sa troisième dose.

— Ça m'aide à réfléchir.

L'un et l'autre se turent quelques instants. Elizabeth finit par émerger de ses pensées.

— OK, voici ce que je propose.

— Ouah, c'est drôlement efficace, s'amusa Benjamin.

— Hein ?

— Le caf...

— OK, embraya la jeune femme, tout à sa démonstration. Admettons que Mr Taylor ait raison, que la légende se perpétue et que cet endroit symbolise l'amour, blablabla. Moyennant quoi une demande s'est créée, et nous devons y répondre. C'est là que les idées de Poppy entrent en ligne de compte, à condition de les tenir en bride. Pourquoi ne pas réserver une suite aux couples en lune de miel, intégrer des alcôves douillettes çà et là dans le décor ? Le reste, je m'en charge. Et je n'oublie pas les touches de couleur, ajouta-t-elle, rembrunie.

Benjamin hasarda un sourire.

— Je vais en glisser un mot à Vincent. À propos, tout à l'heure, quand j'ai dit que vous avez bien mené votre barque, ça ne signifie pas que vous manquez de talent. Je faisais simplement référence à votre petite comédie.

Il ponctua cette phrase en vrillant son index dans sa tempe. Elizabeth sentit sa bonne humeur la quitter.

— Pardon ?

— Vous savez, votre numéro « je vois des morts partout ».

Benjamin éclata de rire ; quant à Elizabeth, elle se contenta de lui lancer un regard vide.

— Ce type, là, soi-disant assis à la table à côté de moi. Celui auquel vous parliez ? Vous avez déjà oublié ?

— Ivan ? risqua Elizabeth.

— Ivan ! Exact ! s'exclama Benjamin en claquant des doigts, hilare. Ivan, notre associé fantôme.

— Votre associé ?

— Oui, notre cher Ivan, mais ne lui dites pas que j'ai oublié son prénom, d'accord ? S'il l'apprend, je vais mourir de honte.

— Ne vous en faites pas, indiqua Elizabeth. Je dois le retrouver tout à l'heure, je resterai muette comme une tombe.

— Lui aussi, pouffa Benjamin.

— C'est ce qu'on va voir. On a pourtant discuté hier soir et il n'a rien mentionné de vos projets communs.

Benjamin, qui se tenait les côtes, simula un grand choc.

— Il me semble que les relations entre employés ne sont pas autorisées au sein de Taylor Constructions. C'est très mal vu. On ne sait jamais, Ivan vous a peut-être pistonnée.

Enfin calmé, il se tamponna les yeux avant de reprendre, l'air admiratif :

— Quand on y pense, qu'est-ce qu'on ne ferait pas pour obtenir du boulot. En tout cas, votre attitude prouve à quel point vous aimez votre travail. Moi, j'en serais incapable.

Elizabeth le scrutait, bouche bée. Est-ce qu'il insinuait qu'elle avait couché avec Ivan afin de coiffer ses concurrents au poteau ? L'accusation dépassait son entendement.

— Bon, clôtura Benjamin en se mettant debout, j'ai été ravi de papoter avec vous et de régler cet imbroglio *Moulin-Rouge*. J'en parle à Vincent et je vous appelle dès que j'ai plus d'infos. Vous avez mon numéro ?

Il sonda ses poches, récupéra un stylo-bille en piteux état qui avait fui copieusement, arracha une serviette en papier au distributeur, griffonna dessus ses nom et numéro.

— Vous pouvez me joindre sur mon portable, et au bureau.

Il offrit à Elizabeth cette carte de visite improvisée avant de lui présenter son stylo et un mouchoir en loques, imbibé de café.

— Vous voulez bien me confier vos coordonnées ? Ça m'évitera de chercher dans les dossiers.

Elizabeth, excédée, s'empara de son sac à main, ouvrit un porte-cartes relié de cuir et dégaina un de ses bristols soulignés d'or. Elle résistait de toutes ses forces à une furieuse envie de frapper ce mufle qui se croyait spirituel : ce contrat, elle devait le garder coûte que coûte. Pour Luke, pour son agence, il fallait qu'elle réussisse à tenir sa langue.

Benjamin rougit jusqu'au blanc des yeux, rempocha serviette et stylo, rafla le précieux carton.

— Oh, merci. En effet, c'est plus pratique.

Sur ces entrefaites, il lui tendit la main. À la vue de ses doigts maculés d'encre, de ses ongles sales, Elizabeth refusa d'instinct de la lui serrer.

Une fois seule, elle parcourut la salle afin de repérer un espion éventuel. Elle croisa le regard de Joe qui lui adressa un clin d'œil et se tapota la narine, comme s'ils partageaient un secret. Elle comptait bien, à la fin de la journée, se rendre chez Sam, où Luke passait l'après-midi. Ivan et la mère de Sam avaient beau ne plus vivre ensemble, elle espérait quand même y croiser ce mystérieux associé.

Et, naturellement, lui dire ce qu'elle avait sur le cœur.

18

Première erreur : accompagner Elizabeth à sa réunion. Quelle idée débile. J'aurais dû me rendre compte plus tôt que l'école de Luke et le travail d'Elizabeth, c'est du pareil au même, et que ma place n'est pas là-bas. Je me serais flanqué des baffes. D'ailleurs j'ai commencé, mais Luke m'a trouvé si marrant qu'il s'est empressé de suivre mon exemple. Résultat : deux joues en feu. Ça m'apprendra à me donner en spectacle.

Après avoir quitté le chantier de construction, j'ai rejoint Luke chez Sam. Assis dans le jardin, sur l'herbe, je les ai regardés se bagarrer en croisant les doigts pour que leur petit jeu ne dégénère pas en crises de larmes, et j'ai pratiqué mon sport préféré : la cogitation.

Je me suis si bien creusé la tête que j'ai compris deux ou trois choses. La première, c'est que j'ai chaperonné Elizabeth parce que mon instinct me l'a dicté. Même si je ne voyais pas en quoi ma présence lui serait utile, j'ai résolu de m'y fier, certain de rester invisible à ses yeux une fois sur place. La rencontre de la veille me paraissait tellement inattendue, tellement irréelle, qu'il me semblait avoir tout imaginé. Et non, l'ironie de la situation – c'est moi qui imagine des amis, maintenant – ne m'a pas échappé.

Il m'a fait drôlement plaisir, ce tête-à-tête. Quand j'ai aperçu Elizabeth sur la balancelle, l'air complètement paumée, j'ai senti que le moment était venu. Il se tramait quelque chose. Je savais qu'elle avait besoin de moi, je m'étais familiarisé avec cette notion, mais rien ne m'avait préparé au frisson qui m'a parcouru à l'instant où nos regards se sont croisés. Bizarre autant qu'étrange, car en quatre jours j'avais eu le temps de m'habituer au visage d'Elizabeth, chaque détail s'était imprimé sur ma rétine, je le visualisais même les yeux fermés, le grain de beauté sur sa tempe gauche, ses pommettes légèrement asymétriques, sa lèvre inférieure plus charnue, le duvet qui recouvrait sa nuque, à la naissance des cheveux. Je connaissais ce visage par cœur mais ça me stupéfie toujours qu'un simple regard change à ce point la donne. Tout d'un coup, les gens endossent une nouvelle personnalité. Si vous voulez mon avis, ceux qui affirment que les yeux reflètent l'âme ont raison.

Je n'ai pas réalisé ce qui m'arrivait et j'ai mis mon trouble sur le compte de la nervosité : je n'ai encore jamais eu d'ami de l'âge d'Elizabeth. Cette expérience, j'ai voulu la tenter illico.

La confusion, l'inquiétude, ces deux mots sont bannis de mon vocabulaire. Mais ce jour-là, dans le jardin de Sam, caressé par les rayons du soleil, j'ai éprouvé de l'inquiétude. Ça m'a rempli de confusion, et plus j'étais confus, plus j'étais inquiet. J'érais ne pas lui avoir attiré d'ennuis. Un peu plus tard, tandis que le soleil et moi on jouait à cache-cache, j'ai appris le fin mot de l'histoire.

Le soleil cherchait à se planquer et à me plonger dans la pénombre. Moi je vadrouillais dans le jardin, je donnais la chasse aux dernières taches de lumière avant la tombée de la nuit. La maman de Sam, elle, prenait un bain – elle venait de finir sa séance d'aérobic dans sa chambre, un spectacle qui m'avait bien fait rigoler – et lorsque la sonnette de la porte d'entrée a retenti, Sam est allé ouvrir. À part Elizabeth, il n'avait le droit de ne laisser entrer personne.

— Bonjour, Sam, l'ai-je entendu dire, est-ce que ton papa est là ?

— Non, a répondu Sam, il est au travail. Moi et Luke on joue dans le jardin.

J'ai distingué un bruit de pas dans le couloir (ses talons claquaient sur le parquet) puis une voix où perçait la colère : elle avait fait irruption dans le jardin.

— Alors comme ça il est au travail ? a-t-elle déclaré, les mains sur les hanches, furibarde.

— Ben ouais, a bégayé Sam avant de rallier Luke à toutes jambes.

En la voyant hors d'elle, j'ai craqué et je n'ai pu m'empêcher de sourire.

— Qu'est-ce qu'il y a de si drôle, Ivan ?

— Oh, plein de choses, ai-je répondu en m'accroupissant dans l'herbe, en plein soleil (gagné !). Les gens qui se font asperger par les flaques au passage des voitures, les cha- touilles juste ici – j'ai montré mes côtes – Chris Rock, Eddie Murphy dans *Le Flic de Beverly Hills 2*, les...

Entre-temps, je m'étais mis à cueillir des marguerites.

— Mais de quoi parlez-vous ? a-t-elle voulu savoir.

— Des choses qui sont drôles.

Elle s'est approchée de moi, le visage soucieux.

— Et qu'est-ce que vous faites ?

— J'essaie de me rappeler comment on tresse une cou- ronne de marguerites. Celles d'Opale m'ont beaucoup plu. Opale, ma responsable, elle en avait dans les cheveux lors de la dernière réunion, ai-je expliqué. L'herbe est sèche, au cas où vous voudriez vous asseoir.

Elizabeth a mis un bon moment avant de trouver une position confortable. Elle ponctuait chaque mouvement d'une grimace, on aurait cru qu'elle s'était posée sur un cac- tus. Après avoir épousseté, on se demande bien pourquoi, son pantalon, puis essayé de se caler sur ses mains pour éviter de se salir les fesses, elle m'a refait les gros yeux.

— Un problème, Elizabeth ? J'ai l'impression que ça ne va pas.

— Quelle perspicacité, vraiment.

— Merci. Une habitude professionnelle, mais j'apprécie le compliment.

Comme si je n'avais pas saisi son sarcasme.

— Ivan, je suis venue vous dire ce que j'ai sur le cœur. J'ai discuté avec Benjamin aujourd'hui, après votre départ, et il m'a confié que vous et Vincent Taylor étiez associés. Il m'a également accusée d'un acte répugnant, mais je préfère ne pas en parler.

Elle fulminait.

— Ce que vous avez sur le cœur, ai-je répété. Je trouve cette expression magnifique. Le cœur est ce que l'homme a de plus précieux, vous savez, le centre de la vie et de l'amour. Alors me confier ce qu'il cache... quel beau cadeau. Merci, Elizabeth. Je ne comprends pas que les gens soient résolus à déverser le contenu de leur cœur dans l'oreille de ceux qu'ils ne peuvent pas supporter, alors qu'ils devraient réserver cet honneur aux personnes qu'ils chérissent le plus. Ça m'intrigue.

J'ai noué la guirlande et glissé ce bracelet improvisé à son poignet.

— En échange de ce que vous avez sur le cœur, je vous offre ceci.

Elizabeth est restée figée sur place, sans réagir, le regard braqué sur les fleurs. Ensuite elle a levé les yeux, ébauché un sourire et m'a demandé d'une voix douce :

— Personne n'a encore réussi à vous prendre en grippe plus de cinq minutes d'affilée, pas vrai ?

J'ai consulté ma montre.

— Si, vous. Depuis dix heures ce matin, et jusqu'à maintenant.

Elle a éclaté de rire.

— Pour quelle raison m'avez-vous caché que vous travaillez avec Vincent Taylor ?

— Je ne travaille pas avec lui.

— Benjamin prétend le contraire.

— Benjamin ?

— Oui, le chef de projet. Il vous a surnommé «le fantôme».

— C'est vrai qu'il ne me voit pas souvent, ai-je concédé avec un petit rire. Benjamin se montrait ironique, voilà tout. Je n'ai rien à voir avec leur société. Je suis tellement fantomatique que, pour eux, je n'existe même pas.

— Vous y allez un peu fort. Mais si je comprends bien, vous n'êtes pas activement impliqué dans le projet ?

— Ce sont les gens qui m'intéressent, Elizabeth, pas les hôtels en construction.

— Formidable. Dans ce cas, que baragouinait ce Benjamin West ? Quel type bizarre.

Le temps de pousser un soupir, Elizabeth est revenue à la charge :

— Vous discutiez de quoi avec Vincent ? Quel lien entre l'hôtel et les enfants ?

— Vous fourrez votre nez partout, dites donc. Vincent et moi on ne discutait de rien. Mais vous avez posé une excellente question : à votre avis, quel lien devrait-il y avoir entre l'hôtel et les enfants ?

— Absolument aucun, s'est esclaffée Elizabeth avant de s'interrompre, de crainte de m'avoir vexé.

Elle a proposé ensuite :

— Vous pensez que l'hôtel devrait se préoccuper des enfants ?

— Et vous ne pensez pas que tout le monde devrait se préoccuper des enfants ?

— Si, mais je connais quelques exceptions à la règle, a-t-elle lancé en jetant un coup d'œil à Luke.

J'ai su qu'elle stigmatisait Saoirse, son père, et peut-être même elle.

— Demain, je vais soumettre à Vincent un projet d'aire de jeux, ou de pièce spéciale… Je n'ai encore jamais aménagé ce genre d'endroit. Qu'est-ce qui intéresse les enfants ?

— Chaque chose en son temps, ça va vous revenir. Qu'est-ce qui vous intéressait quand vous étiez petite ?

Son regard noisette s'est embrumé, elle a tourné la tête.

— On ne peut pas comparer. Les enfants d'aujourd'hui nourrissent des goûts différents des miens au même âge. Les choses évoluent.

— Non, pas tant que ça. Les bambins ont des centres d'intérêt identiques, leurs besoins fondamentaux n'ont pas changé.

— C'est-à-dire ?

— Eh bien, expliquez-moi ce qui vous passionnait à l'époque et j'en tirerai les conclusions qui s'imposent.

— Vous ne pouvez pas vous empêcher de tout prendre à la rigolade, pas vrai ?

— Non. Allez, dites-moi.

Elizabeth m'a dévisagé quelques instants, encore indécise, et a fini par avouer, les yeux brillants d'émotion :

— Quand j'étais petite, le samedi soir ma mère et moi on s'installait à la table de la cuisine, avec nos crayons de couleur et du papier à lettres fantaisie, et on dressait la liste des activités du lendemain. J'étais tellement impatiente d'arriver au dimanche matin que je punaisais l'emploi du temps au mur de ma chambre et je me forçais à aller au lit plus tôt, pour que la nuit laisse vite place au jour suivant.

À ce moment-là son sourire s'est évanoui.

— Impossible d'incorporer ce genre d'éléments dans une salle polyvalente, a-t-elle déploré. De nos jours, les gosses ne jurent que par les consoles et les jeux vidéo.

— Dites-moi, de quoi se composait cette liste ?

140

— C'était un ramassis de rêves irréalisables. Une fois, ma mère m'avait promis d'aller dans les champs, la nuit, pour y attraper le plus d'étoiles filantes possible et faire tous les vœux qui nous passaient par la tête. Comme plonger dans une énorme baignoire remplie à ras bord de fleurs de cerisier, goûter aux rayons du soleil, se trémousser sous les jets d'eau qui arrosent la pelouse l'été, s'offrir un pique-nique sur la plage au clair de lune puis faire des claquettes dans le sable.

À ce souvenir, Elizabeth a éclaté de rire.

— Le comble du ridicule, à m'entendre, mais ma mère était ainsi : espiègle, pleine d'audace, indomptable et insouciante, voire un tantinet excentrique. Seules les nouvelles expériences la tentaient.

— Vous avez dû drôlement vous amuser, ai-je soufflé, impressionné par ce portrait.

Entre goûter les rayons du soleil et fabriquer un télescope avec des rouleaux de papier toilette, je n'hésite pas une seconde.

— Pas vraiment. Ces idées sont restées à l'état de projet.

— Mais pas dans votre tête, je parie.

— À vrai dire, un jour j'ai eu droit à une belle surprise. Un peu après la naissance de Saoirse, ma mère a préparé un panier pique-nique, m'a entraînée dans un pré et a étendu une couverture par terre. On a mangé du pain bis tout juste sorti du four, tartiné de confiture de fraises maison.

Elizabeth a fermé les yeux, pris une grande inspiration :

— Je n'en ai oublié ni la saveur ni l'odeur. Elle avait bien choisi son endroit et on s'est retrouvées au beau milieu de la pâture, sous le mufle de vaches absolument captivées par notre repas.

L'anecdote a déclenché notre hilarité.

— C'est ce jour-là qu'elle m'a annoncé son départ. Elle se sentait trop à l'étroit dans cette petite ville. Elle ne l'a pas énoncé explicitement, mais je ne vois pas d'autre raison.

La voix d'Elizabeth s'est mise à vibrer. Elle a stoppé net sa tirade et regardé sans les voir Luke et Sam qui jouaient à chat perché, les a écoutés pousser des cris de joie sans les entendre : elle s'était retirée dans son univers. Au bout d'un moment, elle s'est éclairci la gorge, confuse.

— Bon, revenons à nos moutons. Ces histoires n'ont rien à voir avec l'hôtel, je ne sais pas pourquoi je vous embête avec.

Convaincu qu'Elizabeth ne s'était jamais épanchée de cette manière, auprès de personne, je n'ai pas osé rompre le silence qui planait sur nous et je l'ai laissée méditer.

— Vous vous entendez bien avec Fiona ? m'a-t-elle demandé en évitant mon regard.

— Fiona ?

— Oui, la femme à laquelle vous n'êtes pas marié.

Sur ce, elle a amorcé un sourire timide, plus à l'aise.

— Fiona ne m'adresse pas la parole, ai-je répondu.

Je ne comprenais pas par quel miracle elle continuait à me prendre pour le père de Sam. Une petite mise au point avec Luke s'imposait. Ce malentendu me contrariait.

— Ça s'est mal fini entre vous ?

— Notre relation n'a jamais eu l'opportunité de démarrer, en fait.

— Je vois, a soupiré Elizabeth en levant les yeux au ciel. Mais le tableau n'est pas complètement noir, quand même.

Elle a dirigé son regard vers les deux garçonnets. Bien que sa remarque se rapportât à Sam, elle ne quittait pas Luke des yeux, ce qui m'a rempli de joie.

Ce soir-là, avant de partir, elle m'a avoué d'une voix chevrotante :

— Ivan, vous êtes le premier à qui j'ai confié ces souvenirs. Je les ai toujours tenus secrets. J'ignore quelle mouche m'a piquée, ce soir.

Je l'ai encouragée d'un sourire.

— Merci de m'avoir dit tout ce que vous aviez sur le cœur. Ça mérite un autre bracelet, je trouve.

Seconde erreur : quand j'ai passé la guirlande de marguerites à son poignet, j'ai senti que, du même coup, je donnais à Elizabeth un morceau de mon propre cœur.

19

Après lui avoir offert ces bracelets de marguerites... et mon cœur, j'en ai appris bien plus au sujet d'Elizabeth. Elle rappelle ces coquillages que l'on voit au flanc des rochers sur la plage. Au premier coup d'œil on se rend compte qu'ils peuvent se détacher facilement, mais il suffit de s'en approcher ou de les toucher pour qu'ils se referment et s'agrippent à la roche comme si leur vie en dépendait. C'est selon ce schéma qu'Elizabeth fonctionnait : en permanence sur la défensive, méfiante du matin au soir. Le lendemain de ses confidences, je suis allé chez elle et j'ai eu l'impression qu'elle me battait froid. Elizabeth tout craché, en rogne contre le monde entier – contre elle-même, surtout – et désorientée. Il lui arrivait rarement de s'ouvrir aux autres, sauf aux clients potentiels à qui elle vantait ses talents.

Difficile de passer du temps seul avec Luke maintenant que sa tante pouvait me voir. En plus, elle risquait de s'alarmer si je frappais à sa porte pour inviter Luke à jouer dehors avec moi : à ses yeux, les camarades de son neveu ne devaient pas dépasser un certain âge. L'important, c'était que Luke ne semblait pas en souffrir. Il était trop occupé avec Sam ; en prime, lorsqu'il voulait me faire participer à leurs jeux, Sam ne l'entendait pas de cette oreille. Je crois que je le gênais plus qu'autre chose, et il savait aussi bien que moi que je ne venais pas vraiment lui tenir compagnie. On ne peut rien cacher aux enfants, qui décryptent souvent les situations épineuses avec un train d'avance sur les adultes.

Ça me crispait qu'Elizabeth me confonde avec le père de Sam. Comme je n'ai jamais, au grand jamais, menti à mes amis, j'ai tenté de la détromper des dizaines de fois. Ainsi le soir où, de retour du travail, elle m'a demandé :

— Alors, Ivan, d'où venez-vous ?

Ce jour-là elle avait pris rendez-vous avec Vincent Taylor pour discuter de l'hôtel. Elle m'avait raconté qu'elle s'était plantée devant lui et lui avait rapporté notre entretien de lui en soumettre la conclusion : l'établissement devait proposer une aire de jeux destinée aux tout-petits afin de permettre à leurs parents de profiter au maximum du cadre romantique. Apparemment, quand elle a mentionné mon nom, Vincent s'est tordu de rire et lui a donné carte blanche. Vu qu'elle n'arrivait pas à interpréter sa gaieté, je lui ai expliqué que Vincent ne me connaissait ni d'Ève ni d'Adam. Sur ce, elle a haussé les épaules et m'a reproché de lui faire des cachotteries. Quoi qu'il en soit, cette réunion l'avait mise de bonne humeur et lui avait dénoué la langue. J'attendais depuis des jours qu'elle se décide à m'interroger sur ma vie privée (jusque-là, elle s'était cantonnée à une curiosité toute professionnelle : combien ma société comptait d'employés, est-ce qu'on recrutait – ce qu'elle pouvait me barber…).

Enfin elle s'intéressait à moi ! Je lui ai répondu, tout joyeux :

— De Jynérimah.

— Jynérimah ? Ce nom me dit quelque chose, j'en ai déjà entendu parler. Ça se trouve où ?

— À des années-lumière d'ici.

— Baile na gCroíthe est à des années-lumière de tout. Jynérimah, a répété Elizabeth en savourant chaque syllabe. Qu'est-ce que ça signifie ? Ce n'est pas du gaélique, par hasard ?

— C'est notre langage à nous.

— Votre langage à vous ? Parfois, Ivan, vous me rappelez Luke. Je crois que vous l'influencez beaucoup.

J'ai étouffé un rire.

— En fait, a-t-elle ajouté sur le ton de la confidence, je n'ai pas voulu vous en parler avant, mais il vous admire beaucoup.

— Vraiment ?

— Oui, parce que… enfin – elle choisissait ses mots avec soin –, n'allez pas vous imaginer que mon neveu a une araignée au plafond, absolument pas, mais la semaine dernière il s'est inventé un ami imaginaire. Lequel est resté dîner plusieurs soirs d'affilée, s'est amusé avec Luke dans le jardin, a joué au foot, avec l'ordinateur et même aux cartes. Le plus drôle c'est que cet ami, il l'a appelé Ivan.

Je suis resté impassible et elle a fait machine arrière, rouge comme une pivoine.

— Mais ce n'est pas drôle du tout, au contraire, c'est complètement absurde, mais j'en ai déduit qu'il vous mettait sur un piédestal et qu'il vous considérait comme un modèle... Quoi qu'il en soit, Ivan s'est volatilisé. Il a fini par nous quitter et nous laisser tranquilles. Ça a été une véritable épreuve, vous vous en doutez. J'ai appris que cette farce pouvait durer jusqu'à trois mois. Dieu merci, il est parti avant, j'avais même entouré la date sur mon calendrier. En fait, curieusement, sa disparition a coïncidé avec votre arrivée. Je crois que vous avez fait peur à Ivan... Ivan.

Elizabeth a ponctué sa remarque d'un éclat de rire, mais mon visage fermé a coupé court à son élan.

— Ivan, vous ne dites rien ?

— Je vous écoute.

— Maintenant que j'ai terminé, à votre tour d'apporter de l'eau au moulin, a-t-elle lancé.

Ça ne ratait jamais : elle perdait son sang-froid quand elle se sentait stupide.

— Eh bien, j'ai une théorie là-dessus.

— Formidable, n'hésitez pas à m'en faire part. Sauf si vous jugez qu'il faut nous enfermer, Luke et moi, dans un bunker en béton gardé par des psychiatres, avec des barreaux aux fenêtres.

Je lui ai jeté un regard noir.

— Alors ? m'a-t-elle taquiné.

— Bon, comment être sûr qu'Ivan a disparu ?

— Il n'a pas disparu, tout simplement parce qu'il n'existe pas.

— Il existait aux yeux de Luke.

— Luke l'a inventé de toutes pièces.

— Peut-être pas.

— En tout cas, moi, je ne l'ai pas vu.

— Mais vous me voyez moi.

— Quel rapport entre vous et l'ami invisible de Luke ?

— Peut-être que c'est moi l'ami invisible de Luke, sauf que le terme « invisible » me froisse. Pas assez politiquement correct à mon goût.

— Mais je vous vois !

— Justement, voilà pourquoi je trouve incompréhensible que les gens persistent à me traiter d'« ami invisible ». Si une personne au moins arrive à me distinguer, alors je suis visible, non ? Réfléchissez une seconde, est-ce que les deux Ivan se sont déjà trouvés dans la même pièce en même temps ?

— Qui sait, peut-être que le faux Ivan nous espionne en ce moment précis, tout en se gavant d'olives, a plaisanté Elizabeth avant de se rendre compte que je m'étais assombri. Que voulez-vous insinuer ?

— C'est d'une simplicité enfantine, Elizabeth. Vous avez précisé que le départ d'Ivan a coïncidé avec mon arrivée.

— Exact.

— Et si ça signifiait que je suis ce fameux Ivan, qu'au lieu de plier bagages j'ai réussi à me manifester à vous, à l'improviste ?

— Impossible. Vous existez vraiment, vous avez une vie, une femme, un enfant, vous...

— Fiona et moi ne sommes pas mariés.

— Une ex-femme, on ne va pas chipoter.

— Nous n'avons jamais été mariés.

— Loin de moi l'idée de vous juger.

— Non, je veux dire par là que Sam n'est pas mon fils, ai-je ajouté, plus fort que prévu.

Pourquoi les grandes personnes sont-elles moins perspicaces que les enfants ? Elles ont l'art de compliquer les choses les plus simples.

Les traits d'Elizabeth se sont adoucis et elle a posé sa main – une main douce, délicate, aux longs doigts fins – sur la mienne.

— Ivan, m'a-t-elle déclaré sur un ton affable, nous avons un point commun : Luke n'est pas mon fils non plus. Mais je trouve formidable que vous teniez tant à Sam.

— Non, Elizabeth, vous ne comprenez pas, je ne représente rien pour Fiona, je ne représente rien pour Sam. Ils ne me voient pas comme vous me voyez, ils ne me connaissent même pas, c'est ce que je me tue à vous expliquer, je suis invisible à leurs yeux. Je suis invisible aux yeux du monde entier, à part vous et Luke.

146

Elizabeth, émue aux larmes, m'a serré très fort la main, puis a affirmé d'une voix tremblante :

— Si, je comprends.

Elle se débattait avec ses pensées, j'ai senti qu'elle mourait d'envie de décharger son cœur sans y parvenir. Son regard noisette a fouillé le mien et, comme encouragée par ce qu'il exprimait, elle s'est lancée :

— Ivan, vous ne réalisez pas à quel point on se ressemble. Vos paroles me débarrassent d'un grand poids : moi aussi j'ai parfois l'impression d'être invisible. Personne ne m'apprécie vraiment, personne ne me voit telle que je suis… personne à part vous.

Elizabeth m'a semblé si désemparée que je l'ai prise dans mes bras. Par ailleurs, je n'ai pu m'empêcher de déplorer son erreur, ce qui m'a ébahi car mes amitiés ne sont pas censées se polariser sur moi ni sur mes besoins. Je n'avais jamais occupé le devant de la scène auparavant.

Ce soir-là, au lit, j'ai repassé dans ma tête les événements de la journée et je me suis rendu compte qu'en définitive Elizabeth était la première de mes amis à m'avoir percé à jour. Du jamais-vu.

Et quiconque a ressenti, ne serait-ce qu'une fois, ne serait-ce que cinq minutes, ce genre d'affinités, celui-là en mesure toute la portée. Je n'avais plus l'impression d'évoluer dans une sphère hermétique, coupée du reste du monde. Au contraire : je partageais cette sphère avec une personne qui avait gagné mon estime et mon respect, à qui j'avais donné un bout de mon cœur, et cette émotion était réciproque.

Inutile de vous faire un dessin.

Je ne me sentais plus seul. Mieux, j'étais sur un petit nuage.

20

Le temps s'était dégradé du jour au lendemain. La dernière semaine de juin, un soleil de plomb avait calciné l'herbe, desséché la terre et attiré des essaims de guêpes qui voltigeaient dans l'air alourdi. Samedi soir, le ciel s'était assombri, des nuages menaçants avaient surgi à l'horizon. Un revirement typiquement irlandais, à la fois imprévisible et sans surprise : une chaleur caniculaire suivie d'un véritable ouragan.

Elizabeth frissonna et se pelotonna sous sa couette. Elle n'avait pas allumé les radiateurs, par principe : elle refusait de chauffer la maison en plein été, même si les nuits étaient frisquettes. Dehors, les arbres subissaient les assauts des bourrasques ; leurs branches oscillaient et projetaient des ombres inquiétantes sur les murs de la chambre. Le fracas de la tempête rappelait des vagues s'écrasant sur une falaise. Les portes tremblaient, vibraient dans leurs gonds. Au fond du jardin, la balancelle grinçait au rythme des rafales. Le monde semblait au bord du chaos.

Elizabeth pensait à Ivan. Elle se demandait ce qui l'attirait tant en lui, ce qui la poussait à lui révéler ses secrets les plus intimes, par quel miracle elle lui avait ouvert sa porte et son cœur. Elizabeth prisait la solitude ; en temps normal elle se passait fort bien de compagnie, mais celle d'Ivan lui était devenue indispensable. Ne valait-il pas mieux modérer son enthousiasme par égard pour Fiona, qui habitait au coin de la rue ? La relation qu'elle entretenait avec Ivan, pourtant une simple amitié, pouvait-elle contrarier le petit Sam et sa mère ? Elizabeth comptait beaucoup sur sa voisine, à qui elle confiait Luke dès que le travail l'appelait.

Comme à son habitude, elle préféra ignorer l'orage qui se déchaînait sous son crâne et se persuada que rien n'avait changé, qu'elle était restée la même, que des intrus ne prenaient pas d'assaut les ruines de la forteresse qu'elle avait bâtie. Les plus infimes variations la déroutaient, la nouveauté la terrorisait.

La jeune femme finit par fixer son attention sur le dernier jalon qui résistait, immuable, aux rafales résolues, et sombra dans un sommeil agité. En retour, la lune veilla sur elle avec un soin jaloux.

— Cocorico!

Elizabeth ouvrit un œil, désorientée. La chambre était baignée de clarté. La jeune femme s'éveilla pour de bon et salua le soleil qui, encore bas dans un ciel limpide, annonçait l'aube d'une journée pleine de promesses. Les arbres n'en continuaient pas moins de tanguer au gré du vent, parsemant le jardin de taches de lumière.

— Cocorico!

Voilà que ça recommençait. Encore groggy, Elizabeth quitta les draps à contrecœur et se traîna jusqu'à la fenêtre. Là, au beau milieu de la pelouse, se tenait Ivan, les deux mains en porte-voix.

— Cocorico!

Elizabeth, au bord du fou rire, ouvrit en grand la fenêtre. Le vent s'engouffra dans la pièce.

— Ivan, qu'est-ce que vous faites ici?
— Allez, les marmottes, debout!
— Vous avez perdu la tête?

Luke apparut sur le seuil, l'air terrifié.

— Qu'est-ce qui se passe?

Elizabeth lui fit signe d'approcher. À la vue d'Ivan, le garçon se calma.

— Coucou, Ivan!

Ce dernier leva la tête, adressa à Luke un large sourire qu'il accompagna d'un geste de la main, celle qui tenait sa casquette en place. Une rafale malicieuse en profita pour emporter son couvre-chef au loin, par surprise. Elizabeth et son neveu s'esclaffèrent tandis que leur ami se lançait à la poursuite du fugitif, zigzaguant dans le jardin selon les caprices du vent. La casquette atterrit dans un arbre et Ivan la récupéra en s'armant d'une branche cassée, qu'il ramassa à ses pieds.

— Pourquoi tu es venu ? s'écria Luke.

— C'est la fête des dents-de-lion ! annonça Ivan, bras écartés, son tee-shirt trop large battant au vent.

— Hein ? De quoi il parle ?

— Aucune idée, répondit Elizabeth.

— Qu'est-ce que c'est, la fête des dents-de-lion ?

— Descendez, je vais vous montrer !

— On est encore en pyjama ! rétorqua Luke.

— Alors habillez-vous ! Mettez le premier truc qui vous tombe sous la main, il est six heures du matin, personne ne nous verra !

— Viens ! souffla Luke avant de sauter à bas du rebord de la fenêtre et de quitter la chambre.

Il refit son apparition quelques minutes plus tard, une jambe fourrée dans son pantalon de jogging, un pull enfilé à l'envers, trébuchant sur les lacets de ses baskets. Sa tante ne put contenir son enjouement.

— Allez, dépêche !

— Calme-toi, Luke.

— Non ! Habille-toi, c'est la fête des dents-de-lion ! s'égosilla le garçonnet en ouvrant l'armoire à la volée.

— Mais où on va comme ça ? s'inquiéta Elizabeth.

Elle cherchait à être rassurée par un gamin de six ans.

Luke se contenta de hausser les épaules.

— Quelque part où on va bien s'amuser ?

La jeune femme, circonspecte, perçut la fébrilité de son neveu, sentit sa curiosité piquée à vif et passa outre son bon sens. Elle s'affubla d'un vieux jogging, rejoignit Luke dehors. Le vent la frappa de plein fouet sur le seuil de la maison et lui coupa le souffle.

— Vite, à la batmobile ! déclara Ivan.

Luke, surexcité, sautillait sur place. Elizabeth, elle, se figea.

— Hein ?

— La voiture, expliqua Luke.

— Et je peux savoir où on va ?

— Mettez-vous au volant et je vous indiquerai le trajet, c'est une surprise, énonça Ivan.

— Non, s'indigna Elizabeth, je ne conduis nulle part si vous ne me dites pas où vous nous emmenez.

— Mais vous prenez la voiture chaque matin sans savoir où vous allez.

Elle fit mine de ne pas l'avoir entendu puis se laissa gagner par l'enthousiasme de Luke.

Celui-ci déverrouilla la portière, aux petits soins pour son ami. Une fois la troupe installée dans l'habitacle, Elizabeth démarra le véhicule d'une main hésitante et s'engagea vers une destination inconnue, prête à rebrousser chemin à chaque virage, sans y parvenir.

Empruntant des routes sinueuses, Elizabeth, de plus en plus agitée, se gara le long d'un champ que lui signala Ivan. À ses yeux, rien ne distinguait cet endroit des terrains qu'ils avaient longés au cours des vingt minutes précédentes – à part sa perspective imprenable sur l'Atlantique, à la surface scintillante. Elle ne put retenir une moue blasée et remarqua dans le rétroviseur, furieuse, que la boue avait maculé les ailes de sa voiture.

— Ouah, c'est quoi ? s'étonna Luke qui s'était faufilé entre les sièges avant et montrait du doigt le champ par-delà le pare-brise.

— Luke, mon compère, déclara Ivan, c'est ce qu'on appelle des dents-de-lion.

Elizabeth leva le nez. Sous ses yeux se déployait une profusion de pissenlits oscillant dans le vent, dont les aigrettes duveteuses, en suspension dans l'air, emprisonnaient les rayons du soleil.

— On croirait des fées, s'émerveilla Luke.

— Des fées, répéta Elizabeth, exaspérée. Où vas-tu pêcher des idées pareilles ? Il s'agit de graines de pissenlit, tout bêtement.

Aussitôt, Ivan la fusilla du regard.

— Je m'attendais à ce genre de remarque de votre part. J'ai quand même réussi à vous entraîner ici, c'est déjà beaucoup, non ?

Elizabeth n'en croyait pas ses oreilles : jamais Ivan ne lui avait parlé sur ce ton.

— Luke, continua leur ami, il s'agit en effet de pissenlits, mais la plupart des gens normaux – coup d'œil torve à l'attention de la conductrice – les appellent des dents-de-lion.

On raconte qu'elles exaucent les souhaits. Il suffit de saisir une graine, de prononcer son vœu et de la laisser s'envoler pour qu'elle transporte le vœu à bon port.

Elizabeth eut un reniflement de mépris.

— Ouah, chuchota Luke. Mais ça sert à quoi ?

— Excellente question, railla sa tante.

— Il y a bien longtemps, les gens se nourrissaient des feuilles de ces plantes parce qu'elles sont riches en vitamines, expliqua Ivan. Ses propriétés médicinales lui ont valu la réputation d'une panacée. Depuis, on considère les pissenlits comme des porte-bonheur.

— Est-ce que les vœux se réalisent ? s'enquit Luke.

— Seulement ceux qui arrivent à destination, donc l'espoir est permis. Rappelle-toi que même le courrier se perd.

Le petit élève opina, signe qu'il avait compris.

— Super, on part chasser les dents-de-lion !

— Allez-y, je vous attends dans la voiture, déclara Elizabeth en regardant droit devant elle.

Ivan poussa un soupir :

— Eliza…

— Allez-y.

La jeune femme brancha l'autoradio et se renfonça ostensiblement dans son siège, décidée à ne pas bouger. Lorsque Luke se fut extirpé de la voiture, elle se tourna vers Ivan.

— Je trouve ridicule que vous lui débitiez de telles sornettes. Quelle explication lui fournirez-vous quand il se retrouvera le bec dans l'eau ?

— Qu'est-ce que vous en savez ?

— J'utilise simplement mon bon sens. Ce qui vous fait défaut, j'ai l'impression.

— Vous avez tout à fait raison, je n'ai aucun bon sens. Je ne veux pas me satisfaire d'opinions prédigérées, je me suis forgé mes propres idées à partir de connaissances que personne ne m'a inculquées et que je n'ai pas pompées dans un livre. C'est l'expérience qui me sert de professeur. Vous, vous avez la trouille de vous en remettre à l'expérience, donc vous vous accrochez à votre pauvre petit bon sens comme à une bouée.

Elizabeth se concentra sur le paysage et compta jusqu'à dix pour ne pas laisser exploser sa colère. Tout ce charabia new age la rebutait ; Ivan n'allait pas lui enlever de la tête que ce fatras s'apprenait, justement, dans les livres. Des bouquins écrits et lus par des âmes en peine qui passaient leur existence à viser la recette miracle ou un moyen quelconque d'échapper à l'ennui qui les taraudait. Des paumés qui croyaient dur comme fer que tout avait une raison cachée, que la réalité recelait bien des mystères.

— Vous savez, Elizabeth, on raconte qu'en soufflant sur un pissenlit on peut savoir dans combien d'années on va se marier. D'autres assurent que disperser toutes les graines d'un coup en formant un vœu est un excellent présage.

— Arrêtez vos âneries.

— Très bien. Aujourd'hui, Luke et moi on va s'amuser à attraper des dents-de-lion. Moi qui croyais que vous aviez toujours voulu concrétiser vos rêves.

Elizabeth détourna les yeux.

— Je vois où vous voulez en venir, Ivan, mais avec moi ça ne marche pas. Je vous ai parlé de mon enfance sous le sceau du secret. J'ai dû prendre sur moi, ça n'a pas été facile, et vous réduisez mes confidences à un vulgaire jeu.

— Ça n'a rien d'un jeu, affirma Ivan avant de quitter l'habitacle.

— Pour vous, tout est prétexte à jouer, s'exclama Elizabeth. Dites-moi, pourquoi accumuler des connaissances encyclopédiques sur les pissenlits ? À quoi servent ces infos inutiles ?

Ivan passa la tête dans l'embrasure.

— Eh bien, il me semble logique de m'intéresser de près à une fleur qui va emporter mes désirs les plus secrets, d'étudier d'où elle vient et ce qu'elle compte faire de mes souhaits.

Sa curiosité ainsi justifiée, il claqua la portière.

Elizabeth regarda Luke et Ivan détaler dans le champ.

— Si tel est le cas, Ivan, d'où viens-tu, demanda-t-elle à voix haute, et qu'est-ce que tu comptes faire de mes souhaits à moi ?

21

Sous la surveillance d'Elizabeth, Ivan et Luke s'ébattaient dans les hautes herbes, cabriolaient dans l'espoir d'attraper les graines qui voltigeaient autour d'eux telles des plumes.

— J'en ai une ! hurla Luke.

— Fais un vœu, lui conseilla Ivan.

Luke replia ses doigts sur sa prise, ferma les yeux.

— Je souhaite qu'Elizabeth sorte de la voiture et vienne jouer avec nous aux dents-de-lion ! rugit-il.

Il leva sa menotte potelée, l'ouvrit lentement et libéra l'ombelle, que le vent emporta.

Ivan interrogea Elizabeth du regard ; Luke observa le véhicule, trépignant d'impatience.

La jeune femme scruta la frimousse de son neveu mais ne put se résoudre à le combler. Le rejoindre l'encouragerait à croire aux contes de fées, autrement dit aux mensonges. Elle excluait tout net cette option. Luke ne perdit pas espoir pour autant : il courut à travers champs, bras tendus, harponna une graine, la serra de toutes ses forces sur son cœur et répéta son vœu à pleins poumons.

Elizabeth sentit sa gorge se nouer, sa respiration s'accélérer. L'étincelle qui illuminait le regard d'Ivan et de Luke l'intimida. Ce n'est qu'un jeu, décréta-t-elle, il suffit de sortir de la voiture. Mais non, cela allait plus loin : elle refusait d'instiller illusions et chimères dans la tête d'un enfant… un plaisir éphémère ne valait pas la déception de toute une vie. Elizabeth s'agrippa des deux mains au volant, jusqu'à ce que ses articulations blanchissent.

Luke sautillait de-ci de-là, guilleret, à la poursuite des graines tant convoitées. Il renouvela son souhait, en le complétant d'un sonore « S'il te plaît, s'il te plaît, dent-de-lion, s'il te plaît ! » Le bras constamment en l'air, il faisait penser à une statue de la Liberté miniature.

Ivan restait impassible. Il se tenait debout, immobile, au beau milieu du champ, et observait Luke. Elizabeth se sentait irrésistiblement attirée par sa personne. Le visage de Luke trahissait une frustration et un dépit grandissants ; le petit s'énervait, distribuait des coups de pied aux pissenlits.

Il perdait déjà espoir et elle s'en voulut de lui causer tant de peine. Avec une grande inspiration elle ouvrit la portière et émergea de la voiture. Luke, rayonnant de bonheur, reprit sa course de plus belle. Elizabeth s'approcha de lui, saluée par les fuchsias qui ondoyaient dans la brise. Le bas-côté fleuri évoquait un gradin surchargé de spectateurs qui, pour acclamer un joueur à son entrée sur le terrain, agitaient leurs fanions flamboyants.

Brendan faillit envoyer son tracteur dans le fossé. Tandis qu'il roulait à vitesse réduite, il vit se découper sur l'océan et le ciel d'azur deux silhouettes agiles qui dansaient dans le pré : une femme aux longs cheveux bruns que le vent décoiffait tenait par la main un enfant et poussait des cris de joie. Le tandem semblait s'intéresser de près aux graines de pissenlit vaporeuses qui saturaient l'air. Le père d'Elizabeth coupa le moteur, bouche bée, tremblant de tous ses membres ; il avait l'impression d'être en présence d'un fantôme. Il se perdit dans la contemplation de ce spectacle jusqu'à ce qu'un klaxon le tire de sa rêverie et le force à reprendre sa route.

En ce dimanche matin, à la fraîche, Benjamin rentrait de Killarney. Taraudé par le mal du pays, il regrettait amèrement de n'être pas de l'autre côté de l'Atlantique quand un tracteur stationné au beau milieu de la route le fit piler. Le conducteur, un vieil homme blanc comme un linge, regardait l'horizon. Benjamin suivit son exemple et se dérida à la vue d'Elizabeth Egan qui gambadait, image parfaite du bonheur, avec un petit garçon – elle était donc mère de famille – dans un pré tapissé de pissenlits. Elle portait un jogging au lieu de sa tenue habituelle, sévère et guindée, et avait laissé ses cheveux flotter sur ses épaules. Benjamin l'observa qui prenait son fils dans les bras, l'aidait à attra-

155

per quelque chose et le reposait à terre d'un mouvement ample. Le blondinet émit une petite exclamation de plaisir. Notre spectateur, tout sourire, n'aurait pas refusé de rester là des heures durant, à profiter de ce charmant tableau, mais un coup de klaxon le ramena à la réalité et le tracteur qui le précédait démarra laborieusement. L'embouteillage se résorba.

Deviser avec un homme qui n'existait pas, danser dans un champ dès potron-minet... Benjamin ne put s'empêcher d'admirer la joie de vivre et l'énergie que dégageait Elizabeth ; elle semblait indifférente à l'opinion des autres. En remontant la route tortueuse, l'image s'éclaircit : le visage de la jeune femme rayonnait de bonheur. Elle n'avait rien en commun avec l'Elizabeth Egan que Benjamin connaissait.

22

Encore étourdie, Elizabeth rentra à la maison avec Luke et Ivan. Au terme de deux heures éreintantes consacrées à la chasse aux dents-de-lion, comme les appelait Ivan, tous trois s'étaient effondrés dans l'herbe et, épuisés et à bout de souffle, avaient avalé à grandes goulées l'air marin revigorant. Elizabeth n'avait pas autant ri depuis, depuis… impossible de s'en souvenir. En fait, elle croyait bien qu'elle n'avait jamais autant ri de toute sa vie.

Ivan semblait regorger d'énergie, de curiosité envers toutes les choses neuves et stimulantes. Elizabeth, elle, n'avait pas éprouvé l'aiguillon de l'enthousiasme depuis un long moment ; petite fille, elle avait attendu certains événements avec une telle impatience qu'elle s'était sentie près d'éclater, mais elle n'associait pas cette émotion à sa vie d'adulte. Ivan ramenait ces sensations oubliées à la surface. En sa compagnie, qu'ils gambadent dans un pré ou qu'ils restent assis côte à côte en silence, comme cela leur arrivait souvent, le temps filait. Elizabeth rêvait de ralentir la course effrénée des aiguilles de l'horloge. Ce matin-là, elle avait harponné de nombreuses graines et formulé le vœu, parmi une myriade d'autres, de ne pas quitter Ivan trop vite en cette matinée féerique et de profiter davantage de son petit Luke.

Elle rapprochait son attachement d'une bluette d'enfance, un engouement fort, obsédant et profondément enraciné. Tout en Ivan l'attirait, sa voix, son allure, sa démarche, cette candeur manifeste que démentaient ses propos empreints de sagesse. Il apportait avec lui clairvoyance et ouverture d'esprit, parlait d'or et trouvait toujours le mot juste, même si certaines de ses vérités fâchaient Elizabeth : le brouillard se levait et la jeune femme parvenait à voir au-delà, à se faire une idée plus juste de l'existence. Ivan personnifiait l'espoir et même si, avec lui, l'avenir ne s'annonçait ni fantastique ni merveilleux, pas davantage heureux, mais simplement tolérable, cela suffisait à Elizabeth.

Ivan accaparait ses pensées ; elle rejouait en permanence leurs conversations dans sa tête, puis prenait conscience, dans le calme de son lit, qu'en dépit de la franchise avec laquelle il répondait à ses questions elle en savait toujours aussi peu. Elle sentait pourtant que l'un était la réplique de l'autre : deux êtres solitaires ballottés par le vent, telles des graines de pissenlit transportant leurs rêves communs.

Bien entendu, l'intensité de ses sentiments la terrifiait ; bien entendu, cela allait à l'encontre de tous ses principes. Elizabeth avait beau se raisonner, son cœur se mettait à battre la chamade lorsque Ivan la frôlait par mégarde, elle le cherchait du regard dès qu'elle mettait un pied dehors. Il s'était logé en elle sans qu'elle l'y invite, lui rendait visite sur visite sans qu'elle le presse et, malgré cette intrusion, elle lui ouvrait ses bras et sa porte de bon cœur.

Sa personne, son influence, ses silences et ses mots, Elizabeth ne pouvait plus s'en dispenser. Lentement mais sûrement, elle tombait amoureuse.

Le lundi matin, à huit heures et demie, Elizabeth entra chez Joe d'un pas élastique. Elle fredonnait, encore, cette mélodie qui lui trottait dans la tête depuis près d'une semaine. Des touristes allemands avaient pris d'assaut le café pour y déguster un savoureux petit déjeuner avant de retourner s'emprisonner dans leur autocar. Les conversations allaient bon train. Joe s'affairait, ramassait assiettes et tasses, filait à la cuisine et en revenait les bras chargés des bons petits plats que préparait sa femme.

Elizabeth commanda un café ; Joe, trop occupé pour propager les derniers ragots en date, lui adressa un bref hochement de tête. La jeune femme chercha une table libre du regard et aperçut Ivan au fond de la salle. Un sourire radieux plaqué sur le visage, elle rejoignit son ami en se faufilant entre les touristes. Pas de doute, il y avait de la magie dans l'air.

— Salut, murmura-t-elle d'une voix qu'elle ne reconnut pas.

— Bonjour, Elizabeth.

Ivan semblait enjoué ; son timbre s'était également altéré. Ce glissement subtil n'échappa à aucun des deux, et ils se turent.

— Je vous ai gardé une table.

— Merci.

Échange de sourires.

— C'est pour manger ? s'enquit Joe, armé d'un stylo et d'un bloc-notes.

Le matin, Elizabeth préférait garder l'estomac vide, mais la gourmandise avec laquelle Ivan parcourait le menu la fit changer d'avis. Quelques minutes de retard au bureau, ce n'était pas la fin du monde.

— Je peux vous demander un autre menu, s'il vous plaît ?

Joe la regarda de travers.

— Pourquoi vous voulez un autre menu ?

— Pour le lire.

— Y a un problème avec celui qui est sur la table ?

— D'accord, j'ai compris.

Elizabeth capitula et se rapprocha d'Ivan afin d'étudier les formules proposées, sous le contrôle méfiant de Joe.

— Je crois que je vais prendre le petit déjeuner irlandais, se décida Ivan en se léchant les babines.

— Moi aussi, déclara Elizabeth.

— Vous aussi quoi ? s'énerva Joe.

— Je vais prendre le petit déjeuner irlandais.

— OK, donc un irlandais et un café.

— Non, corrigea l'habituée. *Deux* irlandais et *deux* cafés.

— Vous mangez pour deux maintenant ?

— Non ! s'exclama Elizabeth.

Une fois Joe hors de portée de voix, elle s'excusa auprès d'Ivan :

— Désolée, parfois il est un peu bizarre.

Le patron déposa les deux tasses sur la table et se précipita vers d'autres clients.

— Il y a du monde ce matin, fit remarquer Elizabeth sans détacher son regard d'Ivan.

— Vraiment ? rétorqua celui-ci, tout aussi captivé par sa voisine.

— J'adore quand le village est comme ça, quand il déborde de vie. Je ne sais pas à quoi ressemble Jynérimah mais ici, à force de voir tout le temps les mêmes têtes, on s'ennuie vite. Les touristes apportent un changement bienvenu, je peux me cacher derrière eux.

— Vous cacher ? Mais de qui ?

— Ivan, les habitants sont de vraies commères. Ils en savent plus long que moi sur ce qui est arrivé à ma propre famille. En été, le village ressemble à un arbre à la cime élevée et au tronc épais mais en hiver, quand il perd ses feuilles et que les branches sont nues, il n'y a nulle part où se cacher, aucun moyen de préserver son intimité. J'ai toujours l'impression d'être exposée en vitrine.

— Ça ne vous plaît pas de vivre ici ?

— Je ne dirais pas ça. Cet endroit a simplement besoin d'un regain d'énergie, d'un coup de fouet. Chaque matin je viens ici et je me retiens d'aller déverser mon café sur le trottoir, histoire de réveiller une bonne fois ce bled assoupi.

— Je ne vois pas ce qui vous en empêche.

— Pardon ?

Ivan se leva de table.

— Elizabeth Egan, suivez-moi dehors et n'oubliez pas votre tasse.

— Mais…

— Il n'y a pas de mais qui tienne, suivez-moi.

Sur ces entrefaites, Ivan quitta le café. Elizabeth lui emboîta le pas, déconcertée, sa tasse à la main.

— Alors ? demanda-t-elle en sirotant le liquide brûlant.

— Alors il est grand temps d'injecter à cette ville une bonne dose de caféine, m'est avis, affirma Ivan en balayant la rue du regard.

Comme Elizabeth l'observait sans comprendre, il donna une pichenette à sa tasse. Quelques gouttes de café éclaboussèrent le pavé.

— Oups.

La jeune femme explosa de rire.

— Ivan, vous êtes impossible.

— Moi, impossible ? Je ne fais que suivre votre suggestion.

Il heurta derechef la tasse, plus fort, ce qui eut pour effet de déverser son contenu. Elizabeth poussa un cri perçant et s'écarta vivement, de peur que le café ne tâche ses escarpins.

Les touristes allemands s'intéressèrent à elle de plus près.

— Allez, Elizabeth ! l'encouragea Ivan.

La situation atteignait le comble du ridicule, de l'absurdité, de la bêtise, de l'immaturité, mais au souvenir du bonheur qu'elle avait ressenti dans le pré la veille, de son exultation et du vertige qui l'avait accompagnée le reste de la journée, Elizabeth inclina sa tasse et laissa du café s'égoutter par terre. La boisson forma une petite flaque avant de s'insinuer entre les pavés et de s'écouler sur le trottoir.

— Lamentable, franchement, s'indigna son ami.

— Très bien, éloignez-vous.

Ivan fit un pas en arrière ; Elizabeth tendit le bras, pivota pour prendre de l'élan et projeta une pluie de café.

Joe apparut sur le seuil, l'air inquiet.

— Qu'est-ce que vous fabriquez, Elizabeth ? Il vous plaît, pas mon café ? Vous me filez la honte devant tous ces gens.

Il montra de la tête les voyageurs massés contre la vitrine.

Ivan éclata de rire.

— Je crois que ça mérite une autre tournée.

— Une autre ? s'étonna Elizabeth..

— D'accord, je vous apporte ça tout de suite, annonça Joe.

— Excusez-moi, l'interrogea un des touristes, qu'est-ce qu'elle fait ?

— Euh, elle, eh bien…, hésita le patron, c'est une de nos traditions à Baile na gCroíthe. Tous les lundis matin on, ben, on arrose les rues de café, vous voyez. Rien de tel pour…

Il vit Elizabeth asperger les jardinières.

— … pour fertiliser les fleurs, conclut-il en s'étranglant.

Le curieux lui adressa un sourire amusé.

— Dans ce cas, cinq autres cafés, s'il vous plaît.

D'abord circonspect, Joe arbora une mine réjouie lorsqu'il calcula le montant de l'addition.

— Cinq cafés, ça roule.

Quelques instants plus tard, Elizabeth fut rejointe sur le trottoir par cinq personnes qui entreprirent de vider leur tasse à son exemple, en dansant sur place et en criant à tue-tête. Ivan et elle se tenaient les côtes ; ils finirent par échapper à l'attroupement, dont les membres se lançaient des regards à la dérobée, intrigués par cette coutume saugrenue qui les amusait tant. La jeune femme observa les alentours.

Tous les commerçants se tenaient sur le seuil de leur boutique, attirés dehors par le raffut. Les fenêtres s'ouvrirent, des têtes surgirent des embrasures. Les voitures ralentirent, un concert de klaxons ne tarda pas à se faire entendre. En l'espace d'une poignée de minutes, le village avait pris vie.

— Quelque chose ne va pas ? demanda Ivan, les larmes aux yeux. Pourquoi vous ne riez plus ?

— Vous ne gardez jamais vos rêves pour vous ? Vous ne pouvez pas vous empêcher de les réaliser à la seconde où vous les envisagez ?

Elizabeth avait l'impression que rien ne lui était impossible. Enfin, presque rien. Elle plongea son regard dans celui, bleu intense, de son ami et se sentit perdre ses moyens.

Devenu soudain sérieux, sage, comme s'il avait retenu une leçon capitale au cours des instants qui venaient de s'écouler, Ivan s'approcha à pas comptés de la jeune femme, posa sa main sur sa joue et se pencha lentement vers elle.

— Non, murmura-t-il, il faut qu'ils se réalisent tous.

Il l'embrassa alors avec une tendresse telle que la terre se déroba sous les pieds d'Elizabeth.

Joe jeta un coup d'œil dehors ; le spectacle de ces jobards virevoltants qui préféraient gaspiller son café plutôt que de l'avaler le rendit hilare. Il aperçut Elizabeth sur le trottoir opposé et se rapprocha de la vitrine afin d'étudier son visage. Le nez au vent, les yeux fermés, elle paraissait à l'apogée du bonheur. La brise matinale caressait ses longs cheveux, d'habitude relevés en chignon. Elle semblait se délecter du soleil.

La copie conforme de sa mère, s'émerveilla Joe.

23

Le baiser d'Ivan et d'Elizabeth se prolongea. Lorsqu'ils réussirent à se séparer, la jeune femme se dirigea vers son bureau d'une démarche sautillante, la bouche parcourue de chatouillis, tout en fredonnant. Elle avait l'impression de flotter, se sentait pousser des ailes. En chemin elle bouscula Mrs Bracken qui, depuis le pas de sa porte, surveillait le groupe de touristes.

— Bon Dieu ! s'exclama Elizabeth, sous l'effet de la frayeur.

— N'invoquez pas en vain le nom du Tout-Puissant, le créateur de toutes choses, notre seigneur et maître, la sermonna Mrs Bracken. Qu'est-ce qu'ils font, ces gens ?

— Aucune idée, plaisanta Elizabeth en se mordant la joue. Allez donc les rejoindre.

— Mon cher mari, paix à son âme, n'aurait pas approuvé ces sornettes, ça non, grommela la vieille dame qui profita de cette observation pour lever le nez, plisser ses petits yeux chafouins et dévisager Elizabeth.

— Vous avez changé, on dirait. Vous passez beaucoup de temps dans cette tour ?

— Forcément, Mrs Bracken. Je m'occupe de la déco de l'hôtel, vous avez oublié ?

— Vos cheveux… où est passé votre chignon ?

— Ça vous gêne ? lança Elizabeth avant de pénétrer dans la boutique où elle souhaitait vérifier si sa commande était arrivée.

— Mr Bracken avait coutume de dire qu'il faut se méfier d'une femme qui chamboule sa coiffure.

— Dénouer mon chignon n'est pas exactement ce que j'appellerais chambouler ma coiffure.

— Elizabeth Egan, pour vous c'est une révolution. Au fait, s'empressa d'ajouter Mrs Bracken, j'ai remarqué un problème avec les tissus qui viennent d'être livrés.

— Un problème ?

— Il y a de la *couleur*, articula-t-elle du bout des lèvres comme si elle en avait honte, du *rouge*.

Un sourire flotta sur le visage d'Elizabeth.

— Du framboise, pas du rouge. Et depuis quand la couleur pose-t-elle un problème ?

— Depuis quand la couleur pose-t-elle un problème, c'est elle qui me demande ça, répéta Mrs Bracken d'une voix qui s'était aiguisée d'une octave. Jusqu'à la semaine dernière, votre monde se déclinait dans les marrons. C'est la tour qui vous rend comme ça... ou peut-être ce joli garçon américain, hein ?

— Oh, vous n'allez pas vous y mettre non plus, avec ces inepties sur la tour. Tout ce qui en reste, c'est un mur en ruines.

— Exact. Et c'est l'Amerloque qui le culbute, le mur en ruines.

Elizabeth leva les yeux au ciel et claironna :

— Au revoir, Mrs Bracken.

Elle monta quatre à quatre les marches qui menaient à son agence et fut accueillie par une paire de jambes qui dépassaient du bureau de Poppy – des jambes revêtues d'un pantalon en velours brun, aux pieds chaussés de mocassins assortis. Des jambes d'homme.

— Elizabeth, c'est vous ?

— Oui, Harry.

Elizabeth ponctua son salut d'un sourire niais. Curieusement elle les trouvait très sympathiques, les deux pipelettes qui l'horripilaient le plus en temps normal. Ivan devait y être pour quelque chose.

— Je rafistole ce fauteuil, Poppy m'a signalé qu'il vous a joué des drôles de tours la semaine dernière.

— En effet. Merci.

— Y a pas de quoi.

Tout d'un coup, les jambes disparurent. Harry essaya de se relever, non sans se cogner la tête contre la table et pousser un juron. Il finit par offrir à Elizabeth le spectacle de son crâne déplumé, barré par quelques mèches éparses.

— Ah, vous voilà, déclara-t-il en brandissant un tournevis. Le problème est réglé, ça ne devrait plus pivoter tout seul. Bizarre, quand même.

Il resserra un peu plus l'écrou avant de toiser Elizabeth d'un œil suspicieux.

— Vous avez changé un truc.

— Non, je suis toujours la même, rétorqua-t-elle en se dirigeant vers son bureau.

— C'est les cheveux. Votre chignon. Moi je dis toujours que les cheveux longs, ça va mieux à une femme.

— Merci beaucoup, Harry. Vous avez fini ?

— Euh, oui.

Cramoisi, le factotum ramassa ses affaires et dévala l'escalier. Impatient, sans doute, de débattre du nouveau look d'Elizabeth avec Mrs Bracken.

Elizabeth s'installa devant ses dossiers et se concentra tant qu'elle put. En dépit de ses efforts, elle se retrouva à penser à Ivan, et à revivre leur baiser.

— Bon, s'exclama Poppy en déboulant dans le bureau, vous voyez ce truc ?

Elizabeth honora d'un signe de tête la tirelire en forme de cochon que son assistante avait plantée en face d'elle.

— J'ai eu une idée de génie, poursuivit Poppy. À chaque fois que vous chantez cette fichue rengaine, vous devez donner à manger à notre nouvelle mascotte.

— Poppy, cette tirelire en papier mâché, c'est ton œuvre ? s'amusa Elizabeth.

Poppy tenta de dissimuler sa fierté.

— Je n'avais rien de mieux à faire hier soir, alors pourquoi pas. Non, sérieusement, c'est devenu insupportable, je vous jure. Même Becca en a plein les bottes, de vos vocalises.

— C'est vrai, Becca ?

Ainsi apostrophée, Becca, qui se tenait à distance près de la porte, rougit jusqu'au blanc des yeux et battit en retraite.

— Merci la solidarité, grommela Poppy.

— Et où atterrit l'argent ?

— Dans le cochon. Il rassemble des fonds pour une porcherie neuve. Vous chantez, vous payez.

Elizabeth, au bord du fou rire, se retint à grand-peine.

— Sors d'ici.

Un peu plus tard, alors que toutes trois étaient plongées dans le travail, Becca débarqua dans le bureau d'Elizabeth, lui tendit la tirelire et déclama :

— À la caisse.

— Je fredonnais encore ? s'étonna Elizabeth.

— Oui, siffla Becca avant de tourner les talons.

Dans l'après-midi, une visiteuse se fit annoncer : la directrice de l'hôtel où Saoirse séjournait depuis quelques semaines.

— Bonjour, Mrs Collins, la salua Elizabeth, nerveuse. Je vous en prie, prenez un siège.

— Merci. Appelez-moi donc Margaret.

Mrs Collins lui adressa un sourire, se mit à son aise, parcourut la pièce d'un regard inquiet, les mains jointes sur les genoux. Son chemisier était boutonné jusqu'au menton. Elle se lança sans préambule :

— Je viens vous voir à propos de Saoirse. Malheureusement je n'ai pas pu lui transmettre les messages et les petits mots que vous m'avez confiés ces derniers temps. Cela fait trois jours qu'elle manque à l'appel.

— C'est très gentil de m'en informer, Margaret, bafouilla Elizabeth, mais il n'y a pas de quoi s'émouvoir. J'attends un coup de fil sous peu.

La jeune femme tolérait mal d'être toujours la dernière au courant, de devoir se fier au téléphone arabe pour ce qui touchait à sa famille. En dépit de la présence d'Ivan, Elizabeth n'avait pas négligé de garder un œil, autant que faire se pouvait, sur sa sœur cadette. Le jour de l'audience approchait à grands pas mais Saoirse demeurait introuvable. Introuvable, c'est-à-dire qu'elle n'avait mis les pieds ni chez son père, ni au pub, ni à l'hôtel.

— En fait, là n'est pas le problème. La saison touristique bat son plein, énormément de visiteurs de passage cherchent à se loger, et nous avons besoin de sa chambre.

— Oooh.

Elizabeth se carra dans son fauteuil, contrite. C'était donc ça.

— Je comprends, bien entendu. Je peux passer après le travail pour ramasser ses affaires, si ça vous arrange.

— Ne vous donnez pas cette peine, déclara Margaret, tout miel, avant d'aboyer : LES GARÇONS !

Ses deux fils, des adolescents robustes, firent alors leur entrée, l'un et l'autre chargés d'une valise.

— J'ai pris la liberté de m'en charger, compléta la gérante avec un rictus hypocrite. Reste à régler la note. Trois jours pleins.

Le sang d'Elizabeth ne fit qu'un tour.

— Margaret, Saoirse gère elle-même ses dépenses. Ce n'est pas parce que je suis sa sœur que je dois mettre la main au portefeuille. Elle ne va pas tarder à réapparaître.

— Je l'espère, Elizabeth, mais étant donné que Saoirse s'est fait expulser de toutes les auberges du village, je suis certaine que vous...

— Combien ?

— Quinze euros la nuitée.

Elizabeth fouilla dans son porte-monnaie et poussa un soupir.

— Écoutez, Margaret, je suis à court de li...

— Un chèque, ça fera l'affaire.

En apposant sa signature sur le chèque, Elizabeth oublia Ivan quelques secondes et ne put s'empêcher de trembler pour Saoirse. Comme au bon vieux temps...

Elizabeth avisa une silhouette imposante, dans le lointain, au bout de la route qui menait à la ferme de son père. Elle avait quitté le bureau de bonne heure afin de partir à la recherche de Saoirse ; personne ne l'avait vue depuis plusieurs jours, pas même le patron du pub – pour changer.

Comme la ferme était coupée du monde, les gens avaient du mal à la trouver. La route ne portait même pas de nom, ce qu'Elizabeth jugeait approprié à la situation de son père : perdu au milieu de nulle part. Un postier ou un laitier recruté depuis peu ne la localisait pas avant plusieurs jours ; les hommes politiques ne frappaient jamais à leur porte pendant les campagnes électorales ; lors de la fête d'Halloween, les enfants qui collectaient des friandises ne s'aventuraient pas aussi loin. Petite fille, Elizabeth avait justifié les absences de Gráinne par le fait que sa mère s'était égarée, qu'elle ne retrouvait plus son chemin. Elle avait exposé sa théorie à son père qui, un pâle sourire aux lèvres, avait répondu :

— Tu sais quoi, Elizabeth ? Tu n'es pas loin de la vérité.

La seule explication – bien que cette amère plaisanterie ne méritât pas ce titre – à laquelle Elizabeth avait eu droit. La disparition de Gráinne était un sujet tabou ; voisins et proches se taisaient quand Elizabeth se tenait dans les parages. À peine la fillette mentionnait-elle le nom de sa mère qu'un silence gêné s'abattait sur l'assistance et que son père quittait la maison en coup de vent. Puisque la paix familiale dépendait de son mutisme, Elizabeth avait gardé ses questions pour elle, comme à son habitude.

De toute façon, elle préférait rester dans l'ignorance, savourer le mystère qui entourait cette absence. Elle élaborait des scénarios dans sa tête, plaçait sa mère dans des contrées exotiques, des décors insolites ; elle l'imaginait échouée sur une île déserte, en train de se nourrir de bananes et de noix de coco. Il ne s'écoulait pas une journée sans que la fillette explore le rivage à travers les jumelles de son père, à la recherche d'une bouteille que Gráinne aurait jetée à la mer.

Autre possibilité : sa mère s'était installée à Hollywood, où elle faisait une brillante carrière dans le cinéma. Elizabeth n'aurait donc raté pour rien au monde les films diffusés le dimanche après-midi à la télévision. Le nez collé à l'écran, elle guettait l'entrée des actrices. La pauvre se lassa vite de se perdre en conjectures, de bâtir des châteaux en Espagne, de tâtonner, et finit par déclarer forfait.

La silhouette ne quitta pas son poste d'observation, la fenêtre de la chambre d'Elizabeth. D'habitude, son père l'attendait dans le jardin ; cela faisait des années qu'elle n'avait pas mis les pieds dans la maison de son enfance. Elle patienta à l'extérieur quelques minutes. Aucun signe de Brendan ni de Saoirse ; elle sortit donc de la voiture et poussa le portail rouillé. Les gonds grincèrent, ce qui lui donna la chair de poule. Elle crapahuta, en talons aiguilles, sur les dalles inégales bordées de mauvaises herbes.

Elizabeth frappa à deux reprises à la porte, dont la peinture verte s'écaillait, et ôta son poing comme si ce contact l'avait brûlée au fer rouge. Aucune réponse. Elle résolut alors d'entrer sans y être invitée, poussa la porte et fut saisie par l'odeur familière de ce qu'elle avait considéré, à une époque, comme son foyer. Cela l'obligea à s'arrêter net. Un calme inquiétant régnait dans la bâtisse. Une fois acclimatée aux émotions éveillées par les relents d'humidité, Elizabeth s'engouffra dans l'entrée, s'éclaircit la gorge.

— Il y a quelqu'un ?

Silence.

— Ohé, il y a quelqu'un ? cria-t-elle.

Sa voix adulte détonnait dans ces pièces chargées de souvenirs.

Elle se dirigea vers la cuisine, présumant que son père l'entendrait et viendrait à sa rencontre : elle n'avait aucune envie d'effectuer un détour par son ancienne chambre. Ses talons mitraillaient le carrelage, un bruit sec dont ces murs n'avaient pas l'expérience. En s'introduisant dans la cuisine, elle retint son souffle. Rien n'avait changé. L'horloge trônant sur le gazomètre, le chemin de table en crochet, le fauteuil près de la cheminée, la théière rouge au sommet de la cuisinière Aga verte, les rideaux… chaque chose à sa place. Tout avait vieilli, s'était fané, mais résistait tant bien que mal au passage du temps. On aurait dit que la maison était restée inoccupée depuis le départ d'Elizabeth… et c'était peut-être le cas, en effet.

La jeune femme se planta au centre de la pièce et contempla les bibelots, puis s'en approcha pour les effleurer d'une main hésitante. Elle avait l'impression de visiter un musée : larmes, rires, bagarres et câlins, les moindres événements du quotidien y avaient été préservés et imprégnaient le décor comme de la fumée de cigarette.

Elizabeth s'arracha à ses songes. Elle avait besoin de discuter avec son père afin de débusquer Saoirse. Pour ce faire, une unique solution : se rendre dans sa chambre à coucher. Elle tourna la poignée en cuivre, éternellement branlante, et poussa la porte avec mille précautions, sans s'aventurer dans la pièce, sans un regard de biais. Elle concentra son attention sur Brendan, carré dans un fauteuil face à la fenêtre, immobile.

24

Elizabeth, privée de repères, vrilla son regard sur la nuque de Brendan et s'efforça d'oublier la puanteur ambiante. L'air confiné emplit ses poumons, bloqua sa respiration.

— Bonjour ?

Son père ne réagit pas ; il continuait de surveiller l'horizon.

— Papa ? hasarda-t-elle d'une voix où perçait la panique et, sans réfléchir, elle se précipita sur lui, tomba à genoux et scruta le visage impénétrable.

Le vieil homme demeura impassible, les pupilles fixes.

— Papa ? répéta Elizabeth, redevenue enfant.

Elle posa une main sur son front, l'autre sur son épaule. Son inquiétude était sincère.

— Papa, c'est moi. Est-ce que ça va ? Dis quelque chose.

Brendan cligna alors des yeux et se tourna vers sa fille. Celle-ci poussa un soupir de soulagement.

— Ah, Elizabeth, je ne t'ai pas entendue entrer, expliqua-t-il d'une voix basse étouffée, adoucie.

Disparus, les accents éraillés.

— Je t'ai appelé, répondit-elle sur le même ton. Tu ne regardais pas la route ?

— Non, s'étonna-t-il.

— Dans ce cas, qu'est-ce que tu observais ?

Elizabeth se posta devant la fenêtre et le paysage lui coupa le souffle. Le sentier, le portail et la longue route sinueuse la plongèrent un instant dans une léthargie identique à celle de son père. Les espoirs et les rêves du passé remontèrent aussitôt à la surface. Sur le rebord se dressait un portrait de sa mère, une photographie dont elle ne se rappelait pas l'existence. En fait, Elizabeth était convaincue que son père avait liquidé tout ce qui pouvait lui remémorer sa femme enfuie. Pourtant, ce cliché la réduisit à quia. Elle avait oublié le visage de sa propre mère, n'en gardait qu'un souvenir flou, une impression plutôt qu'une image précise. La voir ainsi lui causa un choc d'autant plus intense qu'elle eut la sensation de se regarder dans un miroir. Elle finit par briser le silence :

— Qu'est-ce que tu fais, Papa ?

Brendan, toujours pétrifié, le regard perdu dans le vague, rétorqua d'une voix d'outre-tombe :

— Je l'ai vue, Elizabeth.

— Vu qui ? l'interrogea Elizabeth, qui connaissait pourtant la réponse.

— Gráinne, ta mère. Je l'ai vue. Enfin, je crois. Depuis le temps, je n'étais plus sûr, alors j'ai sorti cette photo, histoire de ne pas me tromper. Comme ça, quand elle se pointera à la porte, je n'accueillerai pas une étrangère.

— Et tu l'as vue où ?

— Dans un pré.

— Un pré ? Quel pré ?

— Un pré magique, révéla Brendan, le regard brillant. Un pré rempli de rêves. Elle avait l'air heureuse, elle dansait et chantait, pareil qu'autrefois. Mais elle n'a pas pris une ride. Bizarre, non ? Elle aussi devrait s'être payé un coup de vieux, pas seulement moi, poursuivit-il dans sa barbe.

— Tu en es certain ?

— Oh, pas de doute, c'était elle, elle gambadait parmi les pissenlits, illuminée de partout comme un ange.

Le vieillard s'était redressé dans son fauteuil, les mains appuyées sur les accoudoirs.

— Il y avait un gosse avec elle, même, et ce n'était pas Saoirse. Non, Saoirse a beaucoup grandi. Ça m'avait tout l'air d'un petit gars. Un blondinet, comme Luke.

— Quand est-ce que ça s'est passé ? demanda Elizabeth, submergée par une vague de soulagement : c'était elle que son père avait aperçue dans le pré.

— Hier. Hier matin. Ta mère ne va pas tarder à rentrer à la maison.

— Et tu n'as pas bougé de ce fauteuil depuis hier ?

— Non, mais ça ne me dérange pas, elle ne va pas me faire lanterner plus longtemps. Il faut juste que je me rappelle son visage. Des fois j'oublie, tu comprends.

— Papa, murmura Elizabeth, au bord des larmes, il n'y avait personne d'autre avec elle ?

— Non. Il n'y avait qu'elle et le gamin. Lui aussi semblait s'amuser comme un petit fou.

— Écoute, Papa, déclara-t-elle en lui prenant sa main calleuse, c'était moi dans le pré, hier. Avec Luke et un ami, on est allés attraper des graines de pissenlit.

— Non, corrigea Brendan, il n'y avait pas d'homme. Gráinne était seule. Elle va bientôt rentrer.

— Papa, je te jure qu'il s'agissait de moi, de Luke et d'Ivan. Peut-être que tes yeux t'ont joué des tours…

— Non ! hurla son père en braquant sur sa fille un regard dégoûté, elle va rentrer à la maison, auprès de moi ! Allez, débarrasse-moi le plancher !

Il repoussa sa main.

— Hein ? Mais pourquoi tu me chasses, Papa ?

— Tu mens comme tu respires. Il n'y avait pas d'homme avec elle, tu sais qu'elle est revenue et tu m'empêches de la voir. Toi qui te fagotes avec des tailleurs ridicules et qui passes tes journées derrière un bureau, jamais tu ne vadrouillerais en pleine nature ! Espèce de menteuse, tu empoisonnes l'air que je respire. Fiche le camp, articula Brendan.

Le cœur battant la chamade, Elizabeth ne sut que répondre.

— J'ai rencontré un homme, Papa, un homme merveilleux qui me guide vers…

Son père approcha son visage du sien jusqu'à le frôler.

— FICHE LE CAMP !

Elizabeth fondit en sanglots et se releva à grand-peine tant elle tremblait. Prise de vertige, elle embrassa la chambre du regard, fut assaillie de tous côtés par les peluches, les poupées, les livres, le petit bureau, le jeté de lit. Elle traversa la cuisine comme un éclair et se rua vers la porte d'entrée, poursuivie par les vociférations de Brendan.

D'une main parcourue de frissons, elle défit le verrou et s'élança dans le jardin. L'air frais eut le don de la remettre d'aplomb mais un tapotement au carreau la fit sursauter : son père, furieux, lui ordonnait de quitter la ferme. Elizabeth sanglota de plus belle et franchit le portail sans prendre la peine de le refermer.

Le ruban de la route se déroula à toute vitesse sous les pneus de la voiture. La jeune femme ne jeta pas un seul coup d'œil dans le rétroviseur. Elle tenait à abandonner derrière elle, une bonne fois, cet endroit lugubre, cette voie pavée de déceptions.

Elizabeth avait tiré un trait sur son passé. Définitivement.

25

Assise à la table de la cuisine, Elizabeth se morfondait, la tête entre les mains, quand une voix résonna dans le patio :

— Ça ne va pas ?

— Bon Dieu, marmonna-t-elle sans lever les yeux.

Elle se demandait par quel miracle Ivan se matérialisait à la fois quand elle s'y attendait le moins et quand elle avait désespérément besoin de lui. Son ami se faufila dans la cuisine.

— Dieu ? Il te donne du fil à retordre ?

— À vrai dire, en ce moment, oui.

Ivan esquissa un pas vers elle : il avait l'art de franchir les limites sans se montrer indiscret ni menaçant.

— C'est une plainte qui revient souvent.

Elizabeth s'essuya les yeux à l'aide d'un mouchoir chiffonné, strié de mascara.

— Tu ne travailles jamais ? s'enquit-elle.

— Je travaille non stop. Tu permets ? demanda Ivan en montrant une chaise.

Elle l'invita à prendre place d'un hochement de tête.

— Non stop ? Donc, là, tu travailles ? Je représente un de tes cas désespérés, peut-être ? l'interrogea-t-elle sur un ton sarcastique.

— Tu n'as rien de désespéré, Elizabeth, même si tu es un cas ; je te l'ai déjà dit.

— Un cas pathologique, ricana la jeune femme.

Ivan lui lança un regard attristé : elle avait encore compris de travers.

— Alors, c'est ça ton uniforme ? demanda-t-elle en désignant sa tenue.

Son ami baissa la tête, surpris.

— Tu n'as pas quitté ces vêtements depuis que je te connais, expliqua Elizabeth. Soit il s'agit d'un uniforme, soit ton hygiène laisse à désirer, soit tu manques totalement d'imagination. Au choix.

Ivan écarquilla les yeux.

— Oh, Elizabeth, de l'imagination, j'en ai à revendre.

Sans se rendre compte de ce qu'il impliquait, il enchaîna :

— Est-ce que tu veux me dire ce qui te rend si triste ?

— Non, on ne fait que débattre de moi et de mes problèmes. Parlons de toi, pour changer. Comment s'est passée ta journée ? lança Elizabeth afin de détendre l'atmosphère.

Le baiser qu'ils avaient échangé le matin même paraissait à des siècles de distance. Elle y avait songé des heures durant et s'était persuadée, inquiète, que la nouvelle allait se répandre dans le village comme une traînée de poudre. Curieusement, personne n'avait encore évoqué l'homme-mystère en compagnie duquel on l'avait vue dans la rue principale.

Ivan lui avait manqué toute la journée, mais son angoisse avait pris le dessus. Elle avait bien tenté d'oublier la sensation enivrante de ses lèvres sur les siennes – en vain. Avec la fatigue, le souvenir de ce baiser l'avait réconfortée, le malaise s'était évanoui. Elle ne désirait rien d'autre que répéter cet instant magique.

— Comment s'est passée ma journée ? reprit Ivan. Eh bien, j'ai réveillé tout Baile na gCroíthe, j'ai embrassé une très belle femme, et ensuite je n'ai rien fait d'autre que penser à elle.

Le visage d'Elizabeth s'éclaira.

— Et j'ai pensé à autre chose.

— À quoi ?

— Ça ne t'intéresse pas.

— Mais si.

— Non.

— Si.

— Non.

Silence.

— Oh, peu importe, conclut Ivan, de toute façon tu ne comprendrais pas, c'est cette histoire d'ami invisible qui me turlupine. Bon, assez parlé de moi. Alors, toi ?

Elizabeth prit une profonde inspiration ; la situation de sa sœur la détourna de leur malentendu.

— Saoirse a disparu. Joe, la plus grande commère du village, m'a dit qu'il l'avait vue quitter Baile na gCroíthe en compagnie de gens avec qui elle traînait. Ça a été confirmé par le cousin d'un type qui fait partie de ce groupe. Cela fait trois jours maintenant qu'ils ont levé le camp, et personne ne semble savoir où.

— Et moi je suis là, à m'apitoyer sur mon sort. Est-ce que tu as contacté la police ?

— Obligée. J'ai eu l'impression de moucharder, mais il fallait qu'ils sachent qu'elle avait décampé, au cas où elle ne se présenterait pas au tribunal lors de l'audience, ce qui n'est pas exclu. Je vais devoir embaucher un avocat afin qu'il la représente. Elle aura l'air de quoi auprès du juge ?

Elizabeth, épuisée, se massa les tempes du bout des doigts. Ivan prit alors ses mains dans les siennes.

— Saoirse va revenir, affirma-t-il. Peut-être pas pour l'audience, mais un jour ou l'autre. Fais-moi confiance. Il n'y a pas de quoi s'inquiéter.

La jeune femme plongea son regard dans celui de son ami, le trouva sincère et ébaucha un pauvre sourire.

— Très bien, je te fais confiance.

Malgré cette belle assurance, en son for intérieur Elizabeth était terrifiée. Accorder sa confiance à Ivan, croire en lui, cela la mettait en position de faiblesse. Ses espoirs étaient systématiquement réduits en lambeaux, tels des étendards sous les assauts conjugués du vent et de la pluie.

Elle refusait de consacrer le reste de son existence à guetter, par la fenêtre de sa chambre, le retour d'une autre personne qui lui était chère, sans fermer l'œil de la nuit. C'était au-dessus de ses forces ; son énergie l'abandonnait, elle avait besoin de se reposer, de dormir.

Le lendemain matin, après avoir quitté Elizabeth, j'ai décidé de me rendre directement chez Opale. En fait, j'avais pris cette décision bien avant les derniers développements de notre relation. Une des paroles d'Elizabeth avait touché un point sensible – pour être franc, tout ce qu'elle dit me va droit au cœur. Le plus drôle, c'est que je découvre une émotion inconnue alors que je croyais tous mes sens en état d'alerte maximale (je ne suis pas meilleur ami professionnel pour rien) : l'amour. Bien entendu, j'aimais mes copains du premier jusqu'au dernier, mais pas de cette manière-là, pas avec cette exaltation qui me chavirait dès que je posais le regard sur Elizabeth et me contraignait à ne pas la quitter d'une semelle. Et je ne voulais pas la quitter non pour son bien à elle, mais pour le mien. Cette histoire avait provoqué en moi un afflux d'émotions dont je n'avais jamais soupçonné l'existence.

Je me suis éclairci la voix, j'ai vérifié ma tenue et fait mon entrée dans le bureau d'Opale. Jynérimah est un endroit d'où les portes sont bannies, non seulement parce qu'aucun d'entre nous n'aurait pu les ouvrir, mais aussi pour une tout autre raison : les portes agissent comme des obstacles peu accueillants et insurmontables, et cette exclusion potentielle va à l'encontre de notre philosophie. Nos locaux ouverts à tous contribuent à créer un climat chaleureux. En dépit de ce principe, je considérais la porte d'Elizabeth, avec sa belle couleur rose et le sourire de sa boîte aux lettres, comme la plus amicale que j'ai connue au cours de ma carrière, ce qui faisait voler notre belle théorie en éclats. Cette porte m'incitait à me forger ma propre opinion.

Sans même me faire l'aumône d'un regard, Opale m'a salué :

— Bienvenue, Ivan.

Elle était installée à son bureau, vêtue de mauve de pied en cap, ses dreadlocks relevées en queue de cheval et saupoudrées de paillettes. Les murs de la pièce étaient tapissés de photos par centaines, des enfants tout sourire avec qui Opale avait travaillé et noué des liens d'amitié. Étagères, table basse, buffet, cheminée, rebord de fenêtre... rien n'avait échappé à l'invasion. Partout où l'œil se posait, des rangées entières de portraits accueillaient le visiteur. Le bureau représentait l'unique surface libre ; au centre trônait un cadre solitaire, placé en vis-à-vis d'Opale. Durant toutes ces années, pas un seul d'entre nous n'avait réussi à entrevoir la photo qu'il renfermait. On devinait que la patronne satisferait de bon gré notre curiosité, mais la mitrailler de questions nous semblait le summum de la muflerie : tout le monde a droit à son jardin secret. Certains ne comprennent pas qu'on peut apprendre énormément sans empiéter sur la vie privée des gens. Il existe autour d'eux un champ magnétique infranchissable. Moi, par exemple, je n'ai jamais franchi les limites. Ni avec Opale ni avec quiconque, d'ailleurs.

Elizabeth aurait détesté cette pièce, me suis-je dit en jetant un coup d'œil alentour. Elle aurait décroché les photos en un tournemain, épousseté chaque meuble, frotté les carreaux jusqu'à les faire rutiler, comme dans un hôpital. Même chez Joe, elle avait disposé la salière, la poivrière et le sucrier en un triangle parfait, au milieu de la table. Elle passait son temps à déplacer les objets, un chouia à gauche, un cheveu à droite, en avant ou en arrière, de manière à contrôler son environnement et ses pensées. Elle se décidait parfois à les laisser à leur place d'origine en se convainquant que cela répondait à ses attentes, attitude qui en disait long sur ses manies.

Qu'est-ce qui m'a pris d'évoquer Elizabeth à ce moment-là ? Cela se produisait de plus en plus souvent. Dans des situations sans le moindre rapport avec elle, je me mettais à rêvasser, à me demander ce qu'elle penserait, ce qu'elle éprouverait, ce qu'elle ferait ou dirait si elle se trouvait avec moi. Voilà ce qui arrive quand on donne un bout de son cœur à quelqu'un : il finit par s'emparer de vos pensées et se réserve une large part de votre esprit.

Je me suis rendu compte que je n'avais pas adressé la parole à Opale depuis mon arrivée.

— Comment vous avez su que c'était moi ?

Elle m'a jeté un de ses sourires de fin renard. Son rouge à lèvres était assorti à sa robe. Il m'a rappelé la bouche d'Elizabeth.

— Je t'attendais.

— Mais je n'ai pas pris rendez-vous, ai-je protesté.

J'ai un instinct infaillible mais, dans ce domaine, Opale nous dépasse de cent coudées.

— Dis-moi en quoi je peux t'aider.

— Je pensais que vous le saviez déjà !

Je me suis avachi dans le fauteuil pivotant destiné aux visiteurs et j'ai pensé au siège installé dans le bureau d'Elizabeth, ce qui m'a fait penser à Elizabeth, ce qui m'a fait penser aux fois où je l'ai tenue dans mes bras, où je l'ai dorlotée, où je l'ai fait rire, où j'ai écouté la musique de son souffle pendant qu'elle dormait.

— Vous vous souvenez de la robe que Calendula portait à la dernière réunion ?

— Oui.

— Vous savez où elle l'a obtenue ?

— Pourquoi, tu comptes te mettre aux robes ?

— Oui, enfin, non, me suis-je empressé de répondre en prenant une grande inspiration. Ce que je voulais savoir, c'est où je peux trouver des vêtements de rechange.

Voilà, j'avais jeté mon pavé dans la mare.

— Adresse-toi à la section costumes, deux étages plus bas.

— J'ignorais qu'on avait une section costumes.

— Depuis toujours, a rétorqué Opale d'un air soupçonneux. Puis-je te demander d'où te vient cet intérêt subit pour ta garde-robe ?

— Aucune idée. C'est juste qu'Elizabeth, vous savez, elle ne ressemble pas du tout à mes autres copains. Elle prend garde à ce genre de choses.

Opale a hoché gravement la tête.

Un ange est passé. Je me suis senti obligé d'étoffer mes explications.

— Aujourd'hui elle a remarqué que puisque je ne quittais pas ces vêtements, cela signifiait que soit je portais un uniforme, soit je n'étais pas regardant question propreté, soit je manquais d'imagination.

J'ai poussé un soupir avant de conclure :

— S'il y a bien un truc dont je ne manque pas, c'est d'imagination.

Là-dessus, Opale a souri.

— Et moi, crade, ça m'étonnerait. Alors j'ai réfléchi à cette histoire d'uniforme. En définitive, peut-être qu'elle a raison ?

Ma patronne a pincé les lèvres.

— Le fait est qu'Elizabeth, elle aussi, porte un uniforme, les mêmes tailleurs guindés. Elle est en noir des pieds à la tête, son maquillage fait l'effet d'un masque, ses cheveux sont tirés en arrière, pas un cheveu ne dépasse. Elle bosse sans interruption, prend son travail trop au sérieux.

À ce moment-là, ça a fait tilt.

— Exactement comme moi.

Opale est restée muette.

— Et dire que, tout ce temps, je l'ai traitée de vieille enquiquineuse barbifiante... j'ai voulu lui apprendre à s'amuser, à s'habiller autrement, à montrer son vrai visage, à bouleverser sa routine de manière à trouver le bonheur, mais comment y parvenir si rien ne nous différencie ?

— Je te comprends, Ivan. Elizabeth t'apprend beaucoup de son côté, à ce que je vois. Elle fait ressortir certaines tendances en toi et tu l'inities à un mode de vie inédit.

— Dimanche on a attrapé des dents-de-lion.

— Oui, je sais.

Opale a ouvert un placard et en a extrait un bocal où reposaient des graines de pissenlit.

— Ah, super, elles sont arrivées ! me suis-je exclamé, tout joyeux.

— Toi aussi, Ivan, tu as prononcé un vœu, a remarqué Opale.

Je me suis senti rougir jusqu'aux oreilles.

— Elizabeth a dormi six heures d'affilée la nuit dernière. C'est la première fois que ça lui arrive.

— Tu tiens ça de sa bouche ?

— Non, je l'ai regardée... écoutez, Opale, j'ai passé la nuit chez elle, je l'ai tenue enlacée le temps qu'elle s'endorme... pas de quoi crier au scandale. Elle me l'a demandé elle-même, ai-je expliqué sur un ton que j'espérais convaincant. Quand on y réfléchit, cela m'arrive tout le temps. Je lisais des histoires à mes copains précédents, je restais aussi à leur chevet, parfois je roupillais dans leur chambre, par terre. Ça revient au même.

— Vraiment ?

Le scepticisme d'Opale m'a coupé dans mon élan. Elle s'est emparée d'une longue plume violette et replongée dans sa calligraphie.

— Tu as besoin de combien de temps pour régler son cas ?

Mon cœur a battu à grands coups. Opale ne m'avait encore jamais posé cette question : avec nos amis, seule importait l'évolution naturelle, pas la durée. Aucune limite de temps n'était fixée ; le résultat dépendait de nos petits clients. Tantôt il s'écoulait une journée, tantôt un trimestre entier avant qu'un copain ne se sente prêt à me donner mon congé.

— Pourquoi cette question ?

— Oh, simple curiosité. Cette affaire m'intéresse… tu es mon meilleur élément, Ivan, et tu ne dois pas oublier que de nombreuses personnes attendent ton aide.

— J'en suis conscient, ai-je affirmé avec détermination.

La voix d'Opale avait adopté des nuances inconnues, des tonalités négatives qui faisaient peser une chape de plomb sur mes épaules. Tout ça ne me disait rien qui vaille.

— Formidable, a-t-elle lancé avec un enthousiasme de commande. Est-ce que tu peux déposer ça au labo en te rendant chez la costumière ?

Elle m'a confié le récipient qui contenait les trois graines de pissenlit – une envoyée par Luke, une par Elizabeth, la dernière par moi. Allongées au fond, les pauvrettes se remettaient des fatigues de leur voyage.

— J'y vais de ce pas. Au revoir, Opale, ai-je bafouillé en sortant du bureau à reculons.

J'avais l'impression qu'on venait de se disputer, alors qu'il n'en était rien.

Je me suis dirigé vers le laboratoire d'analyses, la main plaquée sur le couvercle du bocal, de peur que les pissenlits ne s'échappent. Une fois arrivé à bon port, j'ai vu Oscar galoper autour de son bureau, l'air paniqué.

— Ouvre la trappe ! a-t-il hurlé en me dépassant, les pans de sa blouse blanche flottant derrière lui.

J'ai mis le bocal à l'abri, je me suis rué vers la trappe. Oscar m'a couru après et, en s'écartant à la dernière seconde, a réussi à piéger son poursuivant.

— Ah !

Il a tiré le verrou et montré la clef au prisonnier. Son front dégouttait de sueur.

— Qu'est-ce que c'est que ça ? ai-je demandé en m'approchant de la cage.

— Attention ! Tu n'as jamais vu d'étoile filante ?

— Bien sûr que si. Mais pas d'aussi près.

— Évidemment, a ajouté Oscar d'une voix mielleuse, tu ne les fréquentes que de loin, tu les trouves ravissantes, elles scintillent à qui mieux mieux et te permettent de faire des souhaits mais Oscar, qui se tape tout le boulot, on l'oublie.

Je lui ai lancé un regard sombre.

— Navré, Oscar, j'avoue que ton travail m'est sorti de la tête. Je ne pensais pas que les étoiles étaient si dangereuses.

— Et pourquoi pas ? Tu crois vraiment qu'une gigantesque boule de feu va s'abattre sur moi rien que pour me faire la bise ? Bon, peu importe, qu'est-ce que tu m'as apporté ? Ah, génial, des pissenlits, exactement ce qu'il me faut pour me remettre de ce démon. Enfin quelque chose qui me témoignera du respect !

Je me suis éloigné de la cage, où l'étoile filante cabriolait avec frénésie. J'avais du mal à accepter que ce globe rougeoyant puisse se montrer d'une quelconque utilité.

— Quel genre de vœu elle transportait ?

— C'est marrant que tu demandes ça, a fait remarquer Oscar qui n'en pensait pas un mot, celle-là transportait l'envie de me courser à travers le labo.

— Une blague de Tommy ? ai-je demandé en me retenant de rire.

— Je suppose. Mais je peux difficilement me plaindre car elle date de vingt ans. À l'époque, Tommy faisait n'importe quoi, il venait d'intégrer l'équipe.

— Vingt ans ?

— Le temps qu'a duré son voyage jusqu'ici, m'a expliqué Oscar en extirpant une graine de pissenlit du bocal, à l'aide d'un instrument saugrenu. Elle a quand même franchi des milliers d'années-lumière. Vingt ans, ça me semble honnête.

J'ai abandonné Oscar à son analyse et cheminé vers le département costumes. J'y suis tombé sur Olivia, qui essayait une robe noire.

— Oh, bonjour, Ivan.

— Salut. Qu'est-ce que tu fais ici ?

— Je suis venue renouveler ma garde-robe. La pauvre Mrs Cromwell a rendu l'âme cette nuit. Les obsèques sont prévues demain. J'ai assisté à une telle quantité d'enterrements que mon unique robe noire tombe en lambeaux.

— Toutes mes condoléances, ai-je soufflé, me rappelant combien Olivia aimait Mrs Cromwell.

— Merci, Ivan. Ce n'est pas une raison pour baisser les bras. Une dame qui a besoin de mon aide est arrivée à la maison de retraite ce matin, je dois me concentrer sur son cas. Dis-moi, qu'est-ce qui t'amène ici ?

— Mon nouveau copain, Elizabeth, est une femme. Elle surveille la manière dont je m'habille.

Olivia émit un gloussement.

— Vous voulez un tee-shirt d'une autre couleur ? m'a demandé l'essayeuse.

Sur ce, elle a sorti un tee-shirt rouge d'un tiroir.

— Euh, non…

J'ai changé de position, mal à l'aise, et étudié les étagères qui montaient jusqu'au plafond. Chacune portait une étiquette ; j'ai repéré le nom de Calendula sous une pile de jolies robes.

— … en fait, je cherchais une tenue beaucoup plus… élégante.

— Dans ce cas, il va falloir prendre tes mesures pour te tailler un costume.

On s'est mis d'accord sur un complet noir agrémenté d'une chemise et d'une cravate bleues, ma couleur préférée.

— Ce sera tout ou il te faut autre chose ? m'a consulté mon amie, le regard pétillant de malice.

— À vrai dire – j'ai baissé d'un ton et me suis assuré que la costumière était hors de portée de voix –, je me demandais si tu voudrais bien m'apprendre à faire des claquettes ?

27

Elizabeth n'arrivait pas à détacher son regard du mur dont le plâtre, étalé d'une manière égale, avait séché par plaques entières. Elle poussa un soupir de découragement : ce mur ne stimulait guère son inspiration.

À neuf heures du matin, les ouvriers affublés de casques, de jeans trop larges et de chemises à carreaux pullulaient sur le chantier de construction – une armée de fourmis affairées, alourdies de matériaux de toutes sortes. Clameurs et rires, chansons et sifflements se répercutaient sur les parois en béton du bâtiment encore nu planté au sommet de la colline, résonnaient à travers les couloirs et jusqu'à l'intérieur de la salle de jeux virtuelle.

En cet instant précis, cette fameuse aire de jeux était une toile blanche censée accueillir, à peine quelques semaines plus tard, un bataillon d'enfants turbulents au sein d'un cocon de sérénité. Peut-être Elizabeth aurait-elle dû suggérer une meilleure isolation. Elle n'avait aucune idée de la manière dont ces parois hostiles pouvaient ramener le sourire sur le visage des petits hôtes lorsqu'ils mettraient le pied dans cette pièce, nerveux et angoissés à l'idée d'être séparés de leurs parents. Elle s'y connaissait en méridiennes, en écrans plasma, en marbre, en bois exotiques ; elle était capable de verser dans le chic, l'extravagant, le sophistiqué, le grandiose. Rien de cela, elle s'en rendait compte, ne trouverait grâce aux yeux d'un enfant, et elle savait que les jeux de construction, les puzzles et les polochons avaient fait leur temps.

Il était toujours possible d'embaucher un artiste spécialisé, de laisser les peintres attachés au projet se débrouiller seuls et même de déléguer cette tâche à Poppy, mais Elizabeth préférait plonger les mains dans le cam-

184

bouis et ne compter que sur elle-même. À ses yeux, confier le pinceau à une tierce personne revenait à admettre son échec.

Elle aligna dix pots de couleurs par terre, disposa les pinceaux à côté, recouvrit le sol d'un drap, s'assit en tailleur au centre de la pièce et se remit à contempler le mur. Ses pensées furent envahies, de nouveau, par Saoirse. Saoirse s'attribuait chaque seconde de son existence.

Elizabeth n'aurait su dire combien de temps elle était restée immobile. Elle se remémorait vaguement les allers-retours des ouvriers qui, en venant chercher leurs outils, l'épiaient d'un œil intrigué. Elle avait l'impression de souffrir du syndrome de la page blanche, version architecte d'intérieur. Nulle idée, nulle image ne lui venait à l'esprit ; comme l'encre sèche à l'intérieur d'un stylo, la gouache durcissait les poils de son pinceau. Son cerveau était traversé par des courants d'air, le béton brut reflétait le marasme de son imagination.

Elizabeth distingua soudain une présence dans son dos. Elle se retourna et son regard se posa sur Benjamin, appuyé contre l'embrasure.

— Excusez-moi, j'aurais dû frapper mais… il n'y a pas de porte.

La jeune femme lui adressa un sourire de bienvenue.

— Vous admirez mon œuvre ? poursuivit le nouveau venu.

— C'est vous qui avez façonné ce mur ?

— Je me suis surpassé, je trouve.

Tous deux considérèrent la paroi en silence. Elizabeth se lamenta :

— Il me laisse perplexe.

— Vous ne savez pas combien il est difficile de concevoir une œuvre qui laisse les gens perplexes. Il faut toujours que quelqu'un fasse le malin mais là… rien. Zéro commentaire.

— Voilà un mur qui porte l'empreinte de votre génie, Mr West.

— Benjamin. Je vous l'ai dit des dizaines de fois, appelez-moi Benjamin. Sinon j'ai l'impression que vous vous adressez à mon prof de maths.

— Très bien. À condition que vous continuiez à m'appeler Miss Egan.

Benjamin eut le temps de surprendre le sourire qui s'ébauchait sur les lèvres d'Elizabeth avant qu'elle ne se détourne de lui.

— Il y a peut-être une chance que les enfants apprécient cette pièce telle quelle, vous ne croyez pas ?

— Mmmmh, ils risquent d'adorer les clous qui dépassent de la plinthe. Des heures d'amusement en perspective. Vous me prenez de court, en fait. Moi et les enfants, ça fait deux. Je ne suis pas expert en la matière.

— Moi non plus, marmonna Elizabeth.

La culpabilité la tenailla : elle pensa au petit Luke et à son incapacité à nouer des liens avec lui. Pourtant, depuis l'arrivée d'Ivan, elle passait beaucoup plus de temps avec son neveu. Bien que la matinée dédiée aux pissenlits ait marqué un tournant dans leur relation, elle ne parvenait pas à lâcher du lest avec Luke, comme elle se laissait aller avec Ivan.

Benjamin s'accroupit, posa la main par terre pour ne pas perdre l'équilibre.

— Je ne vous crois pas une seconde. Et avec votre fils ?

— Oh non, je n'ai pas de... il s'agit de mon neveu. Je l'ai adopté, ce qui ne fait pas de moi une spécialiste ès bambins.

La jeune femme n'arrivait plus à tenir sa langue. Où était passée l'ancienne Elizabeth, capable d'alimenter une conversation entière sans avancer la moindre confidence ? Elle avait l'impression qu'une digue avait cédé en elle, sous la pression de ses sentiments, et qu'elle s'épanchait plus que de raison.

— Quoi qu'il en soit, vous aviez l'air de bien vous amuser dimanche matin. Je vous ai vus de ma voiture, dans le pré.

Elizabeth, rougissante, leva les yeux au plafond.

— Comme la moitié du village, il semblerait. Mais l'idée en revient à Ivan, se hâta-t-elle d'ajouter.

Benjamin éclata de rire.

— Vous lui attribuez le mérite de tout ce que vous faites ? Dans ce cas, mieux vaut rester au chaud dans cette pièce et mettre à profit votre imagination débridée. Vous glisser dans la peau d'un enfant. Si vous étiez petite, à quoi vous inciteraient ces quatre murs ?

186

— À part déguerpir d'ici à toutes jambes et grandir très vite ?

Le jeune homme s'esclaffa, s'apprêta à se mettre debout.

— Dites-moi, combien de temps est-ce que vous comptez macérer dans la frénésie de Baile na gCroíthe ? demanda Elizabeth.

Prolonger la discussion permettrait de retarder d'autant l'instant fatidique, celui où elle se retrouverait de nouveau nez à nez avec le mur.

Benjamin comprit qu'Elizabeth se sentait d'humeur à bavarder et s'installa sur le plancher poussiéreux. Son amie ne put s'empêcher de frissonner à la simple évocation des légions de mites qui grouillaient sur ses vêtements.

— Je compte plier bagage dès que le dernier coup de pinceau est appliqué et le dernier clou enfoncé dans ce mur.

— Vous êtes visiblement tombé amoureux de cet endroit. Les éblouissants paysages du Kerry vous laisseraient-ils froid ?

— J'admets que la région est magnifique mais cela fait six mois que j'en profite et là, je m'arrangerais bien d'une tasse de café buvable et d'un choix de fringues un peu plus large. Et je ne parle pas du bonheur de me balader dans les rues sans que les autochtones me dévisagent comme si je m'étais échappé du zoo.

Elizabeth ne put qu'acquiescer. Benjamin poursuivit son exposé :

— Ce n'est pas pour être blessant, l'Irlande est un pays magnifique, mais j'en ai ma claque des petites villes.

— Pareil pour moi. D'où vous êtes-vous échappé, alors ?

— De New York.

— Ce n'est pas un accent new-yorkais que j'entends là.

— Non, vous m'avez démasqué. Je suis originaire d'un bled appelé Haxtun, dans le Colorado. Vous en avez forcément entendu parler, il a acquis une renommée internationale grâce à un tas de trucs.

— C'est-à-dire ?

— Absolument rien. Il s'agit d'un patelin situé au fond d'une cuvette écrasée de soleil, peuplé de fermiers, mille habitants à tout casser.

— Ça ne vous plaisait pas ?

— Non, ça ne me plaisait pas, martela Benjamin. Je souffrais de claustrophobie, en quelque sorte.

— Je connais cette impression. Il y a de nombreux points communs entre Haxtun et Baile na gCroíthe.

— Quelques-uns. Tout le monde vous salue sur votre passage. Ils n'ont pas la moindre idée d'où vous sortez, mais ils vous font coucou quand même.

Elizabeth pouffa ; jusqu'à présent elle ne s'était pas rendu compte de cette particularité. Elle se représenta son père aux champs, casquette vissée sur le crâne, en train de saluer les voitures d'un grand geste de la main.

— En pleine nature, dans la rue. Les agriculteurs, les vieilles dames, les gamins, les ados, les bébés, les tueurs en série. Tous sans exception. Même les conducteurs, uniquement de l'index puisqu'ils tiennent le volant. À ce rythme-là, on va finir par donner des coups de chapeau aux vaches.

— Et les chances sont élevées pour que les vaches nous rendent la pareille.

Benjamin rit de bon cœur avant de s'enquérir :

— Ça ne vous tente pas de tout plaquer ?

— Non seulement ça m'a tentée, mais moi aussi j'ai vécu à New York. Des obligations me retiennent ici.

Elizabeth se détourna, troublée.

— Votre neveu ?

— Oui.

— Je connais un avantage à vivre dans une petite ville : quand vous partez, vous laissez un grand vide, tout le monde vous regrette.

Leurs regards se rencontrèrent.

— Vous devez avoir raison, concéda Elizabeth. L'ironie, c'est de s'installer dans une mégalopole qui grouille de gens et d'activité simplement pour s'y sentir plus seul.

— Mmmmh.

Benjamin ne la quittait pas des yeux, comme hypnotisé. Elle savait qu'il était perdu dans ses pensées, coupé du monde. Il finit par émerger de sa rêverie :

— Bon, j'ai été ravi de bavarder avec vous, Miss Egan. Je ferais mieux de vous laisser admirer mon mur.

Il se dirigea vers la sortie, s'arrêta sur le seuil.

— Au fait, loin de moi l'idée de vous plonger dans l'embarras, je vous propose ça en tout bien tout honneur, ça vous dirait de prendre un verre avec moi un de ces quatre ? Ça me ferait plaisir de papoter avec une personne du même avis que moi, pour changer.

Cette désinvolture sans prétention enchanta Elizabeth.

— Bien sûr.

— Vous connaissez peut-être des endroits sympas. Il y a six mois, à mon arrivée ici, j'ai commis l'erreur de demander à Joe l'adresse d'un bar à sushis. J'ai d'abord dû lui expliquer qu'un sushi est composé de poisson cru, ensuite il m'a indiqué un lac situé à une heure de route d'ici et m'a conseillé de demander un certain Tom.

La jeune femme ne parvint pas à garder son sérieux. Son rire, une musique qui lui devenait de plus en plus familière au fil des jours, tinta à travers la pièce vide.

— Tom, son frère. Il est pêcheur.

— Allez, à bientôt, conclut Benjamin.

Elizabeth se retrouva soudain seule, confrontée au même dilemme. Repensant au conseil du jeune homme – exercer son imagination, se mettre dans la peau d'un enfant –, elle baissa les paupières et tenta d'invoquer des cris mêlés de rires et de pleurs en guise d'ambiance sonore. Jouets entrechoqués, bruit de petits pas précipités, un des bambins tombe, silence stupéfait suivi de sanglots à fendre le cœur. Elle se visualisa petite fille, mise à l'écart, sans personne à qui parler, et comprit ce qu'elle aurait souhaité le plus au monde.

Un ami.

Ouvrant les yeux, Elizabeth aperçut une carte qui gisait par terre, à côté d'elle. Pourtant, pas âme qui vive à l'entour. Un gêneur avait dû s'introduire à pas de loup pendant sa séance de méditation et laisser cette preuve de son passage. Elle ramassa le bristol estampé d'une trace de doigt et n'eut pas besoin de lire le libellé pour deviner qu'elle tenait là la nouvelle carte de visite de Benjamin.

Peut-être que son potentiel créatif avait porté ses fruits : tout portait à croire qu'elle venait de trouver un ami.

Elizabeth glissa la carte dans la poche arrière de son jean. Elle gomma Benjamin de son esprit et se concentra de nouveau sur ce fichu mur.

Toujours rien. Quelle perte de temps.

28

Assise à la table en verre de la cuisine, Elizabeth était cernée par les comptoirs en granit luisant, les placards lustrés et les dalles de marbre poli. Elle venait de succomber à un besoin dévorant de faire le ménage, mais ses idées n'étaient pas encore tout à fait claires. Dès que retentissait la sonnerie du téléphone elle se jetait sur le combiné, certaine que Saoirse cherchait à la contacter. À chaque fois, ses espoirs étaient déçus : ce n'était qu'Édith, qui venait aux nouvelles. Sa sœur baguenaudait donc par monts et par vaux et son père végétait dans sa chambre parce qu'il attendait le retour de sa femme. Depuis deux semaines il n'avait pas bougé de son fauteuil, où il mangeait et dormait. Comme il refusait d'adresser la parole à Elizabeth et lui interdisait de franchir le seuil de la maison, celle-ci avait chargé une femme du village de lui préparer ses repas et de s'occuper du logis. Tantôt Brendan la laissait entrer, tantôt non. Par ailleurs, l'ouvrier agricole qui assistait le vieil homme dans la marche de l'exploitation avait pris sur lui l'ensemble des besognes. Cela amenait des frais supplémentaires qu'Elizabeth ne pouvait se permettre, mais elle ne voyait pas d'alternative.

Pour la première fois de sa vie, la jeune femme se demanda ce que les Egan avaient en commun, à part les liens du sang. Et ce sont ces liens qui avaient sonné le glas de sa relation avec Mark : il avait réclamé qu'elle brûle les ponts avec ses proches mais elle n'avait pu ni voulu recourir à une telle extrémité. Elizabeth n'acceptait pas que leur vie de couple fleurisse aux dépens de sa famille. Sa sœur et son père savaient bien quelles ficelles tirer afin qu'elle reste sous leur coupe. Résultat : elle élevait seule un enfant qui n'était pas le sien, tandis que l'amour de sa vie s'était installé aux États-Unis, avait pris femme et agrandi sa famille. En cinq ans, pas une fois ils n'avaient repris contact. Quelques mois après le retour aux sources d'Elizabeth, Mark avait profité d'un voyage parmi les siens pour lui rendre visite.

Les premiers mois, elle avait connu l'enfer. Elle avait eu la ferme intention de contraindre Saoirse à s'occuper du bébé et, en dépit des objections de la jeune mère, ne démordait pas de ce projet. Brendan n'en pouvait plus, il ne supportait pas les hurlements du nouveau-né abandonné à son triste sort par Saoirse qui faisait la fête jusqu'à l'aube. Elizabeth en avait déduit que cette situation lui rappelait trop une histoire lointaine mais toujours douloureuse, ces longues nuits passées à veiller un petit être qu'il avait confié, par la suite, à sa fille de douze ans. Et l'histoire s'était répétée : il avait chassé Saoirse de la ferme, et la mère, malgré elle, avait atterri sur le seuil d'Elizabeth avec son couffin pour tout bagage. Le jour même où Mark avait prévu de renouer avec son ex.

Un seul coup d'œil sur le champ de bataille qu'était devenue l'existence d'Elizabeth, et Mark avait rebroussé chemin, pour ne jamais revenir. Peu après, Saoirse avait disparu à son tour, laissant son fils entre les mains de sa sœur. Cette dernière avait sérieusement envisagé de faire adopter Luke. Les nuits blanches succédaient aux journées chaotiques, elle se jurait d'entamer les démarches nécessaires, sans jamais s'y résoudre. Peut-être sa réticence était-elle liée à sa peur de l'abandon, à sa recherche obsédante de la perfection et à l'inquiétude que Saoirse éveillait en elle. Une partie d'Elizabeth souhaitait également prouver au reste du monde qu'elle était capable d'élever un enfant et que la conduite de Saoirse ne résultait pas de son incompétence. Luke méritait une éducation digne de ce nom, un entourage présent et aimant.

Elizabeth poussa un juron, froissa une autre de ses esquisses et en fit une boulette qu'elle lança vers la poubelle. Ratant son panier d'un cheveu, elle traversa la cuisine afin de restaurer l'ordre.

La table était ensevelie sous une montagne de feuilles de papier, de crayons de couleur, de livres pour enfants et de bandes dessinées. Hormis gribouiller des hiéroglyphes,

Elizabeth n'était arrivée à rien. Rien pour la salle de jeux, rien pour l'univers ludique qu'elle aspirait à créer. À cet instant-là, il arriva ce qu'il arrivait dès qu'elle laissait ses pensées partir à la dérive : le timbre de la porte d'entrée vibra, elle sut qu'Ivan venait lui rendre visite. Elle se mit debout, se recoiffa, arrangea sa tenue, examina son reflet dans le miroir, rassembla crayons et croquis de manière à les escamoter. Prise de panique, elle se mit à sautiller sur place, en quête désespérée d'une cachette sûre, et fit tomber son chargement. Elle se pencha et ramassa frénétiquement les feuilles, une à une.

Son regard échoua alors sur une paire de Converse rouges encadrées dans l'embrasure de la porte. Elle se voûta, devint cramoisie.

— Salut, Ivan, lança-t-elle, les paupières baissées.

— Bonjour, Elizabeth. Tu ne tiens pas en place, ma parole.

— C'est gentil à Luke de t'avoir ouvert. Il se garde bien de le faire quand je le lui demande.

Elle regroupa les feuilles de papier et se déplia.

— Tu portes du rouge, fit-elle remarquer, son attention fixée sur la casquette, le tee-shirt et les baskets assortis.

— On ne peut rien te cacher. À l'heure qu'il est, tenter d'autres couleurs que le bleu, c'est ce que je préfère. Ça me rend plus heureux.

Elizabeth étudia ses propres vêtements : du noir de la tête aux pieds.

— Dis-moi, qu'est-ce que tu caches ?

— Oh, rien.

— Montre.

Ivan lui arracha ses brouillons des mains.

— Mais je rêve ? Donald, Mickey... Winnie l'Ourson, une voiture de course, et ça, ça s'appelle comment ?

Il retourna un dessin et l'étudia avec intérêt.

— Ce n'est rien, insista Elizabeth en récupérant son bien.

— Oh non, ce n'est pas rien du tout. Rien, ça ressemble plutôt à ça.

Ivan se tut et vrilla sur elle un regard inexpressif.

— Qu'est-ce que tu fabriques ? s'informa-t-elle au terme de quelques instants de silence.

— Ben rien, tu vois ?

— Parfois, au rayon gamineries, tu éclipses Luke. Je vais me servir un verre de vin, est-ce que tu veux boire quelque chose ? Bière, vin, brandy ?

— Un lait de verre, s'il te plaît.

— Si tu pouvais arrêter de mélanger les syllabes, ça me ferait plaisir, commenta Elizabeth en versant du lait dans un grand gobelet. Et des vacances, ajouta-t-elle.

Elle largua ensuite ses dessins à la poubelle.

— Non, je m'exprime comme ça depuis toujours. Et pourquoi est-ce que ce placard est verrouillé ?

— Euh… pour que Luke ne se serve pas dans la réserve d'alcools.

À la vérité, il s'agissait de décourager les penchants de Saoirse. Luke avait pour mission de déposer la clef du placard en lieu sûr – dans sa chambre – dès que sa mère faisait irruption chez eux.

— Oh. Tu as quelque chose de prévu le 29 ?

Ivan la regarda farfouiller parmi les bouteilles de vin, concentrée à l'extrême. Elle referma le placard, chercha le tire-bouchon au fond d'un tiroir.

— Le 29 ? C'est quand ?

— Samedi.

La jeune femme, le rouge aux joues, détourna le regard et se concentra sur la bouteille.

— Samedi, je suis prise.

— Et tu vas où ?

— Au restaurant.

— Avec qui ?

Elizabeth avait l'impression de subir un interrogatoire en règle.

— Avec Benjamin West, précisa-t-elle, le dos tourné, incapable d'affronter Ivan – en plus de trouver incongrue sa gêne grandissante.

— Vous avez rendez-vous un samedi ? Mais tu ne travailles pas le week-end.

— Ça n'a rien à voir avec le travail. Comme il ne connaît personne dans la région, on va dîner ensemble.

— Dîner ? s'exclama Ivan, incrédule. Tu vas dîner avec Benjamin ?

Elizabeth écarquilla les yeux et se retourna, son verre en cristal à la main.

— Ça te pose un problème ?

— Il est crade, et il pue.

Voilà qui coupa l'herbe sous le pied de la jeune femme.

— Il mange sûrement avec les doigts, poursuivit Ivan, comme un Cro-magnon, ou un sauvage, mi-homme mi-singe. Et pour se nourrir il part à la chasse…

— Ça suffit, Ivan.

Elizabeth éclata de rire ; son ami ne souffla mot.

— Sincèrement, ça te pose un problème ? répéta-t-elle en dégustant son vin.

Ivan s'immobilisa et dévisagea Elizabeth. Cette dernière soutint son regard, le vit avaler sa salive de travers. Le côté enfantin s'envola et Ivan se révéla tel qu'il était en réalité, un homme fort et charismatique, ce qui accéléra les battements de son cœur.

— Non, pas vraiment.

— Ivan, si tu as quelque chose à me dire, vas-y, déclara Elizabeth, un sourire faisant frémir ses commissures. Nous sommes adultes, après tout.

— Elizabeth, tu sortirais avec moi samedi soir ?

— Ivan, ce serait grossier de ma part d'annuler le rendez-vous à la dernière minute. Ça ne peut pas attendre un autre jour ?

— Non, lâcha Ivan, c'est le 29 juillet ou jamais. Tu comprendras pourquoi.

— Mais je ne peux pas…

— Si, tu peux.

Il agrippa Elizabeth par les épaules avant d'insister :

— Tu peux faire tout ce que tu veux. On se retrouve à la crique de Cúin à vingt heures.

— La crique de Cúin ? !

— Tu comprendras une fois sur place.

Ivan rabattit sa casquette sur ses yeux et s'esquiva aussi vite qu'il était venu.

Avant de lever le camp, j'ai fait un détour par la salle de jeux, où Luke regardait la télé.

— Salut à toi, l'étranger, j'ai déclamé en m'affalant sur le pouf.

— Salut, Ivan, a murmuré Luke sans décoller de l'écran.

— Je t'ai manqué ?

— Non.

Sourires complices.

— Tu veux savoir ce que j'ai fait ?

— Tu t'es bécoté avec ma tante !

Les yeux fermés, la bouche en cul de poule, le sacripant a mimé une rafale de bisous avant de s'écrouler, mort de rire.

— Hé ! Qu'est-ce que tu racontes ?

— T'es son amoureux.

Toujours rigolard, il est retourné à son dessin animé. J'ai gambergé un instant.

— On est encore copains quand même ?

— Ouais. Mais c'est Sam mon meilleur copain.

J'ai fait semblant d'avoir reçu une balle en plein cœur. Le garçonnet m'a observé de ses grands yeux bleus et m'a demandé, plein d'espoir :

— C'est ma tante ton meilleur copain, maintenant ?

— Ça te ferait plaisir ?

Luke a hoché vigoureusement la tête.

— Pourquoi ?

— Parce qu'elle est plus marrante, elle me gronde moins et elle m'autorise à faire du coloriage dans la pièce toute blanche.

— On s'est bien amusés, hein, le jour des dents-de-lion ?

— Elle a jamais autant rigolé, je crois.

— Est-ce qu'elle te fait des gros câlins et joue beaucoup avec toi ?

Luke m'a lancé un regard qui en disait long et j'ai poussé un soupir, inquiet de me sentir, un peu, soulagé.

— Ivan ?

— Oui, Luke ?

— Tu te souviens, tu m'as dit un jour que tu ne pouvais pas rester tout le temps, que tu dois t'en aller pour apporter ton aide à d'autres gens et que ça ne doit pas me rendre triste.

— Je m'en souviens.

Cette perspective me terrifiait.

— Qu'est-ce qui va se passer pour toi et tante Elizabeth, quand tu t'en iras ?

Là, ce qui m'a inquiété, c'est la douleur qui m'a comprimé la poitrine à cette simple hypothèse.

J'ai débarqué dans le bureau d'Opale, les mains dans les poches, arborant un tee-shirt bordeaux et un jean noir flambant neufs. Le rouge s'accordait bien avec mon humeur car j'étais en colère : au moment de me convoquer, Opale m'avait parlé sur un ton qui m'avait déplu.

— Ivan.

Elle a posé sa plume sur la table et m'a toisé. Son sourire radieux, avec lequel elle avait coutume de m'accueillir, avait disparu. La fatigue se lisait sur son visage aux yeux cernés, ses dreadlocks retombaient piteusement sur ses épaules au lieu d'être relevées en une de ses coiffures extravagantes. Je me suis assis sans attendre qu'elle m'offre de siège.

— Opale, ai-je déclaré sur le même ton en croisant les jambes.

— Quels sont les principes que tu enseignes à tes étudiants lorsque tu traites, dans tes cours, de la prise de contact avec un nouvel ami ?

— De l'assister sans l'entraver, le soutenir sans le contrarier, lui prêter une oreille attentive, le...

— Tu peux t'arrêter, m'a-t-elle coupé d'une voix forte. Assister sans entraver, Ivan. Tu l'as forcée à annuler son rendez-vous avec Benjamin West. Elle aurait pu se faire un nouvel ami.

Opale m'a lancé un regard que la colère menaçait d'enflammer.

— Permets-moi de te rappeler que la dernière fois qu'Elizabeth Egan a fréquenté un homme dans un contexte non professionnel remonte à plus de cinq ans. Cinq ans, Ivan. Tu peux m'expliquer ton attitude ?

— Il est crade, et il pue.

— Il est crade, et il pue, a-t-elle répété pour que je me sente stupide. Laisse-la le découvrir par elle-même. N'abuse pas de ton influence.

Ayant parlé, Opale s'est remise à gratter furieusement ; sa plume voletait au-dessus de la feuille de papier.

— Qu'est-ce qui se passe, Opale ? Tu me caches quelque chose.

— Nous sommes surchargés de travail, Ivan, et tu ferais mieux de régler cette situation aussi vite que possible et de t'engager dans un autre cas, au lieu de traînasser et de saper tes progrès. Voilà ce qui se passe.

Abasourdi, j'ai quitté le bureau sans piper mot. Je sentais qu'il y avait anguille sous roche, mais la vie privée d'Opale ne regardait qu'elle. Elle changerait d'avis sur l'annulation de ce dîner à la seconde où elle apprendrait ce que j'avais prévu pour le 29.

— Oh, Ivan, encore une chose.

Je l'ai considérée depuis le seuil. Elle n'a pas relevé la tête.

— À partir de lundi, il va falloir que tu viennes prendre le relais, par intérim.

— Ah bon ?

— Je vais être absente quelques jours, je compte sur toi pour me remplacer.

Une grande première.

— Mais je ne peux pas laisser le cas d'Elizabeth en suspens !

— Contente que tu la considères encore comme un cas…

Opale a soupiré, lâché sa plume et m'a regardé droit dans les yeux. Elle semblait au bord des larmes.

— … mais rassure-toi, je suis certaine que la soirée de samedi aura un succès retentissant et que ton amie n'aura plus besoin de toi la semaine prochaine.

Sa voix débordait de douceur et de compassion. Ma colère s'est évanouie illico et je me suis rendu compte qu'elle avait eu raison de me remonter les bretelles. À cent pour cent.

29

Ivan apporta la touche finale à ses préparatifs : il cueillit un brin de fuchsia sauvage et le plaça au centre de la table, dans le soliflore. Il alluma la bougie, regarda la flamme osciller au gré de la brise. La crique de Cuín était plongée dans un silence absolu, conforme au nom que lui avaient donné, il y a des siècles, les habitants de la région, et qui était resté le sien. Seul se faisait entendre le doux murmure des vagues qui venaient caresser le rivage. Ivan ferma les yeux et se laissa bercer par cette mélodie apaisante. Un petit bateau de pêche amarré au ponton tanguait à la surface de l'eau et, cognant contre les pilotis en bois, marquait la cadence.

Le ciel bleu s'assombrissait lentement, strié çà et là de sillons vaporeux qui avaient remplacé les nuages moutonneux de l'après-midi. Les étoiles faisaient une entrée timide, et Ivan les salua d'un clin d'œil ; elles aussi savaient ce que leur ami mijotait. Celui-ci avait demandé de l'aide au chef cuisinier du restaurant d'entreprise de Jynérimah, qui préparait également les goûters ou les pique-niques organisés chez leurs copains. Là, le chef n'avait pas démérité : il avait concocté le repas le plus exquis qu'Ivan ait pu imaginer. En entrée, du foie gras servi sur des petits toasts ; en plat principal, du saumon sauvage pêché en Irlande, agrémenté d'asperges aillées ; et pour le dessert, une mousse au chocolat blanc noyée sous un coulis de framboises. Les saveurs se mêlaient à la brise tiède et chatouillaient les papilles d'Ivan, alléché par l'odeur.

Il tritura les couverts d'une main nerveuse, arrangea ce qui avait déjà trouvé sa place, resserra le nœud de sa cravate en soie bleue – une cravate neuve –, le desserra, défit le premier bouton de sa veste bleu marine, se ravisa à la dernière minute. Régler chaque détail du décor l'avait tellement absorbé qu'il avait à peine eu le temps d'analyser les émotions contradictoires qui s'éveillaient en lui. Un ultime coup d'œil à sa montre et à la voûte étoilée ; pourvu qu'Elizabeth vienne...

Elizabeth roulait lentement le long du sentier sinueux : dans ces ténèbres, en pleine campagne, bien malin qui distinguerait ce que lui réservait le prochain virage. Fleurs et broussailles frôlaient les flancs du véhicule sur son passage, ses phares tiraient de leur léthargie papillons de nuit, moustiques et chauves-souris. Soudain l'obscurité fut trouée par une brèche de lumière et Elizabeth déboucha sur un terrain plan. Un panorama à couper le souffle s'offrit à sa vue.

Face à elle se déployait l'immensité de l'océan dont l'étendue opaque miroitait au clair de lune. La crique abritait un modeste bateau de pêche et une plage de sable fin que lapait la marée montante. Mais le clou du spectacle c'était Ivan, vêtu d'un costume neuf à la coupe distinguée, qui la guettait près d'une table dressée pour ce qui s'annonçait un dîner aux chandelles.

Émue aux larmes, Elizabeth n'en croyait pas ses yeux. Cette vision idyllique, sa mère l'avait gravée dans son esprit. Douze années durant, elle l'avait saturée de dîners romantiques sur la plage, tant et si bien que les rêves de la mère étaient devenus ceux de la fille. Et voilà qu'Ivan avait donné vie au tableau que les deux femmes avaient évoqué de manière si saisissante. Sentant enfin la pleine portée de l'expression « pleurer de bonheur », Elizabeth donna libre cours à ses émotions, sans aucune gêne.

Ivan, fier comme un paon, bomba le torse. Il feignit de ne pas remarquer ses larmes ou, plutôt, les accepta.

— Ma chère, déclara-t-il en esquissant une courbette, votre festin au clair de lune n'attend plus que vous.

Elizabeth sécha ses yeux, lui prit la main et émergea, rayonnante, de la voiture.

— Elizabeth, tu es superbe.

— Porter du rouge, c'est ce que je préfère en ce moment, l'imita la jeune femme en se laissant guider vers la table.

Au terme de longues minutes d'hésitation, Elizabeth avait décidé d'acheter cette robe flamboyante qui mettait en valeur sa silhouette élancée et accentuait des courbes dont elle n'avait pas soupçonné l'existence. L'enfiler, l'enlever, la revêtir à nouveau... elle avait dû répéter ce petit manège à cinq reprises, au bas mot, avant de rejoindre Ivan. Dans cette couleur vive elle se sentait vulnérable, exposée aux regards, et pour éviter l'effet « feu rouge » elle avait drapé un pashmina noir sur ses épaules.

La plage était abritée du vent du large mais la brise faisait voleter les coins de la nappe, d'une blancheur éclatante. Elizabeth – qui avait retiré ses escarpins – marchait pieds nus sur le sable soyeux et frais. Ivan lui présenta une chaise ; à peine sa convive attablée, il déplia sa serviette, garnie d'un brin de fuchsia, et la posa sur ses genoux.

— Ivan, c'est magnifique. Merci, chuchota Elizabeth, réticente à briser le silence.

— Merci à toi d'être venue, rétorqua-t-il en lui servant du vin rouge. Comme entrée, je te propose du foie gras. J'espère que tu aimes ça.

Avant de prendre place, il récupéra sous la table deux assiettes recouvertes de cloches en argent.

— J'adore, tu veux dire.

— Ouf. Me voilà rassuré.

Elizabeth s'enveloppa dans son pashmina – l'air se rafraîchissait – et attaqua son assiette.

— Dis-moi, pour quelle raison as-tu choisi cette crique ?

— Parce qu'on est au calme, et loin des lumières de la ville, expliqua Ivan la bouche pleine.

Quoique intriguée, Elizabeth se garda bien de réclamer des éclaircissements : elle savait qu'Ivan avait ses petites manies.

Le repas expédié, Ivan braqua son regard sur la jeune femme qui, les mains autour de son verre de vin, contemplait l'océan d'un air mélancolique.

— Elizabeth, tu veux bien te coucher avec moi sur le sable ?

— Bien sûr, murmura-t-elle, la voix rauque, son cœur battant à cent à l'heure.

Existait-il meilleure façon de finir la soirée ? Elizabeth mourait d'envie de toucher Ivan, de disparaître dans ses bras. Elle se leva de table, se dirigea vers le rivage et s'assit au bord de l'eau. Ivan cheminait à sa suite.

— Il va falloir que tu te couches sur le dos pour que ça marche, précisa-t-il.

— Hein ?

— Si tu ne te mets pas sur le dos, tu vas tout rater, répéta Ivan, les mains sur les hanches. Regarde, comme ça, ajouta-t-il en lui montrant l'exemple. Bien à plat, crois-moi, tu ne vas pas le regretter.

— Ah, vraiment ?

Elizabeth se hissa sur ses pieds avant de poursuivre, piquée au vif :

— Est-ce que cette mise en scène avait pour seul but de me coucher à plat sur le dos, comme tu l'as si joliment tourné ?

Ivan la scruta, les yeux écarquillés.

— Eh bien... à vrai dire, oui, hasarda-t-il. C'est juste que, sur le dos, j'aurais pu te montrer comment ça fonctionne.

— Ah ! cracha Elizabeth.

Elle se rechaussa et mit le cap sur la voiture. Crapahutant dans le sable, elle entreprit de gravir la petite dune.

— Elizabeth, regarde ! Ça y est, ça commence à monter ! Regarde !

— Pouah ! Tu me dégoûtes !

— Mais ça n'a rien de dégoûtant ! s'exclama Ivan, paniqué.

— C'est ce qu'ils disent tous, grommela Elizabeth en cherchant à tâtons ses clefs dans son sac.

Tout d'un coup, elle leva la tête et resta bouche bée. Audessus d'elle, le firmament, que ne troublait aucun nuage, déployait une activité fébrile. Les astres brillaient de mille feux, parfois l'un fendait le ciel comme un bolide.

Ivan était couché sur la plage, le nez en l'air.

— Oh, laissa échapper Elizabeth, confuse.

Dans cette obscurité personne ne pouvait voir qu'elle était écarlate – encore heureux. Elle dévala la dune, enleva ses escarpins, enfouit ses orteils dans le sable et s'approcha à petits pas d'Ivan.

— Quel spectacle magnifique, murmura-t-elle.

— Ce serait encore plus magnifique si tu avais suivi mes conseils, marmonna Ivan.

Elizabeth se retint, à grand-peine, d'éclater de rire. En dépit de ses efforts, elle émit un gloussement.

— Je ne sais pas ce qui te fait rire, personne ne t'a traitée de dégueulasse.

— Je croyais que tu avais autre chose en tête.

— Et qu'est-ce que je pourrais avoir d'autre en tête, hein ? l'accusa Ivan avant de comprendre ce que sous-entendait la jeune femme et de moduler avec un accent moqueur : Ooooh.

— La ferme.

Elizabeth lui jeta son sac au visage, amusée. Une étoile filante la détourna de ce quiproquo.

— Oh, regarde. Je me demande ce qui leur prend ce soir.

— Ce sont les delta-Aquarides, déclara Ivan comme s'il s'agissait d'une évidence.

Le mutisme d'Elizabeth le poussa à développer :

— Des météores provenant de la constellation du Verseau. On peut les observer du 15 juillet au 20 août, mais les conditions sont idéales le 29 juillet. Voilà pourquoi j'ai insisté pour qu'on se voie ce soir, en grand secret, loin des réverbères. Alors oui, le but de cette mise en scène, c'était que tu te retrouves couchée près de moi.

Tous deux se dévisagèrent un long moment, en silence, jusqu'à ce qu'une autre étoile filante capte leur attention.

— Tu ne veux pas faire un vœu ? lui demanda Ivan.

— Non, j'attends encore que celui de la dent-de-lion se réalise.

— Oh, à ta place je ne me bilerais pas trop. Le temps que le labo l'analyse, ça ne devrait pas tarder.

Elizabeth accueillit cet encouragement par un petit rire.

Quelques minutes plus tard, Ivan demanda :

— Des nouvelles de Saoirse ?

Pour toute réponse, un hochement de tête négatif.

— Elle va bientôt rentrer.

— Oui, mais dans quel état ? Et par quel miracle les autres familles arrivent-elles à rester unies ? À cacher leurs problèmes à leurs voisins ? se lamenta Elizabeth. Est-ce que ces gens ont une recette infaillible ?

Elle se remémora les chuchotements parvenus à ses oreilles au cours des journées précédentes, les racontars qui circulaient sur la folie de son père, la disparition de sa sœur.

— Tu vois cet essaim d'étoiles là-bas ? l'interrogea Ivan en montrant le ciel du doigt.

Elizabeth suivit la direction qu'indiquait sa main, gênée de l'avoir importuné avec ses histoires de famille… à tel point qu'il préférait changer de sujet.

— Dans une pluie de météores, la plupart des astéroïdes tombent parallèlement les uns aux autres. Ils semblent provenir du même endroit du ciel, appelé le radiant, et à partir de ce foyer ils s'éparpillent dans le cosmos.

— Je comprends.

— Non, tu ne comprends pas. Les étoiles s'apparentent aux gens, Elizabeth. Ce n'est pas parce qu'elles donnent l'impression de provenir du même endroit que c'est vraiment le cas. Il s'agit d'une illusion d'optique provoquée par la distance. Toutes les familles n'arrivent pas à rester unies, chacun suit son propre destin. L'idée qu'on tire notre origine du même creuset est erronée ; s'éparpiller dans le cosmos, c'est dans la nature de chaque être vivant, de chaque créature sur cette terre.

Elizabeth considéra le ciel traversé par une nuée d'étoiles filantes, tâcha d'y lire la vérité.

— Eh bien, je ne l'aurais jamais cru.

Frissonnante, elle s'emmitoufla dans son pashmina. Le sable se montrait moins accueillant de minute en minute.

— Tu as froid ?

— Un peu, avoua-t-elle.

— Eh bien, la soirée ne fait que commencer. Il est grand temps de se réchauffer. Je peux emprunter les clefs de ta voiture une seconde ?

— Pas si tu as l'intention de détaler avec, plaisanta Elizabeth en lui confiant son trousseau.

Ivan pêcha un objet non identifié sous la table et escalada la dune à son tour. Quelques instants plus tard, une musique mélodieuse s'éleva de l'autre côté, par la portière de la BMW.

Ivan rejoignit Elizabeth et amorça quelques entrechats.

— Mais qu'est-ce que tu fabriques ?

— Je danse ! Ça se voit, non ?

— Qu'est-ce que c'est que cette danse ?

Elizabeth s'esclaffa, accepta sa main tendue et se mit debout.

— Je fais des claquettes. Tu seras heureuse de l'apprendre, on peut faire des claquettes en silence, avec des semelles de feutre, ce qui signifie que Gráinne n'avait pas perdu la boule quand elle rêvait de faire des claquettes dans le sable !

Elizabeth, des larmes de joie perlant au coin des yeux, se rendit compte qu'Ivan réalisait là un autre de ses souhaits les plus chers.

— Pourquoi est-ce que tu réalises tous les rêves de ma mère ? demanda-t-elle, perplexe.

— Pour que tu ne la prennes pas comme modèle et que tu n'ailles pas voir ailleurs si l'herbe y est plus verte. Allez, danse ! s'exclama Ivan en entraînant son amie.

— Je n'y connais rien, en claquettes !

— Suis-moi.

Il se détourna d'elle et s'éloigna en se déhanchant outrageusement. Elizabeth retroussa sa robe au niveau des genoux et jeta ses bonnes manières par-dessus les moulins : elle se mit à faire des claquettes nu-pieds, sur la plage, au clair de lune, et rit à s'en faire mal aux côtes.

— Grâce à toi, je souris tout le temps, lança-t-elle un peu plus tard dans la soirée, à bout de souffle, en s'effondrant sur le sable.

— J'accomplis mon boulot, voilà tout, rétorqua Ivan.

À peine ces paroles avaient-elle franchi ses lèvres que son sourire s'évanouit et que la tristesse voila son regard bleu.

30

La robe d'Elizabeth glissa le long de ses jambes et forma une petite flaque de tissu à ses pieds. La jeune femme s'en débarrassa, enfila un peignoir douillet, releva ses cheveux et se fourra sous les draps, une tasse de café à la main. Elle aurait voulu qu'Ivan et elle passent la nuit ensemble, malgré ses objections initiales ; elle aurait voulu qu'il la prenne dans ses bras là-bas, sur le sable, mais plus elle succombait à son charme, plus il semblait se détourner d'elle.

Au cours du trajet de retour, après la valse des étoiles filantes et la séance de claquettes, Ivan s'était renfermé sur lui-même et lui avait demandé de le déposer en ville afin de rentrer seul chez lui – un chez-soi où il n'avait encore jamais convié Elizabeth, qui ne connaissait pas non plus ses amis ni les membres de sa famille. Autrefois, elle ne ressentait pas le besoin de côtoyer les gens chers à ses compagnons, que ce soit ses copains de fac ou même Mark. Elle était d'avis que, si elle appréciait la compagnie de tel ou tel homme, son entourage importait peu. Par contre, dans le cas d'Ivan, elle voulait découvrir une facette différente de sa personnalité, étudier les relations qu'il entretenait avec ses proches afin de le doter d'un caractère plus riche. C'étaient là les arguments qu'avaient avancés tous ses précédents petits amis ; Elizabeth avait fini, des années plus tard, par comprendre ce qu'ils avaient sollicité sans l'obtenir.

Tout en s'éloignant, elle avait observé Ivan dans le rétroviseur, curieuse de voir dans quelle direction il allait porter ses pas. Il avait jeté un coup d'œil à droite, puis à gauche – en cette heure de la nuit, les rues de Baile na gCroíthe étaient désertes – et mis le cap sur l'hôtel en construction. Il n'avait pas parcouru dix mètres qu'il avait stoppé net, tourné le dos aux montagnes et emprunté la direction opposée. Il avait alors traversé la rue, s'était engagé vers Killarney d'une démarche assurée pour, là encore, s'arrêter en pleine rue et s'asseoir, bras croisés, sur le pas de porte d'une boucherie.

Il lui avait donné l'impression de ne pas savoir comment se rendre chez lui, et même d'ignorer où il habitait. Elizabeth ne le comprenait que trop bien.

Lundi après-midi. Ivan, l'oreille collée à la porte du bureau d'Opale, écoutait Oscar divaguer sans reprendre une seule fois son souffle. Il avait beau trouver son discours hilarant, il surveillait sa montre d'un œil soucieux : il devait retrouver Elizabeth à dix-neuf heures tapantes, ce qui ne leur laissait, à lui et à Opale, qu'une petite vingtaine de minutes pour leur entretien. Ivan n'avait pas revu Elizabeth depuis cette fameuse valse des delta-Aquarides, la plus belle soirée de sa longue, très longue vie. Il avait bien tenté de se séparer de la jeune femme une bonne fois pour toutes, de quitter Baile na gCroíthe, de repérer un nouvel ami dans le besoin, mais il n'en avait pas eu le courage. Elizabeth l'aimantait irrésistiblement, le lien qu'ils avaient noué était d'une force hors du commun. Ce n'était plus seulement sa raison qui s'exprimait, mais aussi son cœur.

— Opale, proclama Oscar sur un ton grave, il faut renforcer mon équipe la semaine prochaine, c'est une question de vie ou de mort.

— J'en ai conscience, et je t'ai déjà promis d'envoyer Suki te prêter main-forte. À l'heure qu'il est, c'est le maximum que je puisse faire.

— Ça ne suffira pas, fulmina Oscar. Dans la nuit de samedi à dimanche des millions de gens ont admiré les delta-Aquarides. Est-ce que tu te rends compte de la kyrielle de vœux qui vont déferler dans nos locaux ces prochaines semaines ?

Sans attendre de réponse – Opale restait, de toute façon, muette –, le directeur du laboratoire poursuivit ses jérémiades :

— La procédure présente de gros dangers et j'ai besoin de renforts. Suki est sans pareille quand il s'agit de la paperasse, par contre elle n'est pas compétente en analyse de souhaits. Soit vous me permettez de travailler dans des conditions décentes, soit je quitte le navire.

Sur ce, Oscar sortit en trombe du bureau et galopa dans le couloir. Ivan l'entendit maugréer :

— À quoi elles me servent mes études d'astrophysique si c'est pour m'encroûter dans ce fichu labo !

— Ivan, l'appela Opale.

— Vous avez deviné que j'étais là ? s'étonna Ivan en faisant son apparition.

Encore un peu et il allait croire que sa patronne voyait à travers les murs.

Opale leva la tête et lui adressa un sourire pâlot ; son visage était creusé par la fatigue, comme si elle n'avait pas fermé l'œil depuis des semaines.

— Tu es en retard. Nous avions rendez-vous à neuf heures ce matin.

— Ah bon ? lança Ivan, qui allait de surprise en surprise. En fait, je ne fais que passer, le devoir m'appelle, s'empressa-t-il d'ajouter. Je voulais juste vous poser une toute petite question.

Elizabeth, Elizabeth, Elizabeth, fredonnait-il pour lui.

— On était convenus qu'aujourd'hui tu allais me remplacer, tu as oublié ? déclara Opale avant de se lever et de rejoindre Ivan de l'autre côté du bureau.

— Oh non non non, bafouilla Ivan en se dirigeant vers la porte à reculons. J'aimerais beaucoup vous aider, Opale, promis juré, aider les gens c'est de loin ce que je préfère, mais là je dois décliner votre proposition, ma cliente et moi on s'est fixé un rendez-vous. Impossible de lui faire faux bond, vous savez comment c'est.

Opale s'appuya à la table, bras croisés, tête inclinée. Elle ferma un instant les yeux et ne les rouvrit qu'à grand-peine, les paupières alourdies par le manque de sommeil. Il émanait d'elle un halo sombre qui plongeait la pièce dans une ambiance sinistre.

— C'est ta cliente maintenant, si je comprends bien ? fit-elle remarquer d'un air las.

— En effet, c'est ma cliente, répliqua Ivan, la voix hésitante, et je ne peux pas me permettre de lui poser un lapin ce soir.

— Tôt ou tard, tu devras lui faire tes adieux.

Cette remarque fut prononcée avec un tel flegme qu'elle glaça Ivan d'horreur. La gorge serrée, il se remit d'aplomb sur ses jambes.

Son silence amena Opale à lui poser une question :

— Quelles impressions éveille en toi cette séparation prochaine ?

Ivan réfléchit un instant, un peu étourdi, le cœur au bord des lèvres. Il sentit les larmes monter.

— Je ne veux pas, finit-il par murmurer.

Opale décroisa lentement les bras.

— Pardon ? demanda-t-elle, radoucie.

Ivan s'imagina son existence sans Elizabeth, et sa voix résonna, vibrante :

— Je ne veux pas lui faire mes adieux. Je veux rester toute ma vie à ses côtés, Opale. Elle me rend plus heureux que je ne l'ai jamais été, et elle affirme que c'est réciproque. Ce serait une erreur monumentale de la lâcher, pas vrai ?

— Oh, Ivan. Je me doutais que cela arriverait un jour…

La voix d'Opale exprimait une pitié dont Ivan se serait bien passé : il préférait voir sa patronne en colère.

— … mais je croyais que toi entre tous, tu aurais pris la bonne décision beaucoup plus tôt.

— La bonne décision ? Quelle bonne décision ? Le jour où je vous ai demandé conseil, je suis reparti bredouille, rétorqua Ivan, les traits décomposés.

— Tu aurais dû la quitter depuis belle lurette, mais ce n'était pas à moi de te le dire. Il fallait que tu t'en rendes compte par toi-même.

— Impossible de la quitter avant, puisqu'elle continuait à me voir.

Ivan prit place sur une chaise, comme au ralenti, en proie à la tristesse et au choc.

— On n'abandonne pas un copain tant qu'on garde le contact avec lui, récita-t-il à mi-voix.

— Tu t'es imposé à elle, affirma Opale.

— Non, c'est faux.

Furieux qu'Opale l'accuse d'avoir forcé la main à Elizabeth, Ivan se leva et se mit à arpenter le bureau de long en large.

— Tu l'as suivie des jours durant, tu l'as épiée, tu as renforcé le fil ténu qui vous reliait. Tu as exploité quelque chose d'extraordinaire et tu lui as fait prendre conscience de ce trésor.

— Vous parlez sans savoir. Vous n'avez pas la moindre idée de nos sentiments.

Ivan se planta alors face à sa responsable et, la tête haute, la regarda droit dans les yeux.

— Ce soir, articula-t-il, je vais avouer à Elizabeth Egan que je l'aime et que je veux passer le reste de ma vie avec elle. Ça ne m'empêchera pas d'apporter mon aide aux autres.

Opale sembla désemparée.

— Ivan, c'est impossible !

— Vous m'avez appris que rien n'est impossible.

— Il n'y a qu'elle qui arrivera à te voir ! Et elle est incapable d'appréhender ta situation. Jamais ça me marchera.

— Si ce que vous prétendez est vrai, si j'ai réussi à me rendre visible à Elizabeth, je saurai me rendre visible à n'importe qui d'autre. Elizabeth comprendra. Elle me comprend mieux que personne, même si vous avez du mal à le concevoir.

L'enthousiasme avait gagné Ivan. À partir d'une idée en l'air, il avait conçu un projet à part entière ; le mener à bien réclamait juste un minimum de volonté. Il vérifia l'heure à sa montre : sept heures moins dix. Il lui restait dix minutes.

— Faut que j'y aille. Je dois lui dire que je l'aime.

Il se disposait à quitter le bureau à grandes enjambées conquérantes quand la voix d'Opale s'éleva :

— Non, je le conçois très bien.

Cette confession prit Ivan par surprise ; il se figea sur le seuil, se retourna et la contredit d'un mouvement de tête.

— Tant qu'on ne l'a pas vécu, Opale, on ne peut pas le concevoir. Cela dépasse votre imagination.

— Oh que non. Car je l'ai vécu.

— Hein ?

Ivan resta sur la défensive, méfiant.

— Je l'ai vécu, répéta Opale d'une voix plus ferme. J'ai eu le coup de foudre pour un homme qui m'a regardée avec les yeux de l'amour et pas ceux de l'amitié, contrairement aux autres.

Silence. Ivan esquissa un pas vers elle, visiblement trans-porté par sa révélation.

— Dans ce cas, vous devriez vous montrer plus compré-hensive. Peut-être que ça s'est mal terminé pour vous, mais pour moi... qui sait ? Et si c'était la chance de ma vie ?

Opale lui présenta un regard désolé.

— Non. Je vais te montrer quelque chose, Ivan. Viens avec moi. Laissons tomber le bureau. Tu vas assister à ton dernier cours.

Ivan avait perdu son entrain ; elle lui tapota le menton d'un geste affectueux.

— Eliz...

— Pour l'instant, oublie-la. Si tu choisis de ne pas tirer profit de cette ultime leçon, tu l'auras à demeure demain, après-demain, et chaque jour que Dieu fait. Qui ne risque rien n'a rien.

Sur ces entrefaites, Opale lui tendit la main.

La mort dans l'âme, Ivan enserra les petits doigts glacés dans sa large paume. Opale le conduisit ensuite dans un endroit où, toute sa vie, il regretterait d'avoir mis les pieds.

31

Elizabeth, assise au pied des marches, observait le jardin à travers le panneau en verre dépoli de la porte d'entrée. L'horloge murale indiquait huit heures moins dix. Comme Ivan était la ponctualité incarnée, la jeune femme se rongeait les sangs. Cependant sa colère prit peu à peu le dessus : le comportement qu'il avait adopté samedi soir donnait à penser que son retard était dû à sa valse-hésitation, pas à un imprévu quelconque ni à un accident. Elle avait passé la veille à méditer sur le parfum de mystère qui flottait autour d'Ivan – son refus de lui présenter ses amis, ses proches ou ses collègues de travail, le fait que leur relation reste platonique – et, en pleine nuit, alors que le sommeil se dérobait, elle s'était avoué ce qu'elle se cachait depuis le début : soit Ivan fréquentait une autre femme, soit il freinait des quatre fers pour la fréquenter, elle. Et tout ce temps, elle avait balayé les signaux d'alerte d'un revers de main.

Elizabeth avait l'habitude de décortiquer, de planifier ses relations sentimentales dans leurs moindres détails ; le hasard n'y avait pas sa place. Ivan, lui, prenait un malin plaisir à déjouer toutes ses prévisions et cela la mettait mal à l'aise. Elizabeth privilégiait la stabilité, la routine – tout ce qui faisait défaut à Ivan. Preuve que cela ne pourrait jamais marcher entre eux, se raisonna-t-elle…

En prime, elle ne discutait jamais de ses angoisses avec son nouvel ami. Pourquoi ? Parce qu'en sa compagnie ses peurs se volatilisaient. Ivan débarquait, la prenait par la main et l'emportait vers un chapitre inédit de sa vie, un chapitre cumulant les péripéties qu'elle acceptait, ayant jeté ses réserves aux orties avec une sérénité aveugle. C'était lorsqu'elle se retrouvait sans lui, dans des moments comme celui-ci, qu'elle doutait de tout.

Elizabeth se promit alors de prendre ses distances. Ce soir, elle mettrait les choses au clair : ils étaient trop dissemblables, sa vie à elle était une lutte perpétuelle et, à ce qui lui semblait, Ivan refusait par tous les moyens de regarder la situation en face. Les secondes s'égrenaient... la cinquantième minute de retard fit place à la cinquante et unième... et tout indiquait que cette conversation à bâtons rompus allait devoir se tenir un autre jour. Immobile au bas de l'escalier, vêtue d'un pantalon et d'une chemise crème – couleur qu'elle n'aurait jamais osé porter avant sa rencontre avec Ivan –, Elizabeth se sentait stupide. Stupide de l'avoir écouté, de lui avoir accordé sa confiance, de n'avoir pas su décrypter les indices et, pire, d'être tombée amoureuse de lui.

Pour l'instant l'indignation noyait son chagrin, mais si la jeune femme restait à ruminer entre ses quatre murs le rapport de force n'allait pas tarder à s'inverser et la douleur remonterait à la surface. Elle en était familière.

Elle se leva, décrocha le combiné du téléphone, composa un numéro. Les mots jaillirent de sa bouche.

— Benjamin, c'est Elizabeth. Ça vous dirait de manger japonais ce soir ?

Une petite rue pavée, mal éclairée, du centre de Dublin. Des flaques d'eau ponctuaient les trottoirs défoncés de ce quartier constitué en majorité d'entrepôts. Une maisonnette en briques rouges se dressait au cœur de ce paysage industriel.

— Où sommes-nous ? demanda Ivan. C'est surprenant, cette maison isolée. Un peu à l'écart, comme un îlot.

— Nous voilà arrivés à destination, répondit Opale. Le propriétaire n'a pas voulu vendre son terrain aux entreprises qui ont mis le grappin sur les autres. Il a résisté à l'invasion.

Ivan étudia la modeste bâtisse.

— Je parie qu'ils lui en ont offert un bon prix. Il aurait sûrement pu s'acheter une villa à Hollywood avec le magot empoché.

Il pataugea dans une flaque d'eau et vérifia l'état de ses Converse.

— J'ai décidé que les pavés, c'est de loin ce que je préfère.

Opale laissa échapper un petit rire.

— Oh, Ivan, tu te rends compte qu'on ne peut pas ne pas t'aimer ?

Elle pressa le pas sans attendre de réponse. Tant mieux : sa remarque avait rendu Ivan perplexe.

— Qu'est-ce qu'on fait là ? s'enquit-il pour la énième fois depuis qu'ils s'étaient mis en route.

Tous deux s'étaient postés juste en face de la maison et Ivan observait Opale.

— On attend. Quelle heure est-il ?

— Un peu plus de sept heures. Elizabeth va m'arracher les yeux.

À ce moment-là, la porte d'entrée s'ouvrit et un vieil homme apparut sur le seuil. Il s'appuya contre l'embrasure, qui semblait lui tenir lieu de béquille, et regarda dehors, au loin, comme s'il voyait le passé se dérouler devant lui.

— Suis-moi, ordonna Opale en traversant la rue.

Elle passa sous le nez du vieillard et pénétra dans la maison.

— Opale, siffla Ivan, je ne peux pas m'inviter comme ça chez un étranger.

Mais sa patronne avait déjà disparu à l'intérieur.

Ivan s'attarda au niveau du vieil homme et lui tendit la main.

— Euh, bonjour, je m'appelle Ivan.

Le vétéran resta obstinément agrippé au cadre de la porte, ses yeux chassieux perdus dans le vague.

— Bon, eh bien je vais me faire tout petit et rejoindre Opale.

L'ami imaginaire se faufila dans le couloir, étudia le décor. Il flottait dans l'air une odeur particulière : la maison sentait le vieux, avec ses meubles vétustes, sa TSF hors d'usage, son horloge comtoise décrépite dont le tic-tac venait troubler un silence de mort. Le temps semblait avoir imprégné chaque objet, gouverné une existence passée à écouter la marche inexorable des aiguilles. Ivan surprit Opale au salon ; elle examinait les photographies qui encombraient toutes les surfaces disponibles.

— On se croirait dans votre bureau, plaisanta-t-il. Allez, dites-moi ce que vous m'avez réservé.

Opale posa son regard sur Ivan.

— Je t'ai confié un peu plus tôt que je comprenais ce que tu ressentais.

— Très juste.

— Je t'ai même confié que je suis déjà tombée amoureuse.

Ivan confirma. Opale poussa un soupir et joignit les mains, comme pour rassembler ses forces.

— Eh bien, nous nous trouvons chez celui que j'aime.

— Oh.

— Et il ne se passe pas un jour sans que je lui rende visite.

— Le petit vieux, ça ne le dérange pas qu'on débarque sans prévenir ?

Opale esquissa un sourire.

— C'est de lui que je suis tombée amoureuse, Ivan.

Lequel ouvrit de grands yeux, stupéfait. La porte d'entrée fut refermée dans un claquement et un bruit de pas traînants s'approcha d'eux. Les lames du parquet grinçaient.

— Pas possible ! Le petit vieux ? Mais c'est un fossile, il doit avoir quatre-vingts ans bien tassés !

Le fossile en question apparut dans la pièce, sa frêle silhouette secouée par une quinte de toux. Il s'arrêta pour reprendre son souffle, grimaça de douleur et, avec une lenteur précautionneuse, se laissa choir dans un fauteuil, les mains clouées à l'accoudoir.

Ivan considéra le nouveau venu, puis Opale, et finit par poser sur le vieil homme un regard empreint d'un dégoût qu'il tenta, en vain, de dissimuler.

— Il ne peut pas te voir ni t'entendre. Nous sommes invisibles à ses yeux, expliqua Opale d'une voix forte.

La suite de son discours bouleversa l'existence d'Ivan. Une trentaine de mots somme toute anodins qui bousculèrent l'ordre qu'il croyait établi. Opale s'éclaircit la gorge et ajouta d'une voix chevrotante, rythmée par le tic-tac de l'horloge :

— Il faut garder à l'esprit qu'il y a quarante ans, à l'époque de notre première rencontre, il n'avait rien d'un fossile. Il était du même âge que moi maintenant.

En l'espace de quelques secondes, le visage d'Ivan passa de la confusion à l'abattement, en traversant toute la gamme des émotions : le choc, l'incrédulité, la pitié. À peine avait-il appliqué la tirade d'Opale à sa situation qu'il sombra dans le désespoir. Le visage altéré, il blêmit et tourna de l'œil. Son amie accourut pour le retenir et il s'accrocha à elle comme à une bouée.

— J'essayais de te le faire comprendre, Ivan. Elizabeth et toi vous pouvez créer votre propre monde et nager dans le bonheur, à l'abri des autres, mais ce que tu oublies, c'est qu'elle n'est pas éternelle, contrairement à toi.

Ivan se mit à trembler.

— Mon pauvre, je suis désolée. Sincèrement.

Opale le serra plus fort et le berça tandis qu'il pleurait toutes les larmes de son corps.

— J'ai fait sa connaissance dans des circonstances similaires à celles de ta rencontre avec Elizabeth, raconta Opale un peu plus tard dans la soirée, une fois séchées les larmes d'Ivan.

Ils avaient pris place dans des fauteuils poussiéreux non loin de Geoffrey, le bien-aimé d'Opale, qui n'avait pas bougé d'un pouce et continuait à observer la rue par la fenêtre. De temps à autre il lui arrivait de tousser avec une violence telle qu'il donnait le sentiment de cracher ses poumons ; aussitôt Opale, très mère-poule, se précipitait à son côté.

Les joues baignées de pleurs, les cheveux dans les yeux, elle tordait un mouchoir tout en déroulant son parcours.

— J'ai commis les mêmes erreurs que toi, renifla-t-elle, et même celle que tu t'apprêtais à faire ce soir. Il avait quarante ans en ce temps-là et nous sommes restés vingt ans ensemble, jusqu'à ce que la situation devienne intolérable.

Une lueur d'espoir enflamma le regard d'Ivan.

— Non, Ivan. Ça ne marcherait pas non plus pour vous.

Ce fut son chagrin qui eut raison des doutes d'Ivan. Si Opale s'était montrée plus ferme, il aurait riposté sur le même ton, mais sa voix trahissait des abîmes de douleur. Elle n'eut pas besoin de longs discours pour le convaincre.

— Je n'avais pas réfléchi à ça. J'étais tellement heureux que le problème de l'âge ne m'a jamais traversé l'esprit.

— Je le sais bien, et tu n'as pas à t'en vouloir : en temps normal ce problème ne se présente pas.

Ivan promena son regard autour de lui, sur la ribambelle de photos exposées aux murs. Geoffrey devant la tour Eiffel, devant la tour de Pise, allongé sur le sable doré d'une plage tropicale, respirant la santé et le bonheur.

— Il a beaucoup voyagé, on dirait. Au moins il a réussi à passer à autre chose et à prendre du bon temps en solo, la consola Ivan.

Opale lui lança un coup d'œil troublé.

— Mais je l'ai accompagné dans ses voyages.

— Oh, super. C'est vous qui avez pris les photos ?

— Non. Je pose avec Geoffrey. Tu ne me vois pas ?

Opale paraissait au comble de la consternation. Ivan, lentement, fit non de la tête.

— Ah, conclut-elle, étudiant à son tour les clichés.

— Pourquoi est-ce qu'il ne vous voit plus ? s'informa Ivan, qui épiait Geoffrey à la dérobée.

Celui-ci venait de gober une poignée de pilules, qu'il avait fait descendre avec un verre d'eau.

— Pour la raison que je ne suis plus celle que j'étais autrefois, ce qui expliquerait pourquoi tu ne me distingues pas non plus sur les photos. Geoffrey a besoin d'une compagnie différente, notre lien s'est brisé.

Le vieil homme quitta son fauteuil en ahanant et, avec l'aide de sa canne, chemina à petits pas vers la porte d'entrée. Il l'ouvrit en grand et se posta de nouveau sur le seuil.

— Viens, il est temps de partir, annonça Opale.

Elle se mit debout et quitta la pièce. Ivan l'interrogea du regard.

— Au début de notre relation je lui rendais visite tous les soirs, deux pleines heures, de sept à neuf. Et, étant donné mon inaptitude à ouvrir les portes, il m'attendait à l'entrée, tous les jours sans exception. Voilà pourquoi il a refusé de vendre la maison. Il pensait qu'autrement, je ne pourrais pas le retrouver.

Ivan regarda le vieil homme flageoler sur ses jambes, les yeux perdus dans le lointain, se remémorant peut-être avec nostalgie son excursion à Paris ou le bain de soleil sur la plage. Ce n'était pas l'avenir qu'il souhaitait à Elizabeth.

— Au revoir, mon Opale chérie, prononça Geoffrey d'une voix râpeuse.

— Bonne nuit, mon amour – Opale déposa un baiser sur la joue ridée, et le vieil homme ferma les yeux –, à demain.

32

Le brouillard s'était enfin levé. Je savais ce que je devais faire : accomplir la mission pour laquelle j'avais été envoyé à Fuchsia Lane, c'est-à-dire rendre la vie d'Elizabeth aussi agréable que possible. Mais je m'étais tellement impliqué dans notre relation que j'allais devoir cicatriser les blessures récentes, celles que je lui avais infligées par ma bêtise, en plus des anciennes. Je ne me pardonnais pas d'avoir tout gâché, de m'être emballé et d'avoir perdu de vue mon objectif initial. Ma colère noyait mon chagrin, ce qui m'arrangeait en quelque sorte car épauler Elizabeth impliquait de mettre mes propres sentiments en sourdine et de lui donner la priorité – ce dont j'aurais dû me préoccuper d'entrée de jeu. Le truc, avec les leçons, c'est qu'on ne les retient qu'après coup, donc trop tard. La douleur de perdre Elizabeth, j'avais le restant de mes jours pour m'y accoutumer.

J'avais passé une nuit blanche à gamberger sur les semaines précédentes et sur ma vie en général. Spéculer sur le long terme ne m'était encore jamais arrivé. Jusque-là je ne m'étais pas soucié de moi, de mon parcours – à tort. Le lendemain matin, je me suis retrouvé à Fuchsia Lane et je me suis juché sur le muret, là où Luke et moi on avait fait connaissance un mois plus tôt. La porte rose m'a adressé un grand sourire, et je l'ai saluée en retour. Elle, au moins, ne m'a pas rayé de ses petits papiers. En revanche, je savais qu'Elizabeth allait me tomber dessus à bras raccourcis : elle déteste les retardataires. Moi, je lui avais carrément fait faux bond. Pas exprès, d'accord, pas par méchanceté gratuite, mais par amour. Imaginez-vous une personne qui pose un lapin à une autre parce qu'elle l'aime trop ? Qui lui cause de la peine, la plonge dans la solitude, la colère, l'amertume… pour son bien ? Toutes ces nouvelles règles me poussaient à questionner mes aptitudes de meilleur ami. Elles dépassaient mon entendement, me mettaient mal à l'aise. Comment enseigner à Elizabeth l'espoir, le bonheur, le rire, l'amour, quand je n'y croyais moi-même qu'à moitié ? Oh, je savais que c'était possible, mais de la possibilité à l'impossibilité – un mot à ajouter à mon vocabulaire –, il n'y a qu'un pas.

À six heures du matin, la porte s'est ouverte et j'ai sauté sur mes pieds, comme un élève qui honore son professeur. Elizabeth est sortie, a fermé à clef derrière elle, a dévalé l'allée au pavage rond. Elle portait son jogging chocolat, la seule tenue décontractée que comportait sa garde-robe (en plus d'un jean). Les cheveux coiffés à la diable, pas maquillée, elle était plus belle que jamais. Mon cœur s'est tordu de douleur dans ma poitrine.

C'est alors qu'elle m'a avisé et a stoppé net. Son visage est resté de marbre, ma peine s'est intensifiée. Au moins, elle continuait à me voir, c'était le principal. Ne considérez pas le regard de l'autre comme allant de soi, vous n'avez pas idée de votre chance. En fait non, la chance n'a rien à voir là-dedans. Un coup d'œil, même furieux, vaut mieux qu'une indifférence marquée : c'est quand on devient transparent aux yeux des autres qu'il faut commencer à s'inquiéter. Elizabeth a pour habitude de tourner le dos à ses problèmes, de ne pas leur faire face. De toute évidence je présentais un problème qui valait la peine d'être résolu.

Elle s'est approchée de moi, bras croisés, menton relevé, droite comme un piquet.

— Est-ce que ça va, Ivan ?

Sa question m'a laissé sans voix. Je m'attendais à ce qu'elle s'énerve, m'accable de reproches et refuse d'écouter ma version des faits, comme dans les films, mais non. Elle était calme, un calme trompeur qui précédait – peut-être – la tempête. Le feu sous la glace. Elle étudia les traits de mon visage, à la recherche d'improbables prétextes.

Je ne pense pas qu'on m'ait déjà demandé de mes nouvelles ; c'est ce à quoi je pensais tandis qu'Elizabeth m'inspectait de pied en cap. Non, ça n'allait pas, je le sentais bien. Non seulement j'étais à bout de nerfs, flapi, démoralisé, affamé, mais une douleur étrange s'était insinuée dans ma poitrine, avait atteint mes membres et ma tête. J'avais l'impression que mes convictions et mes principes s'étaient dénaturés du jour au lendemain, ces mêmes principes que j'avais gravés dans la pierre et récités d'une voix forte à Jynérimah, qui m'avaient apporté joie et réconfort. On aurait dit qu'un prestidigitateur avait dévoilé ses cartes et démontré qu'il ne faisait pas appel à la magie authentique, mais à une simple illusion d'optique. Ou à un mensonge.

— Ivan ? s'est-elle enquise, soucieuse.

Elle a esquissé un pas vers moi et m'a touché l'épaule.

J'avais la langue nouée.

— Viens, allons nous promener.

Bras dessus bras dessous, on s'est éloignés de Fuchsia Lane.

Ils cheminèrent longtemps dans un silence absolu, longèrent la forêt, se gorgèrent d'air frais. Les oiseaux gazouillaient à tue-tête dans le petit matin, quelques lapins plus audacieux que leurs congénères surgirent sur leur passage, des papillons virevoltèrent sous leur nez. Un soleil encore timide s'aventurait à travers le feuillage des chênes et leur caressait le visage. Non loin coulait un ruisseau dont leur parvenait la mélodie discrète. Elizabeth et Ivan aboutirent à une clairière dont les arbres majestueux, branches tendues, leur présentèrent le lac avec une solennité de circonstance. Ils franchirent un pont de bois et, ayant pris place côte à côte sur un banc sculpté, regardèrent les saumons remonter à la surface de l'eau pour happer des moucherons.

La jeune femme finit par briser le silence :

— Ivan, je mène une vie compliquée et j'essaie de me rendre les choses aussi simples que possible. Je sais d'avance à quoi m'attendre, je sais ce que la journée va me réserver, je sais où porter mes pas tous les jours sans exception. Comme je suis entourée de gens difficiles et imprévisibles, je recherche la stabilité.

Pour la première fois depuis qu'ils s'étaient assis au bord de l'eau, Elizabeth et Ivan échangèrent un regard.

— Toi, tu me prives de cette simplicité. Tu débarques dans ma vie et tu chamboules tout. La plupart du temps danser et rire à perdre haleine sur une plage, cela me rend heureuse, j'ai l'impression de me glisser dans la peau d'une autre. Mais hier soir je suis devenue quelqu'un que je n'ai pas envie d'être. J'ai besoin de simplicité, Ivan, insista Elizabeth.

Une longue pause suivit ces paroles.

— Pour hier soir, je te présente mes excuses, répondit Ivan. Tu me connais ; ce n'était pas prémédité.

Il marqua un temps d'arrêt et se demanda s'il était judicieux de raconter à la jeune femme les événements de la veille. Il se ravisa.

— Tu sais, Elizabeth, plus tu t'efforces de simplifier ce qui t'arrive, plus tu te compliques la vie. Tu observes des règles, tu ériges des murs, tu te coupes des gens, tu te mens à toi-même et tu rejettes ta véritable nature. Ce n'est pas ce que j'appelle simplifier les choses.

Elizabeth se passa la main dans les cheveux.

— Ma sœur est aux abonnés absents, je dois m'occuper de mon neveu de six ans alors que le pouponnage, je n'y connais rien, mon père ne quitte plus sa fenêtre parce qu'il attend le retour d'une femme perdue de vue depuis vingt ans. Hier soir, assise au bas des marches, je me suis rendu compte que je n'avais rien à lui envier : je guettais l'arrivée d'un homme dont je ne sais rien, un homme qui prétend venir de Jynérimah, un nom que j'ai tapé sur Google et cherché dans l'atlas des dizaines de fois et il se trouve que cet endroit n'existe pas. Je tiens beaucoup à toi, Ivan, sincèrement, mais un jour tu m'embrasses et le lendemain tu me laisses en rade. Non seulement je ne comprends rien à ton manège, mais en plus j'ai déjà assez de soucis comme ça.

Tous deux contemplèrent le lac à l'onde ridée par les saumons ; le clapotis les apaisa. De l'autre côté, sur la berge, un héron évoluait avec grâce sur ses longues pattes fines. Pêcheur émérite, l'échassier attendait patiemment le moment idéal pour briser la surface polie de l'eau de son bec effilé.

Ivan ne put s'empêcher de déceler des similitudes entre leurs activités respectives.

Lorsqu'un verre, ou une assiette, tombe par terre, il s'écrase avec un fracas à réveiller les morts. Lorsqu'une vitre éclate, que le pied d'une table se fend, qu'un cadre se décroche d'un mur, cela produit un bruit horrible. Mais lorsque votre cœur se brise, il le fait dans un silence complet. On pourrait penser, vu la portée de l'événement, qu'il produirait un vacarme stupéfiant ou même un son bien à lui, un timbre grandiose comme un gong ou un petit bip. Bien au contraire : le silence est assourdissant, et rien ne vient vous distraire de la douleur.

Si bruit il y a, il reste enseveli au plus profond de vous. Votre cœur hurle mais personne ne l'entend, personne à part son propriétaire. Il hurle si fort qu'il vous transperce les tympans, vous vrille le crâne. Il se débat dans votre poitrine, cogne de toutes ses forces, rugit de colère. Voilà ce qu'évoque un cœur brisé : un animal pris au piège, épouvanté, ligoté, prisonnier de ses émotions. L'amour, ce sentiment qui n'épargne personne, peut se révéler aussi douloureux qu'une plaie à vif rongée par l'eau de mer. À l'intérieur, le chaos ; tout autour, un calme trompeur.

Elizabeth, elle, a senti que j'avais le cœur brisé, j'ai aussi vu le sien en mille morceaux. Et sans échanger une seule parole nous avons compris qu'il était temps de renoncer à nos rêves et de redescendre sur terre – une terre que nous n'aurions jamais dû quitter.

33

— On ferait mieux de rentrer, décréta Elizabeth en se levant d'un bond.

— Pourquoi ?

— Parce qu'il commence à pleuvoir, répondit-elle en foudroyant Ivan du regard.

Une goutte tomba sur son visage, la fit tressaillir.

— Je ne vois pas le problème, rit Ivan. Dès qu'il pleut, tu vas te réfugier à l'intérieur de ta voiture ou d'une maison. Tu peux m'expliquer ?

— Je n'ai pas envie de me faire saucer. Allez, viens !

Elizabeth observa les arbres et l'abri qu'offrait leur feuillage.

— Pourquoi ça t'embête d'être mouillée ? Les habits, ça sèche.

— Parce que.

Elle attrapa Ivan par la main et le hala de toutes ses forces. Elle tapa du pied, comme une fillette qui fait un caprice, lorsqu'il refusa de quitter le banc.

— Parce que quoi ?

— Aucune idée. C'est juste que je n'ai jamais aimé la pluie. Il faut vraiment que je te raconte tous mes petits problèmes ?

— Chaque petit problème a son explication, Elizabeth.

Ivan recueillit quelques gouttes de pluie au creux de sa paume.

— Eh bien, dans ce cas l'explication est toute simple : en rapport avec notre conversation, la pluie rend les choses plus compliquées. Ça trempe les vêtements, c'est désagréable, et ça enrhume.

— Mauvaise réponse. Ce n'est pas la pluie qui enrhume, mais le froid. Là, il s'agit d'une simple ondée, donc rien à craindre.

Ivan rejeta la tête en arrière, ouvrit grand la bouche et tira la langue afin de se désaltérer.

— Non, elle n'est pas froide du tout, et elle a bon goût. Au fait, tu ne m'as pas dit la vérité.

— Hein ? s'exclama Elizabeth.

— Je lis entre les lignes, j'entends ce qu'on me cache, et je sais quand un point est moins un point final qu'un « mais ».

Elizabeth poussa un grognement. La tête rentrée dans les épaules, elle se frottait les bras. On aurait dit qu'elle essuyait un véritable ouragan.

— Ce n'est que de la pluie, Elizabeth. Regarde autour de toi. Est-ce que tu vois quelqu'un d'autre prendre ses jambes à son cou ?

— À part nous, il n'y a personne !

— Au contraire ! Le lac, les arbres, le héron, les saumons, tout le monde se fait saucer.

Ivan étancha de nouveau sa soif.

Avant de se mettre à l'abri des arbres, Elizabeth le sermonna une fois encore :

— Attention, ce n'est pas une bonne idée de boire de l'eau de pluie.

— Ah bon ?

— Peut-être qu'elle est toxique. Tu connais l'effet du monoxyde de carbone sur l'atmosphère ? Tu as entendu parler des pluies acides ?

Ivan s'écroula sur le banc en faisant mine de suffoquer, puis rampa jusqu'au lac et y trempa sa main. Elizabeth n'en continua pas moins sa harangue.

— Et cette eau-là, elle est contaminée aussi ? demanda-t-il.

Sur ce, il l'aspergea.

Yeux écarquillés, stupéfaite, Elizabeth resta plantée sur la rive, de l'eau dégouttant du nez. Sans crier gare, elle poussa Ivan et éclata d'un rire sonore en le regardant boire la tasse.

Son rire mourut dans sa gorge quand l'eau engloutit son ami.

Troublée, elle s'approcha de l'eau et s'aperçut que le seul mouvement perceptible en surface était les ronds provoqués par les gouttes de pluie qui s'écrasaient sur le lac placide. Celles qui ruisselaient sur son visage ne la préoccupaient plus. Une minute entière s'écoula ainsi, interminable.

— Ivan ? chevrota Elizabeth. Ivan, ce n'est plus drôle, sors de là.

Courbée, elle compta jusqu'à dix en égrenant les chiffres à mi-voix. Qui pouvait tenir en apnée aussi longtemps ?

Une fusée surgit alors dans une gerbe d'écume.

— On joue à la bagarre ! hurla Ivan en saisissant Elizabeth par les bras et en la tirant, tête la première, dans l'eau.

Sa réapparition soulagea tellement la jeune femme qu'elle n'essaya même pas de résister.

— Bonjour, Mr O'Callaghan ; bonjour, Maureen ; salut, Fidelma ; bonjour, Connor ; mes respects, père Murphy...

Tandis qu'elle remontait la rue principale, Elizabeth salua ses voisins qui, abasourdis, la suivirent du regard. Ses tennis couinaient, son jogging était gorgé d'eau.

— Il vous va bien, ce nouveau style, fit remarquer Benjamin, amusé.

Il tendit vers elle sa tasse de café en guise d'approbation. Près de lui, devant chez Joe, un essaim de touristes déversait du café sur le trottoir en dansant la gigue et en riant aux éclats.

— Merci, Benjamin, répondit Elizabeth dans la foulée.

Le soleil baignait de lumière les rues qui n'avaient pas encore reçu la pluie. Les villageois chuchotèrent et pouffèrent sur le passage d'Elizabeth Egan qui, la tête haute, les bras le long du corps, parcourait fièrement la bourgade, des algues mêlées à ses cheveux en broussaille.

Elizabeth jeta son crayon de couleur, chiffonna l'esquisse sur laquelle elle s'échinait depuis un long moment et la lança à travers la pièce. Le projectile atterrit à côté de la corbeille à papier, mais Elizabeth s'en fichait souverainement : la boulette avait rejoint la dizaine d'autres qui traînaient par terre, témoins de ses tentatives infructueuses. Elizabeth adressa une grimace à son calendrier. La croix rouge qui indiquait en septembre la fin de l'existence d'Ivan, l'ami invisible de Luke, avait changé depuis longtemps de fonction : elle signalait désormais la fin de la carrière d'Elizabeth, c'est-à-dire l'inauguration de l'hôtel. Enfin, en forçant un peu le trait… car tout se déroulait à la perfection, les commandes avaient été livrées à temps, les rares bévues n'avaient pas provoqué de désastre à grande échelle, Mrs Bracken et ses couturières ne chômaient pas : des heures durant, elles confectionnaient coussins, rideaux et jetés de lit. Seule Elizabeth, contre toute attente, ralentissait l'équipe. Elle avait beau se creuser les méninges, impossible de trouver un concept valable pour l'aire de jeux, au point qu'elle se mordait les doigts d'avoir soumis cette idée à Vincent. Ces derniers temps, elle avait l'esprit ailleurs.

Elle s'installa à la table de la cuisine et se dérida au souvenir du plongeon qu'elle avait piqué dans le lac ce matinlà. Son histoire avec Ivan avait atteint des sommets de bizarrerie, un état de fait qu'elle jugeait incompréhensible. Elle avait mis un terme à leur relation – cette solution radicale avait d'ailleurs réduit son cœur en miettes – et pourtant il s'était derechef invité chez elle, l'avait fait rire sans avoir l'air d'y toucher. Mais quelque chose était survenu, quelque chose d'ahurissant qui pesait de tout son poids sur sa poitrine. À mesure que la soirée avançait, Elizabeth avait pris conscience que jamais encore elle n'avait fait machine arrière dans une relation sentimentale alors qu'elle appréciait par-dessus tout la compagnie de l'homme concerné. Aucun dn'était prêt à passer à la vitesse supérieure, du moins pas tout de suite, et ce statu quo la remplissait d'amertume.

La veille, le dîner avec Benjamin s'était déroulé dans une ambiance agréable. Elizabeth avait dû se faire violence : *exit* ses habitudes pantouflardes, son allergie au bavardage, son aversion pour tout aliment préparé par des mains qui n'étaient pas les siennes – sans compter qu'elle détestait les mondanités Ce qu'elle supportait de bon gré en présence d'Ivan, ce qu'elle trouvait même amusant, elle le considérait comme une corvée dans d'autres conditions. Benjamin et elle partageaient, Dieu merci, de nombreux points communs. Le jeune homme avait de la conversation et les sushis avaient tenu leurs promesses. Malgré cela, Elizabeth s'était sentie soulagée quand avait sonné l'heure de rentrer : elle avait consacré la majeure partie du repas à penser à

Ivan et à ce que l'avenir leur réservait. Force fut de constater que quitter Ivan, au contraire de Benjamin, était à chaque fois un crève-cœur.

Les gloussements de Luke la tirèrent de sa rêverie.

— Bonjour, madame, déclara Ivan.

Elizabeth posa les yeux sur l'improbable tandem qui déboulait dans la véranda via le jardin. Les deux amis inspectaient le décor à travers une loupe, ce qui les transformait en cyclopes, et ils s'étaient tracé une moustache au feutre noir. Face à un tel spectacle, la jeune femme ne put contenir sa gaieté.

— Ah, je vous prierais d'adopter une contenance plus digne, madame. Une homicidation a été commise non loin de ces lieux, poursuivit Ivan en approchant de la table.

— Un meurtre, souffla Luke.

— Hein ? s'horrifia Elizabeth.

— On est à la recherche d'indices, m'dame, reprit son neveu dont la moustache dessinée de guingois tremblotait.

— Un infâme zigouilleur a frappé dans votre closerie, exposa son ami qui balayait la table de sa loupe.

— Le jardin, glosa Luke.

Elizabeth lui adressa un signe d'intelligence.

— Veuillez pardonner notre intrusion et permettez que je me présente : Hercule Sherlock, détective privé, et voici mon fidèle acolyte, le docteur du Tracteur. À votre service, gente dame.

— « Du Tracteur », c'est « traducteur » dans le désordre, pouffa le garçonnet.

— Oh, lança Elizabeth. Eh bien, je suis ravie de faire votre connaissance mais, comme vous le voyez, j'ai du pain sur la planche. Alors si vous voulez bien passer votre chemin…

— Passer notre chemin ? Vous vous moquez ! Nous effectuons une enquête sur un acte d'une gravité extrême et vous, entre-temps, à quoi occupez-vous vos heures perdues ?

Ivan repéra les boulettes de papier éparpillées autour de la corbeille. Il en ramassa une au hasard et l'étudia.

— Vous confectionnez des boules de neige, ce me semble.

Elizabeth lui adressa une grimace, ce qui plut beaucoup à Luke.

— Vous êtes bonne pour l'interrogatoire, ma chère. Auriez-vous l'obligeance de nous prêter une lampe-torche de forte intensité ? Nous avons l'intention de vous aveugler lors du questionnement.

Elizabeth le fusilla du regard.

— Soit, madame, rétorqua Ivan.

— Et qui est la victime ? s'informa son amie.

— Ah, mes soupçons se vérifient, docteur du Tracteur. La principale suspecte, fine mouche, feint l'innocence.

— Tu penses que c'est elle la coupable, monsieur Sherlock ? s'enquit Luke.

— C'est ce que j'espère découvrir. Madame, le corps sans vie d'un ver de terre, atrocement mutilé, a été retrouvé ce matin sur le sentier qui mène de la véranda à la corde à linge. Sa famille, terrassée par cette perte, nous a signalé que le malheureux a quitté son domicile peu après la fin de l'averse car il caressait le projet de franchir ce sentier funeste et d'explorer l'autre versant du jardin. Le mystère plane encore sur les raisons de sa décision, mais les vers de terre ont l'habitude de ce genre d'aventures.

Neveu et tante échangèrent un coup d'œil amusé.

— La giboulée a pris fin à dix-huit heures trente, heure locale, moment auquel l'infortuné a été vu vivant pour la dernière fois. Pourriez-vous m'éclairer sur votre emploi du temps, madame ?

— Je suis suspectée du meurtre d'un ver de terre ? s'esclaffa Elizabeth.

— À ce stade de l'enquête, tout le monde est suspect.

— Voyons voir… je suis rentrée du bureau à six heures et quart, j'ai mis le dîner à chauffer, je suis allée dans la buanderie et j'ai transféré la lessive de la machine à laver au panier.

— Ensuite ?

Ivan se planta face à la jeune femme et scruta son visage, loupe en main.

— Tout indice est bon à prendre, chuchota-t-il à l'adresse de Luke.

Elizabeth éclata alors de rire.

— Ensuite j'ai attendu qu'il arrête de pleuvoir et je suis allée étendre la lessive sur la corde à linge.

Ivan simula une crise d'étouffement.

— Docteur du Tracteur, vous avez entendu ? Elle vient de se trahir ! Nous tenons le perpétrateur de ce geste ignoble !

— Le coupable, clarifia Luke dans un sourire qui découvrit ses gencives, d'où était tombée une dent de lait – encore une.

Les détectives se tournèrent vers Elizabeth en brandissant leur loupe.

— Comme vous m'avez caché l'imminence de votre anniversaire qui tombe la semaine prochaine, je vous condamne à organiser dans votre jardin une fête en hommage au défunt, feu monsieur Tortillard.

— Hors de question, grogna Elizabeth.

Ivan adopta un ton guindé :

— Je sais, Elizabeth, je sais. Frayer avec la populace, quelle calamité.

— Quoi ? Quelle populace ?

— Oh, juste deux trois personnes qu'on a invitées pour l'occasion. Luke a posté les invitations ce matin. Il n'est pas génial, ce p'tit bonhomme ?

Luke rayonnait de fierté.

— D'ici quelques jours tu vas donner un grand raout, reprit Ivan. Des gens, des quasi inconnus, vont envahir ta maison et piétiner ta belle moquette avec leurs chaussures toutes crottées. Tu crois que tu vas survivre à cette épreuve ?

34

Les yeux fermés, Elizabeth était assise en tailleur sur le drap qui recouvrait le sol bétonné de la salle de jeux.

— C'est donc ici que tu disparais chaque jour, prononça soudain une voix douce.

Elizabeth ne se laissa pas troubler.

— Comment tu arrives à faire ça, Ivan ?

— Faire quoi ?

— Surgir de nulle part, pile quand je pense à toi.

Ivan émit un rire modeste mais se garda de répondre à la question.

— Pourquoi cette pièce est-elle la seule qui attend d'être terminée ? Et même commencée, à ce que je vois…

Il se planta derrière Elizabeth.

— Parce que j'ai besoin d'aide. Je suis en panne d'inspiration.

— Elizabeth Egan, demander de l'aide ? Ça tient du miracle.

Un ange passa. Ivan se mit alors à fredonner une mélodie qu'elle connaissait bien, une mélodie qui ne la quittait pas depuis deux mois et l'avait presque envoyée sur la paille à cause de la tirelire de Poppy.

— Qu'est-ce que tu chantonnes ?

— Ma ritournelle préférée.

— C'est Luke qui te l'a apprise ?

— Non, plutôt l'inverse. Ça paraîtrait logique.

— Ah, c'est donc toi le coupable. Moi qui croyais qu'il s'agissait d'une invention de son ami invisible.

Elizabeth rit tout bas et leva la tête ; Ivan demeurait impassible. Il n'en fit pas moins remarquer, en considérant son accoutrement :

— Quand tu parles, on dirait que tu mâchonnes une chaussette. Qu'est-ce que c'est que ce truc que tu as sur la bouche ? Une muselière ?

Sur ce, il explosa de rire. Elizabeth, elle, rougit jusqu'à la racine des cheveux.

— Non, pas une muselière, un masque. Est-ce que tu te rends compte de la quantité de poussière et de bactéries qui flottent dans l'air ? En plus, tu devrais porter un casque de chantier. Et si le bâtiment s'écroulait sur nos têtes ? Mais j'oubliais, tu es invisible. Même si tu te prenais des blocs de béton sur le coin de la figure, tu t'en sortirais sans un bobo.

— Qu'est-ce que tu portes d'autre ? demanda Ivan, imperméable à la mauvaise humeur de la jeune femme. Oh, des gants !

— Pour ne pas me salir les mains.

— Elizabeth, malgré tout ce que j'ai pu t'apprendre, tu te biles encore pour ce genre de détails.

Ivan passa près d'elle à grandes enjambées comiques, ramassa un pinceau et le trempa dans un pot de peinture rouge.

— Ivan, hasarda Elizabeth, soudain nerveuse, qu'est-ce que tu mijotes ?

— Tu as besoin d'un coup de main, si j'ai bien compris.

La jeune femme se mit lentement debout.

— Exact, d'un coup de main pour le mur.

— Manque de veine, tu ne l'as pas précisé plus tôt, donc j'ai peur que ça ne compte pas.

Il retrempa le pinceau dans le récipient et projeta une traînée de gouttes écarlates sur le visage d'Elizabeth.

— Dommage que tu n'aies pas pensé à protéger le reste de ton charmant minois, déclara-t-il d'une voix nonchalante en la regardant fulminer derrière son masque.

— Ivan, siffla Elizabeth, me jeter dans le lac est une chose, mais là… on touche le fond. Je suis en train de travailler. Je ne plaisante pas, Ivan, je veux que tu sortes de ma vie. Tu ne m'as même pas dit ton nom de famille.

— Je m'appelle Vizblini.

— Tu es d'origine russe, c'est ça ? hurla-t-elle, au bord de la crise de nerfs. Et est-ce que Jynérimah se trouve en Russie, est-ce que cet endroit existe vraiment ?

— Excuse-moi, se désola Ivan. Je vois que je t'ai fâchée. Je vais le remettre à sa place.

Il plongea lentement le pinceau dans le pot et lui restitua sa position initiale, l'ajustant sur le modèle des autres.

— J'ai exagéré, pardon.

Elizabeth sentit sa colère refluer. Ivan poursuivit sur sa lancée :

— Le rouge n'était peut-être pas une bonne idée, trop agressif. J'aurais dû me montrer plus subtil.

Un autre pinceau apparut sous le nez d'Elizabeth, qui écarquilla les yeux d'horreur.

— Un peu de blanc, qu'est-ce que tu en penses ?

Tout sourire, Ivan éclaboussa le tee-shirt de la jeune femme.

— Ivan ! s'écria Elizabeth, mi-figue mi-raisin. Très bien. Tu veux jouer, on va jouer à deux. Tester d'autres couleurs c'est ce que tu préfères, hein ?

Se ruant sur les pots de peinture, elle s'empara d'une arme et donna la chasse à Ivan à travers la pièce.

— Votre couleur favorite c'est bien le bleu, monsieur Vizblini ?

Elle réussit à orner d'une bande outremer la joue et les cheveux d'Ivan avant d'éclater d'un rire machiavélique.

— Tu trouves ça drôle ? s'exclama son ami.

Elizabeth opina, hilare :

— Super.

Ivan l'attrapa par la taille, la renversa et la cloua au sol d'un geste magistral. Tandis qu'elle se débattait en s'égosillant, il lui barbouilla la face.

— Si tu continues à crier, Elizabeth, tu vas te retrouver avec la langue toute verte.

Après l'avoir recouverte de peinture des pieds à la tête – la jeune femme se tenait tant les côtes qu'elle n'avait plus la force de se défendre –, Ivan dirigea son attention sur le mur.

— Ce dont il a besoin, c'est d'un peu de couleur.

Elizabeth retira son masque, tenta de reprendre son souffle. Le pourtour de sa bouche avait échappé aux coups de pinceau rageurs d'Ivan.

— Eh bien, cette muselière a quand même servi à quelque chose, fit-il remarquer. Mon petit doigt m'a dit que tu as eu un rendez-vous galant avec Benjamin West, ajouta-t-il en trempant un pinceau propre dans le pot de rouge.

— On a dîné ensemble, oui. Ça n'avait rien de galant. Tu me permettras d'ajouter que c'était le soir où tu m'as posé un lapin.

— Il te plaît?

— Il est sympa.

— Tu aimerais passer plus de temps avec lui?

Elizabeth entreprit d'enrouler le drap maculé de peinture.

— C'est avec toi que j'aimerais passer plus de temps.

— Et si ce n'était pas possible?

La jeune femme se raidit.

— Dans ce cas, j'exigerais une explication de ta part.

Ivan éluda sa remarque :

— Et si je n'existais pas, si on ne s'était jamais rencontrés, est-ce que tu aimerais passer plus de temps en compagnie de ce Benjamin West?

Elizabeth avala sa salive, rangea papier et stylos dans son sac, fit coulisser la fermeture Éclair d'un mouvement brusque. Elle en avait plein le dos de jouer au chat et à la souris ; ses questions la rendaient nerveuse, par-dessus le marché. La situation réclamait une sérieuse mise au net. La jeune femme se redressa, se trouva face à Ivan. Lequel avait inscrit sur le mur, en grandes lettres sanglantes : *Elizabeth + Benjamin = amour*.

— Ivan! Ça suffit, les enfantillages. Et si quelqu'un le voyait?

Elle voulut lui arracher le pinceau des mains, mais Ivan se rebiffa.

— Je ne peux pas te donner ce que tu veux, Elizabeth, murmura-t-il.

Un toussotement en provenance de la porte les fit sursauter : Benjamin observait la scène avec une curiosité teintée de plaisir, un œil sur Elizabeth, l'autre sur le graffiti.

— Salut, toi. Voilà un concept intéressant.

Silence lourd de signification. Elizabeth désigna le coupable d'un hochement de tête.

— C'est Ivan, expliqua-t-elle d'une voix innocente.

— Encore lui, plaisanta Benjamin, tout sourire.

Elizabeth confirma, mais le regard du nouveau venu s'attarda sur le pinceau qu'elle avait réussi à confisquer et qui distillait de la peinture sur son jean déjà en piteux état. Sous la mosaïque bariolée, elle sentit de nouveau le sang lui monter aux joues.

— On dirait que je t'ai prise la main dans le sac, souffla Benjamin en ébauchant un pas vers elle.

— Benji! hurla Vincent au loin.

Le jeune homme suspendit son mouvement, les traits figés en une expression de douleur.

— Je ferais mieux d'y aller. À plus tard.

Il laissa échapper un petit rire et s'éloigna.

— Au fait, énonça-t-il, merci pour l'invitation.

Elizabeth s'écarta d'Ivan, lequel, plié en deux, imbiba le pinceau de peinture blanche. Elle badigeonna ensuite l'équation mensongère, comme si ce geste suffisait à effacer de sa mémoire cet épisode gênant.

— Bien le bonjour, Mr O'Callaghan ; salut, Maureen ; bonjour, Fidelma ; quelle belle journée, Connor ; mes respects, père Murphy.

Chemin faisant, Elizabeth salua ses voisins. Sur ses bras séchait de la peinture rouge, des mouchetures bleues paraient ses boucles, son jean évoquait une toile impressionniste. Des regards stupéfaits l'accompagnèrent vers son agence tandis que ses vêtements larguaient çà et là des gouttes chamarrées qui dessinaient un sillage multicolore.

— À chaque fois tu effectues un détour. Pourquoi ? s'enquit Ivan, qui avait réglé son pas sur le sien.

— Un détour par où ? Bonjour, Sheila.

— Tu changes de trottoir avant la Taverne de Flanagan, tu marches quelques mètres et tu retraverses la rue quand tu arrives au niveau de chez Joe.

— N'importe quoi.

Elizabeth adressa un sourire à un autre badaud.

— Je ne plaisante pas, regarde !

La jeune femme stoppa net et inspecta la traînée de peinture qui jalonnait son parcours. Effectivement, elle avait changé de trottoir avant la Taverne, marché quelques mètres et retraversé la rue pour se rendre au bureau au lieu de tracer en ligne droite. Elle ne s'était jamais rendu compte de cette manie. Elle observa la façade du pub par-dessus son épaule. Mr Flanagan se tenait à l'entrée et s'offrait une pause cigarette. Il la salua d'un signe de tête, comme étonné qu'elle soutienne son regard. Sans quitter la maison des yeux, Elizabeth fronça les sourcils et sentit une boule se former dans sa gorge.

— Ça va ? s'inquiéta Ivan.

— Oui, murmura Elizabeth avant de s'éclaircir la voix et de bredouiller de manière aussi peu convaincante que possible : Oui, ça va.

35

Elizabeth croisa une Mrs Bracken estomaquée. La vieille femme, postée sur le seuil de sa boutique, était flanquée de deux rombières ; des pièces d'étoffe à la main, toutes marmottèrent sur son passage à la vue de sa chevelure arc-en-ciel.

— Est-ce qu'elle a perdu la tête ? avança une des commères sans prendre la peine de baisser la voix.

— Non, au contraire, rétorqua Mrs Bracken sur un ton amusé, je dirais plutôt qu'elle l'a retrouvée.

Suite à cette remarque ses amies lui faussèrent compagnie, outrées : visiblement, Elizabeth n'était pas la seule à ne pas tourner rond.

La jeune femme passa outre le regard surpris de Becca et le commentaire enthousiaste de Poppy («Voilà qui est mieux !») et referma derrière elle la porte de son bureau. Elle souhaitait se retrouver seule. Elle s'adossa au mur et chercha à comprendre la raison de son tremblement irrépressible. Que lui arrivait-il ? Quels monstres, tirés de leur sommeil, s'agitaient à l'intérieur d'elle ? Elle inspira profondément par le nez et souffla avec une lenteur étudiée, une, deux, trois fois, le temps que ses jambes cessent de flageoler.

Tout se déroulait sans accroc, elle trottait d'un bon pas à travers le village et décorait les pavés à sa manière, la journée promettait de bons moments et Ivan avait tout gâché d'une simple réflexion... mais qu'avait-il dit ? Il avait fait remarquer que... ah oui... À peine son commentaire lui était-il revenu en mémoire qu'un frisson la parcourut.

La Taverne de Flanagan. À en croire Ivan, elle évitait en permanence ce coin de trottoir, et il fallait se rendre à l'évidence : il avait raison. Mais pourquoi fuyait-elle cet endroit ? À cause de sa sœur ? Non, Saoirse avait ses habitudes à La Bosse du Chameau, un troquet situé au bout de la rue, à flanc de colline. Elizabeth rumina ses interrogations, prise de vertige. La pièce commença à tournoyer autour d'elle ; mieux valait rentrer à la maison car, chez elle, rien n'échappait à son contrôle : elle avait la mainmise sur sa vie, sur les gens, sur les objets, et même sur ses souvenirs. Chez elle, son besoin d'ordre était comblé.

— Où est passé ton pouf, Ivan ? m'a demandé Calendula, juchée sur sa chaise jaune.

— Oh, j'en ai un peu marre. En ce moment, les fauteuils qui pivotent, c'est ce que je préfère.

— Bonne idée, a-t-elle approuvé.

— Opale est très en retard, a commenté Tommy en s'essuyant le nez sur son bras.

Calendula, écœurée, a détourné la tête. Elle a lissé sa jolie robe jaune, croisé les chevilles et balancé ses jambes sur le rythme de notre refrain fétiche.

Olivia, qui tricotait, a assuré de sa voix rauque :

— Elle va bientôt arriver.

Jamie-Lynn s'est emparé d'une brioche au chocolat et d'un verre de lait. Elle a commencé à toussoter et renversé du lait sur son bras. Un coup de langue et hop, le problème était réglé.

— Dis-moi, Jamie-Lynn, tu as encore traîné tes basques dans une salle d'attente de cabinet médical ? a grondé Olivia en la regardant par-dessus ses besicles.

Jamie-Lynn a confirmé avant d'attaquer sa viennoiserie.

Calendula, qui peignait ses frisettes blondes, a froncé le nez.

— Opale t'a pourtant averti que ces endroits sont infestés de microbes. Tu attrapes des maladies à cause des jouets.

— Je sais, a répondu l'enrhumée, mais il faut bien tenir compagnie aux gamins quand ils attendent le docteur.

La patronne a débarqué vingt minutes plus tard. On a tous échangé des regards inquiets : Opale n'était plus que l'ombre d'elle-même. Au lieu de son habituelle démarche aérienne, elle est entrée d'un pas lourd, comme ralentie par un boulet. La vue de son halo bleu foncé, presque noir, nous a aussitôt réduits au silence.

— Bonjour, mes amis, a-t-elle lancé à la cantonade d'une voix méconnaissable, totalement assourdie.

— Bonjour, Opale, on a murmuré à tour de rôle, de peur de l'agresser en parlant un peu trop fort.

Elle nous a remerciés d'un sourire pour notre soutien.

— Un ami à moi, un ami de longue date, est très malade. Il va bientôt mourir et cette perte m'affecte beaucoup.

Tout le monde a voulu la consoler. Olivia a arrêté de se balancer dans son rocking-chair, Bobby est descendu de sa planche de skate, Calendula s'est figée, j'ai bloqué mon fauteuil. Même Tommy s'est retenu de renifler. L'heure était grave, alors on a discuté de ce qu'on ressent quand on perd un être cher. Cela arrive tout le temps à nos meilleurs copains et le temps qui passe ne guérit pas ce genre de blessures.

De mon côté, j'étais incapable de prendre part à la discussion. Mes sentiments vis-à-vis d'Elizabeth se sont agglomérés, ont gagné en ampleur et en intensité ; mon cœur, parce qu'il pompait de plus en plus d'amour, prenait de plus en plus de place dans mon thorax. Je suis resté muet, à l'écoute de ma passion pour Elizabeth.

Comme la réunion touchait à sa fin, Opale a braqué son attention sur moi.

— Ivan, comment ça se passe avec Elizabeth ?

Les autres ont suivi son regard ; j'ai réussi à prononcer quelques mots :

— Je me laisse jusqu'à demain pour trouver une solution.

Personne ne connaissait les détails de ma situation, mais tous ont compris que la fin approchait. Entre-temps Opale avait réuni ses dossiers et pris congé. Je me suis dit qu'on était tous les deux dans le même bateau.

Elizabeth foulait le tapis de course dirigé face au jardin. Son regard embrassa les collines, les lacs et la chaîne de montagnes qui se déployaient à l'horizon, et elle accéléra le rythme. Ses cheveux rebondissaient sur ses épaules, son front luisait de sueur, bras et jambes s'activaient de concert ; elle se figura, comme à chaque séance, qu'elle cavalait à travers ces hauteurs, par-delà l'océan, loin, très loin de Baile na gCroíthe. Après une demi-heure de sur-place – alors qu'elle avait couvert une distance considérable dans sa tête –, elle mit pied à terre, pantelante et fourbue, quitta la petite salle de gym et se lança dans un grand nettoyage, s'acharnant sur des surfaces déjà étincelantes.

À l'instant où elle avait fini d'astiquer, de balayer les toiles d'araignées, de passer l'aspirateur dans les angles hors d'atteinte, elle entreprit d'en faire autant parmi ses souvenirs. Toute sa vie elle s'était dispensée d'éclairer les zones d'ombre d'un cerveau désormais enfoui sous une épaisse couche de poussière ; elle se sentait prête à les affronter. Une créature inconnue s'efforçait de fuir ces ténèbres et réclamait son aide. La lâcheté, ça suffisait.

Elle s'attabla dans la cuisine et contempla le panorama qui s'étalait à perte de vue, vallons herbeux, eaux miroitantes, fuchsias et freesias en abondance trouant çà et là la verdure. La nuit tombait plus vite à présent qu'août avait pris ses quartiers ; elle saupoudrait le paysage de mouchetures violacées.

Elizabeth s'abîma longuement dans ses pensées, les laissa prendre forme afin de permettre à ses hantises de sortir de l'ombre et de se montrer au grand jour. Ces mêmes hantises qui provoquaient ses insomnies, la poussaient à s'armer d'une éponge et à frotter tout ce qui lui tombait sous la main. Là, dans la cuisine, elle se constitua prisonnière et se tint les mains en l'air, désarmée, à leur merci, telle une criminelle en cavale.

— Pourquoi tu restes dans le noir ? demanda une voix fluette.

— Je réfléchis, Luke.

— Je peux m'asseoir avec toi ? Je vais être sage et tenir ma langue, promis juré.

Cette dernière remarque prit de court Elizabeth, qui s'apprêtait à exiler son neveu ; était-elle aussi féroce que Luke le suggérait ? Oui, à coup sûr.

— Viens, installe-toi.

Elle sourit, désigna une chaise à côté d'elle.

Ils occupèrent la cuisine plongée dans l'obscurité et gardèrent le silence jusqu'à ce qu'Elizabeth prenne la parole :

— Luke, il y a certaines choses que je dois te dire. Des choses dont j'aurais dû te parler avant mais...

Elle se tordait les mains, très attentive aux mots qu'elle allait employer. Enfant, elle avait espéré de toute son âme qu'un adulte la prenne un jour en aparté et lui révèle ce qu'il était advenu de sa mère, pourquoi elle avait abandonné sa famille. Une simple explication lui aurait épargné des années de doutes et de soupçons.

Luke posa sur elle son regard candide, ses grands yeux bleus que voilaient de longs cils, ses joues rebondies et colorées comme des pommes d'api. Elizabeth fut parcourue d'une onde de tendresse, passa une main dans sa tignasse blonde et lui caressa la nuque.

— ... mais je ne savais pas comment.

— C'est au sujet de maman ?

— Oui. Comme tu l'as peut-être remarqué, cela fait un bout de temps qu'elle ne nous a pas rendu visite.

— Elle est partie à l'aventure, pépia le garçonnet.

— Je ne sais pas si on peut appeler ça une « aventure ». J'ignore où elle a filé, mon cœur. Elle ne s'est confiée à personne.

— Si, à moi.

— Hein ? s'exclama Elizabeth, les yeux ronds.

— Elle est venue me voir avant de se sauver. Elle m'a dit qu'elle s'en allait mais qu'elle ne savait pas pour combien de temps, alors je lui ai dit que c'était comme partir à l'aventure et elle a rigolé.

— Elle t'a expliqué pour quelle raison elle s'en allait ? souffla la jeune femme, surprise par la gentillesse dont Saoirse avait fait preuve en saluant son fils.

— Mmoui, certifia Luke. C'est mieux pour elle et pour toi et pour papy et aussi pour moi parce qu'elle fait tout le temps des bêtises et tout le monde se met en colère contre elle. Et qu'elle faisait ce que tu lui as toujours conseillé de faire, qu'elle prenait son envol.

Elizabeth, le souffle coupé, se souvint de l'exhortation qu'elle martelait à longueur de journée à sa cadette, encore petite fille : n'attends pas que la situation se dégrade à la maison pour prendre ton envol. Dans le taxi qui l'éloignait de son foyer et l'emportait vers sa nouvelle vie d'étudiante, elle l'avait répété dans sa tête : fuis cet endroit, Saoirse, prends ton envol... L'émotion la submergea.

— Et qu'est-ce que tu lui as répondu ? parvint-elle à bafouiller.

Pour la première fois de sa vie, elle ressentit le besoin irrésistible de protéger ce petit être, de veiller sur lui.

— Qu'elle avait sûrement raison, répliqua Luke. Elle a ajouté que j'étais un grand garçon et que maintenant je devais m'occuper de toi et de papy.

— Elle a vraiment dit ça ? Rassure-toi, c'est mon boulot de m'occuper de toi, c'est compris, petite tête ?

Elizabeth, au bord des larmes, serra Luke sur son cœur, si fort qu'elle faillit l'étouffer. Elle n'entendit pas sa réponse, et pour cause, et relâcha son étreinte.

— Édith va bientôt rentrer, s'enthousiasma-t-il. Je me demande ce qu'elle m'a rapporté comme cadeau.

Elizabeth reprit contenance et s'éclaircit la voix.

— On pourra lui présenter Ivan. Tu crois qu'elle va l'aimer ?

— À mon avis, elle n'arrivera même pas à le voir.

— Voyons, Luke, on ne peut pas garder Ivan pour nous tout seuls.

— Si ça se trouve, à son retour il sera déjà parti.

— Comment ça, parti ? Il t'a dit quelque chose ?

Luke démentit avec vigueur ; sa tante poussa un soupir de soulagement.

— Écoute, ce n'est pas parce que toi et Ivan êtes très proches l'un de l'autre qu'il va forcément disparaître de ta vie. Moi aussi, avant, je tremblais de peur. Je croyais que tous ceux que j'aimais n'hésiteraient pas à m'abandonner.

— Moi je ne t'abandonnerai jamais, affirma Luke.

— Et je te jure de ne jamais t'abandonner non plus, renchérit Elizabeth en lui plantant un baiser sur le crâne. Tu sais, tes activités avec Édith, comme aller au zoo, au cinéma... ça te plairait que je me joigne à vous de temps à autre ?

L'enfant se fendit d'un sourire joyeux.

— Ouais, ça serait super-cool.

Il cogita un instant et poursuivit, aux anges :

— Toi et moi on se ressemble drôlement, pas vrai ? Ma maman est partie, la tienne aussi, c'est pareil, non ?

Tout en parlant il avait soufflé sur la table et inscrit son nom dans la buée qui recouvrait le verre.

Le sang d'Elizabeth se figea dans ses veines. Elle se leva de table, alluma la lampe et se disposa à récurer le plan de travail.

— Non, proclama-t-elle, tu te trompes, ce n'est pas pareil du tout. Il n'y a aucun rapport entre ma mère et la tienne.

Se redressant de toute sa hauteur, elle avisa son reflet dans l'une des vitres de la véranda et se pétrifia. Envolés, son beau sang-froid, sa dignité, son enthousiasme! On aurait cru une folle furieuse qui refusait de voir la vérité en face, de se colleter avec le monde réel.

C'est alors que les souvenirs tapis dans les recoins les plus obscurs de sa mémoire remontèrent lentement à la surface.

36

— Opale, ai-je lancé depuis le seuil.

Elle paraissait si fragile que j'ai eu peur de la briser en élevant trop la voix.

— Ivan, a-t-elle répondu avec un pauvre sourire avant d'attacher ses dreadlocks.

Je me suis glissé dans son bureau.

— On est tous très inquiets pour vous. Si vous avez besoin de quoi que ce soit, n'hésitez pas.

— Merci de tout cœur, Ivan, mais à part veiller à la bonne marche de la société, personne ne peut vraiment m'aider. Je suis crevée, j'ai passé ces dernières nuits à l'hôpital et je n'ai pas fermé l'œil une seule minute. Il ne lui reste que quelques jours à vivre, je ne veux pas qu'il soit seul au moment de…

Opale s'est détournée de moi, a consulté le cadre posé sur la table puis poursuivi d'une voix abattue :

— Si seulement il existait un moyen de lui dire au revoir, de lui faire comprendre que je suis là, à ses côtés…

De grosses larmes ont roulé le long de ses joues.

Je me suis approché d'elle et j'ai tenté de la consoler, même si, pour une fois, je me sentais pieds et poings liés, totalement impuissant. Enfin, totalement… j'avais peut-être parlé trop vite.

— Attendez une seconde, Opale, je viens d'avoir une idée.

Là-dessus, je suis sorti du bureau comme une tornade.

Elizabeth s'était arrangée à la dernière minute pour que Luke passe la nuit chez Sam. Elle savait qu'elle aurait besoin de se retrouver seule : un changement s'opérait en elle, un froid l'avait envahie et ne la quittait plus. Emmitouflée dans un gros pull et un plaid, en quête de chaleur, elle s'était réfugiée dans son lit.

L'impatience lui donnait des crampes d'estomac. Les paroles d'Ivan et de Luke avaient fait mouche : elles avaient forcé la serrure d'un coffre rempli de souvenirs si cauchemardesques qu'Elizabeth avait peur de fermer les yeux.

Par la fenêtre elle contempla la lune – un spectacle dans lequel elle puisa du courage – et se laissa partir à la dérive. Ouvrit sa propre boîte de Pandore, baissa enfin les paupières.

Elle avait douze ans. Deux semaines plus tôt, sa mère l'avait emmenée pique-niquer dans le pré et lui avait annoncé une nouvelle incroyable : elle partait le lendemain. Et, depuis deux semaines, la petite Elizabeth attendait son retour dans sa chambre. De l'autre côté du mur, la fillette entendait Saoirse, âgée d'à peine un mois, hurler à pleins poumons. Son père tentait de calmer le nourrisson en le berçant.

— Chut, bébé, calme-toi.

Sa voix, d'abord conciliante, adopta très vite un ton exaspéré. En cette heure tardive, Brendan arpentait la ferme de long en large. Dehors, le vent se déchaînait, s'insinuait à l'intérieur par le cadre des fenêtres et les serrures avec un sifflement aigu. Des courants d'air tourbillonnaient, balayaient les pièces, chatouillaient, agaçaient et tourmentaient Elizabeth qui, les mains sur les oreilles, pleurait à chaudes larmes dans son lit.

Les cris de Saoirse se firent plus perçants, les prières de Brendan moins patientes ; Elizabeth se recouvrit la tête de son oreiller.

— Je t'en prie, Saoirse, arrête de brailler, gémit son père avant de se lancer, à grand renfort de fausses notes, dans une berceuse que Gráinne avait coutume de leur chanter.

Sa fille aînée se redressa sur son séant, les paupières bouffies de chagrin et de fatigue.

— Tu veux ton biberon ? Non ? Qu'est-ce qui t'arrive, ma puce ? À moi aussi elle me manque. À moi aussi.

Brendan éclata alors en sanglots. Le père et ses deux petites avaient beau être unis dans la douleur, ils ne s'en sentaient pas moins isolés, chacun de son côté, dans cette ferme secouée par les bourrasques.

Soudain, au bout de la route, des phares trouèrent l'obscurité. Elizabeth rejeta ses couvertures et s'assit au bord du lit, à moitié folle d'excitation. C'était sa mère, forcément, qui d'autre se risquerait au milieu de nulle part et leur rendrait visite en cette heure si tardive ? De quoi cabrioler sur le matelas…

La voiture se gara devant la grille, la portière s'ouvrit et Kathleen, la sœur de Gráinne, fit son apparition. La nouvelle venue laissa le moteur tourner – les phares restèrent allumés et les essuie-glace continuèrent à racler furieusement le pare-brise –, poussa le portail, remonta l'allée d'un pas hardi et frappa.

Empêtré d'une Saoirse qui protestait de plus belle, Brendan alla ouvrir. Elizabeth se hâta de coller son œil à la serrure de sa porte, afin de ne pas perdre une miette de la scène.

— Elle est là ? demanda Kathleen à brûle-pourpoint.

— Moins fort. Tu vas réveiller Elizabeth.

— Comme si ce concert ne l'avait pas déjà réveillée. Qu'est-ce que tu lui as fait, à cette pauvre choute ?

— La pauvre choute a besoin de sa mère… comme nous tous.

— Donne-la-moi.

— Tu dégoulines de partout.

Brendan s'écarta de sa belle-sœur et serra le bébé contre son torse.

— Elle est là, oui ou non ? répéta Kathleen dont la colère n'était pas retombée.

Elle se tenait toujours sur le seuil : Brendan ne lui avait pas offert l'hospitalité et elle préférait rester sous la pluie plutôt que s'inviter.

— Bien sûr que non. Je croyais que tu l'avais conduite dans cet endroit miraculeux où elle serait guérie d'un coup de baguette magique, cracha Brendan.

Kathleen poussa un soupir ennuyé.

— Cette clinique a une excellente réputation, Brendan, c'est la meilleure du pays. Peu importe de toute façon, grommela-t-elle, vu qu'elle a décampé.

— Décampé ? Comment ça, décampé ?

— Ce matin elle avait disparu de sa chambre, personne ne sait où elle est passée.

— Elle a une fâcheuse tendance à filer à l'anglaise, ta maman, murmura Brendan à l'oreille de Saoirse. Eh bien, si elle n'est pas là-bas, pas la peine de chercher bien loin. Neuf chances sur dix qu'elle fasse la noce chez Flanagan.

Elizabeth hoqueta : sa mère était ici, à Baile na gCroíthe ! Elle ne l'avait pas abandonnée, en fin de compte !

Tout le temps qu'avait duré l'échange entre les deux adultes, Saoirse s'était époumonée.

— Bon sang, Brendan, fais-la taire ! se lamenta Kathleen. Tu sais que je peux prendre les gamines chez moi, Alan et moi on va s'en occuper…

— Ce sont mes filles et je ne te laisserai pas me les voler comme tu m'as volé Gráinne, beugla le père.

Du coup, le bébé se calma.

— Débarrasse-moi le plancher, ordonna Brendan d'une voix affaiblie par son coup de sang.

La porte d'entrée se referma et Elizabeth suivit du regard sa tante, qui regagna sa voiture. Le véhicule démarra en trombe et le faisceau lumineux des phares se noya dans la nuit, emportant avec lui les rêves de la fillette.

Il restait pourtant une lueur d'espoir. Son père avait mentionné la Taverne de Flanagan. Elizabeth savait où se trouvait cet endroit, elle passait devant, chaque jour, sur le chemin de l'école. Il lui suffisait de préparer sa valise et d'y rejoindre sa mère. Une fois réunies, elles s'en iraient loin de son grincheux de père et de sa petite sœur pleurnicharde, elles vivraient ensemble une foule d'aventures.

La poignée de la porte s'abaissa ; Elizabeth plongea sous les couvertures et fit semblant de dormir. Les yeux exagérément clos, elle décida de se rendre par ses propres moyens chez Flanagan dès que son père serait couché.

Elle aussi, elle filerait à l'anglaise. À la faveur de la nuit.

— Tu es sûr que ça va marcher ? hésita Opale.

Adossée au mur du couloir, tordue par l'angoisse, elle se massait le ventre et tremblait de tous ses membres. Ivan lui jeta un regard indécis.

— Ça vaut la peine d'essayer.

À travers la vitre, ils observaient Geoffrey dans sa chambre individuelle. La bouche recouverte d'un masque à oxygène, encerclé par une armada de tuyaux et d'engins qui émettaient des bips, le vieil homme était branché à un respirateur. Lui demeurait d'une immobilité absolue ; seule sa poitrine se soulevait à un rythme régulier. Autour d'eux régnait cette ambiance propre aux hôpitaux, l'impression de végéter dans les limbes, dans un éternel entre-deux.

Opale et Ivan profitèrent de la sortie des infirmières attachées aux soins du malade pour se faufiler dans sa chambre.

— La voilà, chuchota Olivia, assise au chevet de Geoffrey, en avisant Opale.

Le vieillard ouvrit les yeux et sillonna la pièce d'un regard fiévreux.

— À ta gauche, mon cher Geoffrey, elle te tient la main.

Geoffrey remua les lèvres ; comble de malchance, sa voix fut étouffée par le masque à oxygène. Opale se couvrit la bouche de sa main et des larmes perlèrent au coin de ses yeux. Seule Olivia comprenait ce langage spécifique : c'étaient là les dernières paroles d'un mourant.

Olivia l'écouta marmotter, hocha la tête. Lorsqu'elle transmit à Opale l'ultime message de son bien-aimé, Ivan ne put en supporter davantage.

— Il m'a demandé de te dire que chaque seconde passée loin de toi, Opale, a été une véritable torture.

Ivan s'enfuit en hâte de la chambre et quitta l'hôpital sans demander son reste.

37

L'orage finit par éclater et des gouttes serrées cinglèrent la fenêtre de la chambre à coucher. Le vent vocalisa avant de se mettre à mugir. Elizabeth, au chaud dans son lit, se transporta dans le passé, au cours de cette nuit d'hiver durant laquelle elle avait tenté le tout pour le tout dans l'espoir de retrouver sa mère.

La fillette n'avait pas trop chargé son cartable : quelques petites culottes, deux pulls, deux jupes, l'album que Gráinne lui avait offert, son ours en peluche. Elle cassa sa tirelire, récolta quatre livres et quarante-deux *cents*. Une fois enfilés sa robe favorite – celle à fleurs – et son ciré, elle avait chaussé ses bottes rouges et s'était mise en route. Elle avait escaladé le muret afin de ne pas alerter son père : le portail grinçait, et depuis quelque temps Brendan ne dormait que d'une oreille, à la façon d'un chien de garde. Elle longea les buissons, de peur d'être repérée trop facilement sur la route à découvert. Les rafales tordaient de droite et de gauche les fourrés qui la couvrirent, visage et jambes, d'égratignures ; les feuilles détrempées se collaient à sa peau. Le vent se montra cruel envers Elizabeth cette nuit-là : il lui fouettait les mollets, lui pinçait les oreilles et les joues, l'empêchait de respirer. En l'espace de quelques minutes, le froid avait engourdi ses doigts, son nez, ses lèvres, et l'avait glacée jusqu'à la moelle. Seule l'idée de revoir Gráinne faisait tenir la petite fille, qui poursuivit courageusement son périple.

Quelque vingt minutes plus tard elle atteignit le pont qui s'ouvrait sur Baile na gCroíthe. C'était la première fois qu'elle voyait le village à onze heures du soir ; dépeuplé, il évoquait une ville fantôme plongée dans l'obscurité et le silence, comme s'il gardait jalousement un secret.

Elle marcha droit sur la Taverne de Flanagan, désormais insensible aux assauts des éléments, survoltée, envahie par le bonheur des retrouvailles imminentes. À part la Bosse du Chameau, aucune autre maison n'était éclairée. Elle entendit le pub avant de le voir : par une fenêtre ouverte s'échappaient les accords d'un piano, d'un violon et d'un *bodhrán*, qu'accompagnaient des rires et des chants, de temps à autre des clameurs. Elizabeth gloussa à part elle ; ils avaient l'air de bien s'amuser, là-dedans.

La fillette aperçut la voiture de Kathleen garée devant le pub et accéléra l'allure sans réfléchir. La porte principale, qui donnait sur un petit couloir, était ouverte, celle du pub, ornée d'un vitrail, fermée. Elizabeth s'abrita sous le porche, retira son ciré, le secoua et le suspendit au mur, près des parapluies. Ses cheveux noirs dégouttaient, son nez rougi coulait comme un robinet, la pluie s'était infiltrée à l'intérieur de ses bottes : la pauvre petite grelottait, pataugeait dans des flaques d'eau glacée.

Le piano se tut soudain, remplacé par des acclamations. Elizabeth sursauta.

— Allez, Gráinne, te fais pas prier, chantes-en une autre, bredouilla un homme.

En entendant le prénom de sa mère, la fillette bondit de joie : elle était bien là ! Gráinne avait une très belle voix, elle chantait toute la journée, composait même des berceuses et des comptines. Elizabeth adorait rester au lit le matin et l'écouter fredonner tandis qu'elle vaquait à ses occupations. Mais le chant qui s'éleva alors, bientôt suivi par les vivats tonitruants des ivrognes, n'avait rien en commun avec la voix délicieuse dont la petite fille connaissait chaque nuance.

Retour à Fuchsia Lane. Elizabeth ouvrit grand les yeux, paniquée, et se redressa dans son lit. Dehors, le vent hurlait tel un animal blessé à mort. Son cœur cognait contre sa poitrine, elle avait la gorge sèche et les paumes moites. Elle se débarrassa du plaid, rafla les clefs de la voiture sur le chevet, dévala l'escalier, jeta son imperméable sur ses épaules et sortit. La pluie la frappa de plein fouet et elle comprit pourquoi elle avait cette sensation en horreur : sa répulsion remontait à cette nuit funeste. Le temps de s'engouffrer dans la voiture et de s'installer au volant, le vent l'avait ébouriffée et trempée jusqu'aux os.

Les essuie-glace se déchaînaient tandis qu'Elizabeth roulait en direction du village. Sur le pont, elle se retrouva face à la ville fantôme de ses souvenirs. Les habitants étaient cloîtrés, à l'abri, dans la chaleur et le confort de leur foyer. Seules la Bosse du Chameau et la Taverne de Flanagan apportaient un peu de vie à la bourgade. Elizabeth se gara et se planta sur le trottoir, face au pub. Sous la pluie battante, les souvenirs remontèrent à sa mémoire. Cette nuit-là…

Elizabeth fut horrifiée par la chanson : les paroles étaient d'une vulgarité crasse, et la femme les beuglait d'une voix grossière. Les jurons que son père lui interdisait de prononcer récoltaient les applaudissements d'un ramassis de piliers de bar lubriques.

Elle se hissa sur la pointe des pieds afin de voir, à travers le vitrail rouge, quelle sorcière croassait de la sorte. Kathleen et Gráinne devaient être assises dans un coin de la salle, absolument écœurées.

Elizabeth, le souffle coupé, faillit tomber à la renverse : sur le piano était perchée sa mère, et c'était de sa bouche que jaillissaient les mots orduriers. Elle avait remonté sa jupe – une jupe qu'Elizabeth n'avait jamais vue – haut sur les cuisses ; une poignée d'hommes riaient aux éclats et la taquinaient tandis qu'au milieu du cercle elle ondulait avec indécence, ce qui ajoutait à la confusion de la petite.

— Hé, les gars, un peu de tenue, avertit Mr Flanagan de derrière le bar.

Le groupe fit la sourde oreille et continua à se rincer l'œil.

— Maman, geignit Elizabeth.

Elle se dirigea à pas comptés vers le pub, tendit la main et, le cœur battant (le souvenir n'avait rien perdu de son intensité), poussa la porte. Embusqué derrière le comptoir, Mr Flanagan leva la tête et lui adressa un sourire en coin, comme s'il attendait sa venue.

La petite Elizabeth s'engouffra, terrifiée, dans le pub. Trempée comme une soupe, elle parcourut la salle d'un bref coup d'œil et aperçut un homme aux mains baladeuses qui se préparait à empoigner sa mère.

— Laisse-la tranquille ! hurla-t-elle, si fort que le silence s'abattit sur les tablées.

Gráinne cessa de chanter et tous les regards se braquèrent sur l'enfant qui se tenait à la porte.

Autour du piano retentirent alors des rires énormes. Elizabeth ne put retenir ses larmes.

— Bouhouhou, clama sa mère par-dessus le vacarme, vite, allons tous ensemble à la rescousse de maman !

Elle posa ses yeux injectés de sang, aux pupilles dilatées, sur la fillette. Des yeux qui n'étaient pas les siens, qui appartenaient à quelqu'un d'autre.

— Merde, lâcha Kathleen en se précipitant sur Elizabeth. Qu'est-ce que tu fiches ici ?

— Je… je suis venue…, balbutia l'enfant, stupéfaite par le comportement de sa mère, je suis venue chercher maman pour qu'on vive ensemble.

— Eh bien elle n'est pas ici ta maman, vociféra Gráinne, fous-moi le camp ! Les faces de rats ne sont pas admises dans les pubs.

Elle voulut lamper son verre mais rata sa cible et en répandit le contenu sur sa poitrine. Le whisky ruissela dans son décolleté, masqua son parfum.

— Mais maman…, pleura Elizabeth.

— Mais môman, l'imita Gráinne, ce qui provoqua l'hilarité de son auditoire. Je ne suis pas ta maman, cracha-t-elle ensuite. La petite Lizzie ne mérite pas d'avoir une maman. On devrait l'empoisonner comme un rat !

— Kathleen, qu'est-ce que tu attends, fais-la sortir ! protesta Mr Flanagan. Ce n'est pas un spectacle pour une gosse.

— Impossible, rétorqua Kathleen. Je dois garder un œil sur Gráinne et la ramener chez moi.

Mr Flanagan parut indigné.

— Regarde dans quel état est la petite !

Livide, les lèvres bleuies, Elizabeth claquait des dents et tremblait de tous ses membres. Sa robe mouillée se collait à elle. Kathleen considéra la fille, puis la mère, en proie à un dilemme.

— Je ne peux pas, Tom, siffla-t-elle.

Ledit Tom se mit en colère.

— J'aurai la décence de la reconduire moi-même chez son père.

Il harponna un trousseau de clefs sous le bar et longea le comptoir.

— NON ! glapit l'enfant.

Elle regarda sa mère qui, déjà lassée, avait trouvé refuge dans les bras d'un inconnu, tourna les talons et s'enfuit dans la nuit glaciale.

Elizabeth se tenait près de la porte, transie. L'histoire se répétait : livide, elle claquait des dents, tremblait de tous ses membres. En revanche, la salle ne résonnait pas des mêmes bruits – pas de musique, pas de clameurs, pas de chansons à boire ; de temps à autre lui parvenaient le tintement d'un verre ou des bribes de conversations, rien d'autre. En ce mardi soir, il n'y avait pas plus de cinq clients.

Tom, que le temps n'avait pas épargné, continuait à la dévisager.

— Ma mère, déclara Elizabeth sans quitter le seuil, d'une voix haut perchée qui la surprit elle-même, ma mère était alcoolique.

Le patron du pub confirma d'un signe de tête.

— Elle venait souvent ici ?

Nouveau hochement affirmatif.

— Mais il lui arrivait de rester avec nous des semaines... des semaines entières.

— Elle buvait quand ça la prenait, comme on dit.

— Et mon père... – Elizabeth marqua un temps d'arrêt, pensa à son pauvre père qui avait passé ses soirées à attendre son épouse –, il le savait ?

— Il était d'une patience d'ange.

La jeune femme avisa le comptoir, le vieux piano qui n'avait pas bougé de son coin. Rien n'avait changé, mais tout avait pris de la patine. Ses yeux se voilèrent de larmes.

— Pour ce soir-là… merci.

Tom baissa le front.

— Vous l'avez revue, depuis ? demanda Elizabeth.

Signe négatif.

— Vous pensez… vous pensez qu'elle va revenir ? poursuivit-elle d'une voix entrecoupée.

— Pas dans cette vie-là, ma belle.

Tom confirma par ces quelques mots ce dont Elizabeth s'était toujours doutée.

— Papa, chuchota-t-elle avant de battre en retraite.

La fillette sortit du pub à toutes jambes. Le visage criblé par la pluie, elle s'enlisait dans des flaques de boue et avalait à grandes goulées l'air froid qui lui lacérait les poumons. Elle retournait en lieu sûr, auprès de son père.

Elizabeth se glissa derrière le volant et démarra en trombe. Elle dévala la route qui menait à la ferme. À un moment une paire de phares croisa son chemin, la força à se ranger et à attendre le passage du véhicule. Son père savait, depuis le début, et jamais il ne s'était plaint. Il n'avait pas voulu briser ses illusions et l'avait laissée mettre sa mère sur un piédestal. D'un côté, l'esprit libre ; de l'autre, le tyran, le geôlier. Grossière erreur… Elizabeth devait voir Brendan de toute urgence, lui demander pardon, se réconcilier avec lui. Aussitôt remise en route, elle se retrouva à lambiner derrière un tracteur, apparition inhabituelle en cette heure tardive. Gagnée par l'impatience elle fit marche arrière jusqu'au croisement, y abandonna sa voiture et se mit à courir sur le chemin détrempé.

— Papa, sanglota la petite Elizabeth qui cavalait en direction de la ferme.

Elle cria son nom et le vent, enfin solidaire, porta son appel aux oreilles de son père. Une fenêtre s'alluma, puis une autre, et la porte s'ouvrit.

— Papa !

Assis à la fenêtre de la chambre, le regard plongé dans les ténèbres, Brendan buvait une tasse de thé. Il patientait, espérait malgré tout. Il les avait toutes chassées, il avait obtenu le résultat inverse de ses rêves, et lui seul était responsable de ce désastre. Il ne lui restait plus qu'à attendre. Attendre que l'une de ses trois femmes, dont l'une avait disparu à jamais, daigne lui revenir.

Un mouvement dans le lointain attira son regard et le vieil homme se redressa, sur le qui-vive. Une femme courait sur la route, ses longs cheveux noirs flottant au vent, son image rendue floue par les gouttes de pluie qui ruisselaient sur la vitre.

C'était elle.

Brendan lâcha soucoupe et tasse qui s'écrasèrent au sol et se mit debout en renversant sa chaise.

— Gráinne, hoqueta-t-il.

Il s'empara de sa canne, s'approcha de l'entrée aussi vite que ses jambes le lui permettaient, ouvrit la porte en grand et tenta d'apercevoir sa femme.

Il l'entendit haleter.

— Papa !

Non, impossible, sa Gráinne n'aurait jamais dit une chose pareille.

— Papa !

Ce sanglot familier le ramena vingt ans en arrière. Sa fille, sa petite fille rentrait à la maison sous la pluie, et elle avait besoin de lui.

— Papa !

— Je suis là, la rassura-t-il, d'abord à voix basse, puis plus fort : Je suis là !

Il vit Elizabeth forcer le portail aux gonds grinçants et, comme vingt ans plus tôt, la reçut dans ses bras.

— N'aie pas peur, je suis là, répéta-t-il en la berçant, Papa est là.

38

Le jardin d'Elizabeth, le jour de son anniversaire, évoquait le thé du Chapelier Fou au Pays des Merveilles. La jeune femme avait installé en son centre une longue table recouverte d'une nappe en vichy rouge et blanc qu'elle avait garnie d'un bataillon d'assiettes remplies à ras bord de saucisses cocktail, de chips, de sauces à crudités, de sandwiches, de salades, de charcuteries et de friandises. La table ployait sous le poids de ce banquet. Elizabeth avait également taillé les haies, planté des fleurs fraîches et tondu la pelouse. Le parfum de l'herbe coupée, auquel s'ajoutait le fumet du barbecue, embaumait l'air. Le soleil resplendissait dans un ciel limpide, les collines étaient d'un somptueux vert émeraude que tachetaient, çà et là, des moutons en vadrouille. À l'idée de quitter un si bel endroit, Ivan se sentait triste à mourir.

Elizabeth surgit de la cuisine.

— Ivan, je suis si heureuse de te voir.

— Merci, clama son ami en se tournant vers elle. Hé, mais tu es magnifique.

Elizabeth portait une robe d'été en lin blanc, toute simple, qui mettait en valeur sa peau mate ; ses longs cheveux ondulés caressaient ses épaules nues. Ses traits s'étaient adoucis, tout en elle semblait plus aimable.

— Tourne, que je te regarde, lança Ivan, admiratif.

— Je ne fais plus ça depuis mes huit ans. Arrête de gober les mouches, on a du pain sur la planche.

Elle ne s'était donc adoucie qu'en apparence…

Les mains sur les hanches, comme en patrouille, elle inspecta chaque recoin du jardin puis, empoignant Ivan par le bras, le remorqua jusqu'à la table.

— Très bien, je vais te montrer ce que j'ai préparé. Quand ils arrivent par le portail, les invités démarrent leur circuit ici. Ils prennent une assiette, des couverts et une serviette, et ils avancent jusqu'au barbecue où tu te charges de leur préparer ce qu'ils auront choisi sur cette desserte – elle montra un plateau chargé de viandes de toutes sortes. À gauche, des steaks de soja, à droite des normaux. Ne mélange pas les deux, s'il te plaît.

Ivan voulut protester mais Elizabeth lui imposa silence d'un geste et poursuivit ses explications :

— Après, une fois qu'ils ont pris le pain à hamburgers, ils se dirigent un peu plus loin, vers les salades. Remarque que les sauces pour la viande sont placées ici.

L'invité se servit une olive ; Elizabeth, d'une tape, réexpédia le fruit dans la coupelle.

— Les desserts, là-bas, avec le thé et le café. Lait biologique dans la carafe de gauche, normal dans celle de droite, les toilettes à gauche en entrant, et surtout pas ailleurs. Je ne veux pas que les gens baguenaudent dans la maison, compris ?

Ivan la rassura d'un signe de tête, goba une olive en douce.

— Des questions ?

— Rien qu'une. Pourquoi tu m'expliques tout ça ?

Elizabeth leva les yeux au ciel.

— Parce que je n'ai encore jamais donné de fête et vu que c'est toi qui m'as mise dans ce pétrin, tu dois me prêter main-forte.

Son ami éclata de rire.

— Elizabeth, tu vas très bien te débrouiller, en plus me poster derrière le barbecue ne servira pas à grand-chose.

— Ah bon ? Les barbecues sont interdits à Jynérimah ?

Ivan fit la sourde oreille.

— Aujourd'hui tu peux bazarder règlement et plannings, laisse les gens faire ce qu'ils veulent, profiter du jardin, circuler et manger suivant leur appétit. S'ils ont envie de commencer par la tarte aux pommes, tant mieux pour eux !

— Commencer par la tarte aux pommes ? s'horrifia Elizabeth. Mais c'est à l'autre bout de la table. Non, Ivan, il faut leur signaler où commence la queue et où elle finit, moi je n'aurai pas le temps.

Sur ce, elle se précipita vers la cuisine.

— Papa, j'espère que tu ne manges pas toutes les saucisses cocktail ! s'écria-t-elle.

— Papa ? Ton père est ici ?

— Oui.

Elizabeth feignit l'exaspération, mais Ivan ne s'en laissa pas conter.

— C'est tout aussi bien que tu ne m'aies pas rendu visite ces derniers jours, car j'étais dans les secrets de famille, les grandes eaux et les rabibochages jusqu'au cou. Enfin, papa et moi on voit le bout du tunnel.

La sonnette de la porte d'entrée retentit ; la jeune femme eut un haut-le-corps, prise de panique.

— Du calme, Elizabeth ! rit Ivan.

— Faites le tour par le jardin ! s'exclama-t-elle à l'adresse du premier convive.

— Avant qu'ils ne débarquent tous, j'ai un cadeau pour toi.

Ivan entra dans la maison et rappliqua aussitôt, un grand parapluie rouge à la main.

— Pour te protéger de la pluie. Il t'aurait été bien utile l'autre soir, je crois.

Elizabeth fronça les sourcils avant de comprendre où il voulait en venir et le serra sur son cœur.

— C'est très gentil de ta part, merci mille fois. Mais… comment tu es au courant, pour l'autre soir ?

Sur ces entrefaites, Benjamin fit irruption dans le jardin, chargé d'un bouquet et d'une bouteille de vin.

— Joyeux anniversaire, Elizabeth.

La jeune femme, rosissante, se tourna vers lui. La dernière fois qu'elle l'avait vu, c'était sur le chantier, le jour où Ivan avait étalé leur « amour » en travers du mur, en grandes lettres écarlates.

— Merci, répondit-elle, s'approchant de lui.

Benjamin lui tendit ses présents ; elle ne sut que faire du parapluie, qui l'encombrait. Son invité aperçut l'accessoire et éclata de rire.

— Vu la météo, tu n'en auras pas besoin aujourd'hui, crois-moi.

— Oh, ça ? C'est un cadeau d'Ivan.

— Vraiment ? Je commence à penser qu'il se passe quelque chose entre vous deux.

Elizabeth accusa le coup et garda le sourire. Si seulement…

— En fait il est déjà arrivé lui aussi. Avec un peu de chance je vais enfin réussir à vous présenter l'un à l'autre, dans les formes.

Elle scruta le jardin en se demandant par quel miracle Benjamin la trouvait toujours si comique.

— Ivan ?

J'ai entendu Elizabeth m'appeler pendant que j'aidais Luke à mettre son chapeau en papier.

— Oui ? ai-je jeté sans lever les yeux.

— Ivan ? a-t-elle répété.

— Ouiiii ?

Agacé, je me suis mis debout et je l'ai fixée. Son regard m'a traversé de part en part, elle a poursuivi l'inspection du jardin comme si je n'existais pas.

Mon cœur s'est arrêté de battre. Je vous jure, il a loupé un ou deux battements. J'ai respiré un grand coup afin de garder mon calme.

— Elizabeth, ai-je lancé, avec tant de trémolos dans la voix que j'ai eu du mal à la reconnaître.

Peine perdue : elle ne s'est pas retournée.

— J'aimerais bien savoir où il est passé, il était là il y a une minute. Il est quand même censé s'occuper du barbecue.

Benjamin s'est de nouveau esclaffé.

— Je tombe à pic, on dirait, et bravo pour ta subtilité. Ça ne me dérange pas de remplacer Ivan au pied levé, au contraire.

Elizabeth l'a dévisagé, l'air perdu.

— OK, super, merci.

Benjamin a enfilé un tablier et elle a recommencé son exposé en jetant des coups d'œil à droite et à gauche. J'assistais à la scène en spectateur, sans m'y mêler. Les invités sont arrivés au compte-gouttes, le jardin a commencé à se remplir, les voix et les rires à se déployer, les grillades à embaumer l'air. Tout d'un coup, j'ai eu le vertige. J'ai regardé Elizabeth encourager Joe à goûter son café aromatisé, à l'amusement général ; Elizabeth et Benjamin se rapprocher et éclater de rire après avoir partagé un secret ; le père d'Elizabeth, à l'arrière du jardin, contempler d'un œil nostalgique les collines et attendre le retour de son autre fille, canne en épine dans une main, tasse de thé dans l'autre ; j'ai aussi observé Mrs Bracken et ses copines s'empiffrer de gâteau, certaines que personne ne les surveillait.

Mais moi si. Moi, j'ai tout vu.

J'avais l'impression de visiter un musée et d'admirer un tableau fourmillant de détails, d'essayer de comprendre ce qu'il représentait, de me retenir de sauter à l'intérieur du cadre et de rejoindre les personnages tellement je l'aimais. J'étais repoussé de plus en plus loin, au fin fond du jardin, étourdi, les jambes en coton.

J'ai regardé Luke et Poppy apporter le gâteau d'anniversaire et entonner le célèbre refrain, bientôt ralliés par le reste des convives – au grand embarras d'Elizabeth, rouge comme une tomate ; je l'ai regardée me chercher des yeux sans me trouver, les fermer, faire un vœu et souffler les bougies comme une petite fille qui n'a jamais vécu de fête d'anniversaire. Cela m'a rappelé ce que m'avait dit Opale au sujet des anniversaires que je ne fêterais jamais, tandis qu'Elizabeth prendrait inexorablement de l'âge. Les villageois l'ont acclamée lorsqu'elle a éteint d'un seul coup les bougies, ces bougies à la flamme vacillante qui, à mes yeux, représentait le passage du temps. En les soufflant, elle a soufflé l'ultime étincelle d'espoir qui survivait en moi. Un coup au cœur, encore un... L'ambiance avait beau être à la fête, je ne pouvais m'empêcher de me répéter que la vieillesse et la mort s'approchaient à grands pas. Je le sentais au plus profond de mon être.

— Ivan !

Elizabeth m'a attrapé par le tee-shirt.

— Où est-ce que tu te cachais, je t'ai cherché partout !

Le fait qu'elle perçoive de nouveau ma présence m'a choqué à tel point que j'ai failli avaler ma langue.

— Mais je ne me cachais nulle part, ai-je expliqué d'une voix éteinte en admirant ses beaux yeux noisette.

— Si, tu te cachais, je suis passée ici au moins cinq fois et je ne t'ai pas vu. Ça va ? a-t-elle demandé en me touchant le front. Tu es blanc comme un linge. Tu as mangé, au moins ?

J'ai fait non de la tête.

— Je viens de réchauffer une pizza ; je t'en apporte une part ? Tu veux une garniture spéciale ?

— Avec des olives, s'il te plaît. Les olives, c'est de loin ce que je préfère.

Elizabeth m'a toisé avec un drôle d'air avant de répondre :

— Très bien, je vais te la chercher, mais ne t'évanouis pas de nouveau dans la nature, d'accord ? Il y a des gens que je veux te présenter.

Quelques instants plus tard elle est revenue avec un gros quart de pizza dans une assiette. Ça sentait si bon que mon estomac a commencé à gargouiller. Je ne m'étais même pas rendu compte que j'avais faim. J'ai tendu la main pour m'emparer de l'assiette ; entre-temps le regard d'Elizabeth s'était assombri, son visage durci.

— Bon sang, où est-ce que cette fripouille a encore filé ? a-t-elle marmonné.

Impossible de rester debout : je me suis écroulé sur l'herbe, les genoux ramenés sous le menton, adossé au mur de la maison.

J'ai senti l'haleine de Luke, qui s'était gavé de bonbons, sur mon cou, et il m'a chuchoté à l'oreille :

— Elle ne te voit plus, hein ?

En guise de réponse, j'ai juste hoché la tête.

Là, fini la rigolade. Ce qui va suivre, ce n'est pas la partie que je préfère. Loin de là.

39

Conscient de chaque mètre qui défilait sous mes semelles, du moindre caillou que je foulais, des secondes qui s'égrenaient inexorablement, je suis arrivé à l'hôpital écrasé de fatigue, lessivé. Il me restait une amie à secourir.

Olivia et Opale ont dû le lire sur mon visage à mon arrivée ; l'aura sombre qui émanait de moi, mon dos voûté, la misère du monde que je semblais porter sur mes épaules… rien ne leur a échappé. J'ai compris, à leur regard triste, qu'elles savaient.

Forcément qu'elles savaient, la perception fait partie intégrante du boulot. Environ deux fois par an, on tisse des relations très fortes avec des personnalités hors du commun qui nous accaparent nuit et jour, qui s'emparent de nos pensées, et à chaque fois, fatalement, on s'en sépare. Opale nous a enseigné qu'il ne s'agit pas d'une séparation définitive mais de la preuve que nos « copains » peuvent se passer de nous, donc passer à autre chose. Dans mon cas, son explication me laissait sceptique. Je ne pouvais pas contrôler Elizabeth ni la forcer à s'accrocher à moi, pas même à continuer à me voir. Résultat : elle me filait entre les doigts. Qu'est-ce que j'y gagnais ? De quoi devais-je me réjouir ? À chaque séparation la solitude me rattrapait, une solitude décuplée par l'émotion, car je savais qu'avec Elizabeth une chance unique me filait sous le nez. Et maintenant, la question à dix mille dollars : nos copains, eux, qu'est-ce qu'ils obtiennent de nous ?

La solution miracle à leurs problèmes ?

La situation actuelle d'Elizabeth mérite-t-elle le nom de *happy end* ? Elle élevait toujours un enfant en bas âge qui avait bouleversé ses projets et continuait à se ronger les sangs pour une sœur en vadrouille, une mère indigne et un père difficile. Mon intervention n'avait pas changé grand-chose… en apparence.

À mon avis, Elizabeth voyait désormais sa vie d'un tout autre œil. *Concentre-toi sur les détails*, me répétait Opale. Et le détail, ici, c'est qu'Elizabeth s'est transformée au plus profond d'elle-même. Mon rôle s'est réduit à planter dans son cœur une petite graine, une graine d'espoir, dont elle a pris soin sans l'aide de personne. Le fait qu'elle ne me voyait plus signifiait que cette graine avait pris racine.

Assis dans un coin de la chambre, j'ai regardé Opale se cramponner aux mains de Geoffrey comme au bord d'un précipice. Et peut-être qu'elle-même se sentait à deux doigts de sombrer. Elle aurait donné n'importe quoi pour que tout redevienne comme avant, le désespoir se voyait sur son visage. Je parie qu'elle aurait vendu son âme au diable sur-le-champ si cela lui avait permis de ramener Geoffrey à elle. Elle se serait jetée dans les flammes de l'enfer, elle aurait affronté ses peurs les plus effroyables dans le seul but de le sauver, sans hésiter une seconde.

Ce qu'on donnerait pour revenir en arrière…

Ce qu'on regrette de n'avoir pas accompli quand il était encore temps…

Olivia traduisait à l'intention de Geoffrey, trop faible pour parler, les propos d'Opale, dont les larmes coulaient une à une sur les mains inertes de son bien-aimé. Elle n'était pas prête à le laisser partir. Jamais encore elle ne l'avait abandonné, elle ne pouvait vivre sans lui.

Et là, elle était en train de le perdre.

À ce moment la vie m'a semblé lamentable. Affligeante, et profondément injuste.

Geoffrey a levé lentement la main en un effort titanesque. Son geste nous a tous pris par surprise : depuis des jours il n'ouvrait pas la bouche, ne réagissait à rien. Opale fut la première étonnée, elle qui a senti soudain ses doigts rêches lui effleurer la joue et essuyer ses larmes. Un contact au terme de vingt années d'éloignement ! Enfin, il parvenait à la voir. Elle a déposé un baiser sur sa large paume et y a appuyé son visage.

Geoffrey l'a réconfortée longuement avant de rendre son ultime soupir. Sa poitrine s'est soulevée une dernière fois, s'est affaissée, sa main est retombée sur le drap. Opale l'avait perdu, à tout jamais... la séparation était consommée.

Sur le coup j'ai décidé de prendre les rênes des derniers moments que je passerais avec Elizabeth et de lui dire au revoir dans les règles de l'art. Elle ne devait pas se convaincre que je m'étais enfui, que je l'avais abandonnée, elle ne devrait pas non plus concevoir de la rancœur à l'égard de l'homme qu'elle avait aimé en le considérant comme un lâche, une ordure qui lui avait brisé le cœur. Non, trop facile : cela lui aurait donné un prétexte idéal pour ne plus jamais tomber amoureuse. Or elle voulait de nouveau accueillir l'amour dans sa vie, j'en étais certain. Je refusais qu'elle s'étiole à force d'attendre mon retour, à l'image de Geoffrey, et qu'elle meure, vieille et fanée, dans la solitude.

Olivia m'a adressé un signe d'encouragement quand j'ai quitté ma chaise. J'ai déposé un baiser sur le front d'Opale. Agrippée à la main de Geoffrey, la pauvre hurlait sa douleur, si fort qu'on avait l'impression d'entendre son cœur se briser. C'est une fois dehors, à l'air libre, que je me suis rendu compte que je pleurais.

Et je me suis mis à courir.

Elizabeth était plongée dans un rêve. Elle se voyait au centre d'une vaste pièce aux murs blancs et elle projetait de la peinture autour d'elle en valsant sur la mélodie qui l'asticotait depuis deux mois. Libre et heureuse comme jamais, elle gambadait à travers la salle et regardait les épaisses éclaboussures pleuvoir avec un bruit liquide : splatch, splotch.

— Elizabeth, murmura une voix d'homme.

Elizabeth se retourna, vit qu'elle était seule.

— Elizabeth...

La jeune femme se remit à danser.

— Mmmmh ? répondit-elle, envahie de bonheur.

— Réveille-toi, Elizabeth, j'ai à te parler.

La dormeuse entrouvrit les paupières, aperçut à son côté le beau visage d'Ivan déformé par l'inquiétude, lui caressa la joue et noya son regard dans le sien. Le sommeil eut raison d'elle, la força à clore ses paupières frémissantes. Elle était en train de rêver, elle en avait conscience, mais garder les yeux ouverts était au-dessus de ses forces.

— Est-ce que tu m'entends ?

— Mmmm.

— Elizabeth, je suis là pour te prévenir de mon départ.

— Hein ? Tu viens d'arriver, marmotta Elizabeth. Essaie de dormir.

— Je ne demande pas mieux mais c'est infaisable. Je dois m'en aller, comme je te l'avais annoncé. Tu t'en souviens ?

Elle perçut son souffle dans son cou, l'odeur de sa peau : il sentait bon, comme s'il avait pris un bain de myrtilles.

— Mmm... Jynérimah, énonça-t-elle en dessinant des myrtilles sur le mur.

Elle trempa son doigt dans le pot de peinture et le porta à sa bouche, savourant le goût des fruits fraîchement pressés.

— Jynérimah, oui, quelque chose dans ce genre. Tu n'as plus besoin de moi, Elizabeth. À partir de maintenant tu vas cesser de me voir, et moi je vais apporter mon aide à une autre personne, expliqua Ivan.

Elizabeth effleura son menton rasé de près, à la peau veloutée. Dans son rêve, elle courait le long du mur et promenait sa main sur de la peinture rouge. Celle-là avait un goût de framboises ; d'ailleurs le pot était plein à déborder de succulentes framboises.

— J'ai compris une chose, Elizabeth. J'ai compris à quoi se résumait ma vie, et elle n'est pas très différente de la tienne.

— Mmmm.

La jeune femme esquissa un sourire.

— La vie est faite de rencontres et de séparations. Chaque jour, des gens croisent ta route, tu leur dis bonjour, bonsoir ; certains font un bout de chemin avec toi quelques minutes, d'autres quelques mois, un an, voire une vie entière. Après la rencontre vient la séparation, invariablement. Je me réjouis de t'avoir rencontrée, Elizabeth Egan, et je remercie ma bonne étoile. Je crois que je t'ai attendue toute ma vie... mais l'heure est venue de nous dire adieu.

— Mmmm, mâchonna-t-elle d'une voix ensommeillée, reste avec moi.

Ivan l'avait rejointe dans la pièce, ils se couraient après, se barbouillaient de peinture, se taquinaient. Elle ne voulait pas qu'il parte ; ils s'amusaient trop.

— Je ne peux pas, s'effondra-t-il. S'il te plaît, comprends-moi.

Ses accents de détresse la contraignirent à faire halte. Elle laissa tomber le pinceau qui atterrit sur la moquette et y déposa une tache rouge. Le visage d'Ivan exprimait une tristesse sans fond.

— Je t'ai aimée au premier regard et je t'aimerai toujours, Elizabeth.

La jeune femme sentit qu'il déposait un baiser sous son oreille gauche, un baiser si doux, si sensuel, qu'elle aurait souhaité qu'il s'éternise.

— Moi aussi je t'aime, soupira-t-elle.

Mais les meilleures choses ont une fin. Elle parcourut la pièce arrosée de peinture : Ivan s'était volatilisé.

Elizabeth ouvrit les yeux, surprise par sa propre voix. Venait-elle de déclarer « Je t'aime » ? Elle se redressa, encore K-O.

Pas âme qui vive dans la chambre. Elle était seule. Un nouveau jour se levait, timide ; l'aube éclairait la cime des montagnes. Elizabeth se recoucha, sombra dans un autre rêve.

40

Le dimanche matin, une semaine plus tard. Elizabeth, encore en pyjama, se traînait de pièce en pièce, désœuvrée. Elle se postait sur le seuil de chaque chambre, y promenait le regard, cherchait… quelque chose, sans savoir quoi exactement. Elle ne vit de solution nulle part et continua à déambuler au petit bonheur, jusqu'à ce qu'elle se retrouve dans le vestibule, une tasse de café à la main, irrésolue au possible. D'habitude, elle se montrait plus efficace et son cerveau fonctionnait à plein régime, mais ces derniers temps elle avait changé du tout au tout.

Pourtant elle ne pouvait guère s'offrir le luxe de flemmarder : la maison réclamait à grands cris son décapage quotidien et il restait à régler l'inconnue de l'aire de jeux à l'hôtel – une aire de jeux aux murs aussi tristes qu'au premier jour. Depuis peu, son professionnalisme et son talent désertaient Elizabeth. Elle se comportait comme une écolière qui refuse de faire ses devoirs et tourne le dos à ses cahiers – en l'occurrence, à son ordinateur portable. Tout était bon pour la distraire, la détourner du blocage qui avait frappé son génie créatif. Elle avait eu Vincent et Benjamin sur le dos toute la semaine, ses insomnies se prolongeaient pour la simple raison qu'aucune idée ne lui venait et son perfectionnisme lui interdisait de porter le premier coup de pinceau avant d'avoir élaboré un plan d'ensemble. Passer le relais à Poppy ? L'échec n'en serait que plus cuisant.

Elizabeth restait sans nouvelles d'Ivan depuis sa fête d'anniversaire. Pas un coup de fil, pas une lettre, rien. Son ami avait disparu de la surface de la terre, aurait-on dit, et la jeune femme ressentait une immense solitude mêlée de colère. Ivan lui manquait.

À sept heures du matin, des bruitages de dessin animé électrisaient déjà la salle de jeux. Elizabeth remonta le couloir et passa la tête par la porte.

— Je peux m'asseoir avec toi ?

Je vais être sage et tenir ma langue, promis juré, se retint-elle d'ajouter.

Luke parut surpris, puis accepta d'un petit signe. Vautré par terre, il se tordait le cou pour garder l'écran en ligne de mire. Sa tante préféra le silence à la critique et se blottit dans le pouf.

— Qu'est-ce que tu regardes ?

— *Bob l'Éponge*.

— Bob quoi ? s'étrangla-t-elle.

— *Bob l'Éponge*, répéta Luke.

— Ça raconte quoi ?

— Les histoires d'une éponge qui s'appelle Bob, ricana le chenapan.

— Et c'est bien ?

— Mmmm-mmmh, concéda Luke, du lait plein le menton, en engloutissant une cuillerée de Rice Krispies, mais cet épisode je l'ai déjà vu deux fois.

— Pourquoi tu le regardes, dans ce cas ? Tu pourrais aller jouer dehors, avec Sam. Tu as passé ton samedi entre quatre murs.

Le garçonnet ne répondit rien.

— D'ailleurs, où est Sam ? Il est parti en week-end ?

— On n'est plus copains.

— Ah bon ?

Elizabeth se releva et posa sa tasse par terre. Luke se contenta de hausser les épaules.

— Vous vous êtes disputés ?

Mimique de négation.

— Est-ce qu'il t'a fait de la peine ?

Idem.

— Tu l'as mis en colère ?

Rebelote.

— Alors raconte-moi ce qui s'est passé.

— Rien. Il m'a juste dit qu'il ne voulait plus être mon copain.

— Ce n'est pas très gentil de sa part. Tu veux que je discute avec lui, que je découvre le fin mot de l'histoire ?

Silence. Luke s'absorba dans le dessin animé et dans ses pensées.

— Je sais ce que ça fait de perdre un ami, déclara Elizabeth. Tu te rappelles mon copain Ivan ?

— À moi aussi c'était mon copain.

— En effet. Eh bien, il me manque. Je ne l'ai pas vu de toute la semaine.

— Oui, il est parti. Il m'a expliqué qu'il partait aider d'autres gens.

La jeune femme sentit la fureur l'envahir. Le goujat n'avait même pas eu la correction de lui dire au revoir.

— Quoi ? Quand ça ?

La stupéfaction qui se lut alors sur le visage de son neveu l'incita à l'interroger en prenant des pincettes. Elle avait tendance à oublier qu'il n'avait que six ans.

— Le même jour que quand il t'a dit au revoir, déclara Luke d'une voix stridente.

Il observa sa tante comme s'il lui était poussé une deuxième tête ; moins confuse, Elizabeth aurait éclaté de rire.

Sauf qu'elle n'avait pas la moindre envie de plaisanter. À la place, elle explosa :

— Hein ? De quoi tu parles ?

— Après la fête d'anniversaire il est venu à la maison pour m'expliquer qu'on n'avait plus besoin de lui, qu'il allait redevenir invisible comme avant mais qu'il serait toujours dans les parages et que ça signifiait qu'on allait bien, pépia Luke, fasciné par l'écran.

— Invisible, cracha Elizabeth.

— Ouais. C'est pas pour rien que les gens l'appellent l'ami invisible, beuh !

Sur ces bonnes paroles, Luke se frappa la tête et se tortilla par terre.

— Mais quelles bêtises t'a-t-il enfoncées dans le crâne ? grommela sa tante, déplorant la mauvaise influence d'Ivan. Et tu sais quand il revient ?

Luke baissa le volume du téléviseur et braqua sur elle un regard effaré.

— Jamais. Tu le sais déjà.

— Non, affirma Elizabeth.

Sa voix mourut dans sa gorge.

— Si. Je l'ai entendu dans ta chambre, il te l'a dit, déclara Luke.

La jeune femme se replongea dans cette nuit étrange, dans ce rêve qui la hantait en plein jour, un rêve obsédant, et se rendit compte, l'estomac noué, qu'elle n'avait pas rêvé du tout.

Elle avait perdu Ivan. Dans ses songes et dans la vraie vie, elle avait perdu l'homme qu'elle aimait.

41

— Elizabeth ! Quelle bonne surprise !

La mère de Sam ouvrit toute grande la porte et laissa entrer la visiteuse.

— Bonjour, Fiona.

Elizabeth se coula dans la maison de son amie. Celle-ci avait accepté de bon gré son idylle naissante avec Ivan. Les deux femmes n'avaient jamais eu l'occasion d'en discuter à bâtons rompus, mais Fiona se montrait aussi aimable que par le passé. Elizabeth, elle, s'estimait heureuse que leur amitié n'en ait pas souffert. En fait, elle se faisait principalement du souci pour le petit Sam.

— Je suis passée bavarder un moment avec Sam, si ça ne te dérange pas. Sans lui, Luke erre comme une âme en peine.

Fiona posa sur elle un regard attristé.

— Je sais. J'ai voulu intervenir et ça n'a rien donné. Peut-être que tu vas réussir à le convaincre.

— Il t'a exposé le problème ?

La maman de Sam eut un sourire en coin.

— C'est en rapport avec Ivan ? s'inquiéta Elizabeth.

Depuis le début, de crainte que Sam ne soit jaloux du temps qu'Ivan consacrait à Luke, elle l'avait invité le plus souvent possible à la maison afin qu'il ne se sente pas exclu de leurs activités.

— Oui, révéla Fiona, joviale. Les enfants sont marrants à cet âge, tu ne trouves pas ?

Sa remarque eut le don d'apaiser Elizabeth, soulagée d'apprendre après tout ce temps qu'Ivan et elle avaient sa bénédiction et que seul le comportement de Sam posait problème.

— Autant qu'il te l'explique lui-même, poursuivit Fiona en la guidant à travers la maison.

Elizabeth dut se défendre de chercher Ivan du regard. Elle était venue dans le but d'aider Luke, bien entendu, mais rien ne l'empêchait de faire d'une pierre deux coups : débusquer deux amis, cela valait mieux qu'un, et Ivan lui manquait terriblement.

Fiona ouvrit la porte de la salle de jeux et livra le passage à Elizabeth.

— Mon canard, la maman de Luke est là. Elle aimerait te parler.

La maman de Luke. Pour la première fois de sa vie, Elizabeth savoura les implications de cette formule.

Sam mit sa PlayStation de côté et leva ses grands yeux sombres vers elle. Fiona s'éclipsa discrètement.

— Bonjour, Sam. Je peux m'asseoir ? risqua Elizabeth.

Le garçonnet accepta, elle se posa donc au bord d'un canapé.

— Luke m'a dit que tu ne veux plus être son copain. C'est vrai ?

Sam confirma, avec une franchise totale.

— Tu veux bien m'expliquer pourquoi ?

Au terme d'une réflexion intense, il consentit à divulguer :

— Moi et lui, on n'aime pas jouer aux mêmes jeux.

— Est-ce que tu lui en as parlé ?

— Oui.

— Et qu'est-ce qu'il a répondu ?

Le petit parut décontenancé.

— Il est bizarre, Luke.

Elizabeth, émue, voulut immédiatement prendre la défense de son neveu. Elle opta pour une autre stratégie :

— Comment ça, bizarre ?

— Au début on rigolait bien et puis après ça m'a barbé et j'ai plus voulu y jouer, mais Luke si.

— Jouer à quoi ?

— Jouer avec son *ami invisible*, bouda Sam.

La jeune femme sentit ses paumes devenir moites.

— Mais son ami invisible n'est resté que quelques jours, et il y a des mois de ça.

Le garçonnet lança un coup d'œil inquiet à Elizabeth.

— Vous aussi vous avez joué avec lui.

— Pardon ?

— Ivan Trucmuche, grommela Sam. Ce stupide casse-pieds d'Ivan qui voulait seulement faire des pirouettes sur des fauteuils, se bagarrer dans la boue ou jouer à chat. Tous les jours Ivan par-ci, Ivan par-là, alors que moi – sa voix suraiguë déchira les tympans d'Elizabeth – j'arrivais même pas à le voir !

— Quoi ? Tu n'arrivais pas à le voir ? Tu peux être plus précis ?

Sam se creusa les méninges, en pure perte.

— Ben, j'arrivais pas à le voir, c'est tout.

— Pourtant, tu jouais en permanence avec lui.

— Oui, pour être avec Luke, mais j'en ai eu marre de faire semblant et Luke répétait qu'Ivan existait pour de vrai.

Elizabeth se frotta l'arête du nez.

— Je n'y comprends rien, Sam. Ivan est copain avec ta maman, non ?

Sam écarquilla les yeux.

— Euh, non.

— Non ?

— Non.

— Mais Ivan s'occupait de toi, et de Luke, bredouilla Elizabeth. Il allait te chercher à la maison, il te ramenait…

— J'ai le droit de rentrer tout seul, Mrs Egan. J'habite juste à côté.

— Et le… le…

Elizabeth se rappela soudain une situation marquante ; elle claqua des doigts, ce qui fit sursauter le garçon.

— … la bagarre dans le jardin, avec le tuyau d'arrosage, il y avait toi, moi, Luke et Ivan, tu t'en souviens quand même ? Tu t'en souviens ?

Sam pâlit, murmura :

— On n'était que tous les trois.

— HEIN ? s'étrangla Elizabeth.

Le garçon fondit en sanglots muets avant de trottiner vers la porte et d'appeler sa mère.

— Oh non, ne pleure pas, Sam, je ne voulais pas t'effrayer. Excuse-moi, mon cœur… et merde, se sermonna-t-elle en entendant Fiona calmer son fils.

Cette dernière apparut sur le seuil.

— Désolée, lança Elizabeth, penaude.

— Pas de problème. Il est très émotif.

— Je comprends. À propos d'Ivan… tu le connais, n'est-ce pas ?

Le cœur battant la chamade, Elizabeth se mit debout ; Fiona semblait désemparée.

— Qu'est-ce que tu veux dire par là ?

— Eh bien, il est déjà venu chez toi ?

— Ah oui, souvent en compagnie de Luke, il est même resté dîner plusieurs fois.

Sur ce, Fiona lui adressa un clin d'œil.

Son amie se tranquillisa, malgré tout un peu troublée. Comment interpréter ce clin d'œil ?

— Ouf, tu me rassures. Un instant j'ai cru que je perdais la boule.

— Allons bon, rit Fiona, ça nous arrive à tous. À deux ans Sam a traversé la même phase. Son copain à lui, il l'appelait Coco. Alors fais-moi confiance, je sais exactement ce que ça fait de tenir la portière dans le vide, de nourrir une bouche supplémentaire, de lui laisser une place à table. Ne te tracasse pas, tu as eu raison de rentrer dans son jeu.

Elizabeth commençait à avoir le tournis, mais Fiona était lancée.

— Quand on y pense, quel gaspi, pas vrai ? L'assiette reste pleine jusqu'à la fin du repas, intacte, et j'en sais quelque chose : je la surveillais de près ! Des hommes invisibles chez moi, brrr, merci bien !

Elizabeth s'agrippa à une chaise pour ne pas perdre l'équilibre. Un flot de bile lui monta à la gorge.

— Enfin, comme je te l'ai dit, à six ans il faut s'attendre à tout de leur part. Si tu veux mon opinion, cet Ivan ne va pas faire long feu ; il paraît qu'un ami invisible ça dure deux mois maximum. Il ne devrait pas tarder à disparaître… haut les cœurs.

Fiona se rapprocha de son auditrice, intriguée.

— Un problème ?

— De l'air, haleta Elizabeth. J'ai besoin d'air.

— Suis-moi, ordonna son amie en la reconduisant à la porte.

Elizabeth fonça dehors, avala l'air frais à pleins poumons et s'affaissa, le front courbé.

— Ça va mieux ? Tu veux que je t'apporte un verre d'eau ? s'enquit Fiona en lui massant les épaules.

— Non, merci, je vais tenir le coup.

Elizabeth remonta l'allée en vacillant sur ses jambes, sans même un au revoir à Fiona qui la suivit d'un regard songeur.

De retour à la maison, elle claqua la porte et s'écroula par terre, la tête entre les mains.

— Elizabeth, tu es malade ? s'affola Luke, pieds nus et en pyjama.

La jeune femme avait la gorge bloquée. Elle faisait défiler dans son esprit, sans relâche, les mois qui venaient de s'écouler, rejouait dans son esprit chaque souvenir, chaque conversation, chaque moment passé aux côtés d'Ivan. Qui se trouvait avec eux, qui les avait croisés, qui avait adressé la parole à son ami. Des gens les avaient forcément aperçus ensemble, Benjamin, Joe, les villageois. Ivan avait même conversé avec certains d'entre eux, elle s'en souvenait nettement. Elle était une femme responsable, saine d'esprit ; elle n'avait pu être le jouet de son imagination.

Livide, elle finit par se tourner vers Luke.

— Jynérimah, murmura-t-elle.

— Ouais, les syllabes sont mélangées, s'enthousiasma le gamin. Cool, hein ?

Elizabeth déchiffra l'énigme en un éclair.

Imaginaire.

42

— Allez, on accélère, s'exclama Elizabeth en martelant son klaxon.

Deux autocars manœuvraient avec mille précautions dans la rue principale. On était au mois de septembre ; la dernière vague de touristes transitait par Baile na gCroíthe. À la fin de l'été, la localité replongerait dans son immobilisme habituel, comme une salle des fêtes au lendemain d'un banquet : les villageois se chargeraient de faire le ménage et évoqueraient les moments marquants de la saison touristique.

Elizabeth s'acharna sur l'avertisseur. À l'arrière du véhicule qui lui barrait le passage, de nombreuses personnes se tournèrent vers elle et la fusillèrent du regard. Entre-temps la messe avait pris fin, les paroissiens avaient déboulé de l'église et s'étaient massés par petits groupes sur le trottoir, profitant de cette matinée radieuse pour s'attarder, bavarder et échanger les potins locaux. Eux aussi lui lancèrent des regards noirs mais peu lui importait, elle avait d'autres chats à fouetter : elle devait se rendre coûte que coûte chez Joe. Lui pouvait certifier qu'il l'avait vue en compagnie d'Ivan et mettre un terme à cette plaisanterie douteuse.

Vaincue par l'impatience, Elizabeth abandonna sa voiture au beau milieu de la rue, piqua un sprint et débarqua, hors d'haleine, au café.

— Joe ! s'écria-t-elle d'une voix où perçait la panique.

— Ah, vous voilà, vous tombez pile ! déclara Joe en sortant de la cuisine. Venez donc jeter un œil à ma dernière acquisition. Un petit bijou…

— Pas maintenant, souffla Elizabeth. Pas le temps. J'ai juste une question à vous poser, si vous voulez bien. Je suis venue ici à plusieurs reprises avec un homme, vous vous souvenez ?

Joe leva les yeux au plafond, se donnant de l'importance ; la jeune femme retint sa respiration.

— Oui, je m'en souviens.

— Dieu merci !

Elizabeth poussa un soupir de soulagement avant d'éclater d'un rire hystérique.

— Bon, maintenant ouvrez grand vos mirettes et admirez… une machine à café flambant neuve qui prépare des zespressos, des cappuccinos et tout le tralala.

Joe s'empara d'une tasse à espresso.

— Drôlement radins, je trouve. C'est pas avec ça qu'on va se rincer le gosier.

Deux bonnes nouvelles en moins de cinq minutes ! Elizabeth était tellement heureuse qu'elle aurait pu sauter sur Joe et le couvrir de baisers.

— Et il est passé où, ce type ? demanda Joe en feuilletant le manuel à la recherche de la rubrique « Confectionner un espresso ».

— Aucune idée, à vrai dire.

— Il est retourné en Amérique, non ? Logique : aux dernières nouvelles il habitait à New York. Cette ville, y en a qui l'appellent la Grosse Pomme. J'ai vu une émission à la télé et, si vous voulez mon avis, ça ressemble autant à une pomme que moi à la reine d'Angleterre.

Le cœur d'Elizabeth s'emballa.

— Non, Joe, il ne s'agit pas de Benjamin. Vous confondez.

— Le gars avec qui vous êtes venue ici deux ou trois fois, affirma Joe.

— Non, pas avec lui, enfin si. Mais là je parle de l'autre, un certain Ivan. I-van, articula sa cliente.

Joe grimaça, secoua la tête.

— Ivan ? Ça m'dit rien.

— Mais si, s'énerva Elizabeth.

— Écoutez, déclara le cafetier en envoyant valser le mode d'emploi, dans ce patelin y a rien qui m'échappe, alors si je connaissais un Ivan, de vue ou de réputation, je vous le dirais illico presto.

276

— Joe, réfléchissez bien, plaida la jeune femme. Le jour où j'ai arrosé le trottoir de café. Ivan était là, avec moi.

— Ah! Un des touristes allemands!

— Non! s'écria Elizabeth, au comble de la frustration.

— Dites-moi d'où il vient, alors? s'enquit Joe de manière à la calmer.

— J'en sais rien.

— Son nom de famille, peut-être?

— Je… j'en sais rien non plus, avoua-t-elle, une boule dans la gorge.

— Bon, comment voulez-vous que je vous aide si vous n'en savez pas plus que moi? Faut pas me demander de miracles. Moi, tout ce dont je me souviens, c'est que vous vous trémoussiez toute seule dans votre coin comme une cinglée. Je me demande encore ce qui vous est passé par la tête ce jour-là.

Elizabeth eut soudain une idée. Elle récupéra les clefs de sa voiture sur le comptoir et décampa.

— Et votre zespresso? s'émut Joe.

— Benjamin! s'écria Elizabeth.

Elle claqua la portière et se précipita vers son ami en faisant crisser le gravier sous ses pas. Au sommet de la colline, le vent soufflait fort. Le chef de projet se tenait parmi un groupe compact d'ouvriers ; tous examinaient des plans étalés sur une table et, à l'arrivée de la jeune femme, levèrent la tête en même temps.

— Je peux te parler une minute? demanda-t-elle, hors d'haleine et dépeignée.

— Bien sûr.

Benjamin se détacha du cercle et la conduisit à l'écart des oreilles indiscrètes.

— Tout va bien, j'espère?

— Oui, enfin je crois. Je voulais juste te poser une question, si tu n'y vois pas d'inconvénient.

Le jeune homme se raidit.

— Tu as rencontré mon ami Ivan, dis-moi? l'interrogea-t-elle de but en blanc.

Benjamin ajusta son casque de chantier, scruta son visage, attendit qu'elle éclate de rire ou qu'elle avoue la plaisanterie. Par malheur, nulle étincelle ne vint éclairer son regard assombri par l'angoisse.

— Tu te paies ma tête ?

Elle démentit, sourcils froncés.

— Elizabeth, je ne comprends pas ce que tu attends de moi, hasarda Benjamin.

— La vérité, se hâta-t-elle de préciser. J'attends la vérité. Enfin, je préférerais que tu confirmes l'avoir croisé, à la condition que tu ne dises pas ça pour me faire plaisir.

Son ami l'examina encore et finit par nier gravement.

— Non ?

— Non.

Au bord des larmes, Elizabeth détourna immédiatement le regard. Benjamin, un peu interdit, voulut poser la main sur son bras, mais elle s'écarta.

— Désolé. Je pensais que c'était un canular que tu avais monté de toutes pièces.

— Tu ne l'as pas vu lors de la réunion avec Vincent ?

— Non.

— Au barbecue la semaine dernière ?

— Non plus.

— Dans la rue, quand on s'est baladés ensemble ? Dans la salle de jeux, le jour où tu es tombé sur ce… ce message inscrit au mur ? énuméra Elizabeth d'une voix vibrante, tenaillée par l'émotion.

— Désolé, mais non, répéta Benjamin avec sa gentillesse coutumière.

Il faisait tout son possible pour cacher sa confusion. Elizabeth lui tourna le dos et s'absorba dans le paysage. De son poste, elle avait une vue imprenable sur l'océan, le chapelet de montagnes et la coquette bourgade nichée au creux des collines. Elle laissa s'écouler quelques secondes avant de prendre la parole :

— Il m'a semblé si réel, Benjamin.

Le jeune homme se retrouva à court de mots.

— Tu as déjà vécu cette sensation, quand tu perçois une présence à tes côtés ? Et même si tu es le seul à y croire, tu sais qu'elle te protège ?

Benjamin pesa un instant cette confidence et fit signe à Elizabeth, qui ne le regardait pourtant pas, qu'il comprenait. Gêné, il donna des coups de pied au hasard dans le gravier.

— Mon grand-père et moi, on était très proches. Après sa mort, de temps à autre, je l'ai senti près de moi, même si personne dans ma famille ne l'admettait. Tu le connaissais bien, cet Ivan ?

— Lui me connaissait mieux, rétorqua Elizabeth dans un petit rire.

Elle renifla, s'essuya les yeux.

— Alors il existait vraiment ? Il est mort ?

— C'est juste que j'y croyais tellement… il m'a beaucoup aidée ces derniers mois.

La jeune femme détailla le paysage un long moment. Une larme coula sur sa joue.

— Dire qu'avant je détestais ce village. Je détestais chaque colline, chaque brin d'herbe. Ivan m'a ouvert les yeux. Il m'a appris que je ne dois pas dépendre de cet endroit pour atteindre le bonheur. Ce n'est pas la faute de Baile na gCroíthe si je m'y sens mal. Peu importe où on habite, où on se situe dans l'univers ; ce qui compte, c'est l'autre monde – Elizabeth frôla sa tempe du doigt –, celui des rêves, de l'espoir, de l'imagination et des souvenirs. Dans ce monde-là, je suis heureuse…

La jeune femme ébaucha un sourire et désigna la vallée d'un geste ample.

— … et cela me rend heureuse ici-bas.

Fermant les yeux, elle laissa le vent sécher ses larmes. Lorsqu'elle fit face à Benjamin, ses traits s'étaient rassérénés.

— Je me suis dit que ça pourrait t'intéresser, ajouta-t-elle.

Puis, à pas de loup, elle regagna sa voiture.

Adossé aux ruines de la tour médiévale, Benjamin la regarda s'éloigner. Il ne connaissait pas Elizabeth aussi bien qu'il l'aurait souhaité, mais il se doutait qu'elle s'était livrée à lui plus qu'à n'importe qui d'autre. Il avait d'ailleurs fait de même. Leurs conversations cartes sur table avaient prouvé qu'ils se ressemblaient énormément. Benjamin avait vu son amie, l'irrésolue, grandir, changer, trouver ses marques. Il contempla le paysage qui avait si longtemps captivé Elizabeth et, pour la première fois en un an, le saisit dans toute sa splendeur.

Au beau milieu de la nuit, Elizabeth se redressa dans son lit, complètement éveillée. Elle inspecta la chambre, vérifia l'heure – quatre heures moins le quart – et déclara d'une voix ferme et résolue :

— Allez tous au diable, moi j'y crois.

Sur ce, elle rejeta les couvertures et sauta hors des draps. Elle pouvait presque entendre Ivan hurler de rire, enchanté.

43

— Bon sang, qu'est-ce qu'elle fiche ? siffla Vincent Taylor, furieux.

Benjamin et lui s'étaient postés à l'écart de la foule massée pour l'ouverture de l'hôtel.

— Elle n'a pas quitté la salle de jeux, soupira le chef de projet.

La tension de la semaine précédente s'était abattue comme un mur de briques sur les épaules endolories du jeune homme.

— QUOI ? s'écria l'entrepreneur.

Quelques personnes attentives au discours prononcé sur l'estrade se retournèrent, dérangées par cette interruption. Le député de Baile na gCroíthe était venu inaugurer l'établissement, ce qui donnait lieu à une enfilade de laïus officiels. Le cortège de curieux n'allait pas tarder à se déverser dans les couloirs de l'hôtel afin d'admirer les chambres et les deux hommes ignoraient ce que tramait Elizabeth. La dernière fois qu'ils l'avaient vue, quatre jours plus tôt, les murs de l'aire de jeux étaient encore bruts.

En quatre jours, Elizabeth n'était pas sortie une seule fois de cette pièce. Benjamin lui avait apporté des boissons et des en-cas glanés dans un distributeur et elle les lui avait arrachés des mains avant de lui claquer la porte au nez. Il n'avait aucune idée de ce qu'elle mijotait et avait passé une semaine infernale à tenter de calmer un Vincent en proie à la panique. L'« excentricité » d'Elizabeth, l'artiste qui parlait à des créatures invisibles, avait perdu tout son attrait auprès du responsable : comme il ne lui était jamais arrivé de présenter au public un hôtel encore en travaux, il jugeait cette situation ridicule et indigne d'un professionnel.

La fin des discours fut reçue par des applaudissements polis. Une fois à l'intérieur, les gens inspectèrent en file indienne le mobilier, la décoration, et inhalèrent l'odeur de peinture fraîche en se laissant conduire à travers les couloirs.

Les pièces défilaient, la salle de jeux approchait et Vincent poussait juron sur juron, malgré les regards noirs que lui lançaient les parents. Benjamin endurait le suspense avec difficulté et tournait comme un lion en cage. Il reconnut parmi les visiteurs le père d'Elizabeth, visiblement mort d'ennui, et le petit Luke accompagné de sa nounou ; il se prit à espérer qu'Elizabeth se montrerait à la hauteur de leurs attentes. À en juger par leur dernière conversation, il l'en savait capable. En tout cas il croisait les doigts : il avait prévu de rentrer au Colorado la semaine suivante et n'admettrait aucun retard sur le chantier. Pour une fois, sa vie privée passerait avant le travail.

— Très bien, les enfants, proclama la guide d'une voix comique, la pièce suivante est une pièce trrrès trrrès spéciale, rien que pour vous, donc je vais demander aux mamans et aux papas de reculer pour vous laisser entrer en premier.

L'annonce fut accueillie par des exclamations, des petits rires surexcités et des chuchotis. Les bambins lâchèrent la main de leurs parents, certains craintivement, d'autres avec une audace qui les encouragea à se placer devant tout le monde. La guide tourna la poignée de la porte. Qui resta obstinément fermée.

— Je ne veux pas voir ça, marmonna Vincent en se couvrant les yeux. On est foutus.

— Euh… un petit instant.

Du regard, la femme interrogea Benjamin, qui se contenta de hausser les épaules, aussi perdu qu'elle. Nouvelle tentative de débloquer la poignée… nouvel échec.

— Peut-être que tu devrais toquer, madame, trompeta un enfant – ce qui provoqua l'hilarité des adultes.

— Vous savez quoi, c'est une excellente idée, concéda la guide, catastrophée.

Elle frappa une fois à la porte et celle-ci s'ouvrit soudain de l'intérieur. Les enfants entrèrent à la queue leu leu dans la salle.

Il régnait un grand silence qui ne présageait rien de bon. Benjamin se prit la tête entre les mains.

Tout à coup, un garçon poussa un cri admiratif et, peu à peu, murmures stupéfaits et commentaires à mi-voix laissèrent la place à des piaillements enthousiastes.

— Ouah !

— Regardez ça !

— Et là, c'est trop chouette !

La petite troupe ne savait où poser les yeux. Les parents rejoignirent leurs rejetons à l'intérieur et, à la grande surprise de Vincent et de Benjamin, firent bruyamment chorus. Plantée sur le seuil, Poppy se dévissait la nuque, bouche bée.

— Dégagez le passage, exigea Vincent en jouant des coudes.

Benjamin lui emboîta le pas et ce qu'il vit alors lui coupa le souffle. Les murs étaient habillés de gigantesques trompe-l'œil qui présentaient quatre scènes différentes en un feu d'artifice de couleurs. L'une d'elles en particulier lui rappela des souvenirs : trois personnes gambadaient dans un pré verdoyant, cheveux au vent, la mine épanouie, les bras tendus pour attraper...

— Des dents-de-lion ! s'écria Luke.

On aurait dit que ses yeux allaient lui sortir de la tête ; il était dans le même état d'excitation que les autres enfants. Chacun dans leur coin, ils s'émerveillaient du détail des fresques.

— Mais c'est Ivan ! Je le reconnais ! glapit le blondinet à l'adresse de sa tante.

Abasourdi, Benjamin pivota vers Elizabeth à l'affût dans un coin, vêtue d'une salopette en jean qui avait connu des jours meilleurs. En dépit de sa fatigue évidente et de ses cernes, elle rayonnait de plaisir, à l'écoute des réactions de ses petits spectateurs. Son regard exprimait une fierté indicible.

— Elizabeth ! chuchota Édith, impressionnée. C'est vous qui avez fait tout ça ?

Sur les fresques figurait un lâcher de ballons roses ; une fillette et une vache coiffée d'un chapeau de paille pique-niquaient dans un pré ; des enfants s'aspergeaient avec un tuyau d'arrosage, s'éclaboussaient de peinture, plusieurs dansaient la farandole sur une plage, d'autres encore grimpaient à un arbre et se suspendaient aux branches. Au fond, Elizabeth avait peint un homme et un garçon qu'elle avait gratifiés de moustaches noir de jais. Les détectives en herbe étudiaient, à l'aide d'une loupe, des empreintes de pas qui traversaient la pièce de long en large. Le plafond, qu'elle avait revêtu d'un bleu profond, fourmillait d'étoiles filantes, de météorites et de planètes. Elle avait créé un nouveau monde, un monde féerique et miraculeux, mais ce fut la joie qui irradiait des personnages et leur sourire confiant qui sautèrent aux yeux de Benjamin. Cette joie intense, il l'avait déjà observée, à plusieurs reprises, sur d'autres visages – sur le visage d'Elizabeth pour être précis, quand elle dansait dans le champ de pissenlits ou quand elle parcourait le village, des algues piquées dans ses cheveux. La joie d'une personne libre, pleinement heureuse.

Elisabeth regardait une fillette s'amuser avec l'un des nombreux jouets éparpillés par terre. Elle s'apprêtait à se pencher vers elle et lui adresser la parole quand elle remarqua que la petite dialoguait avec elle-même. Elle menait d'ailleurs une discussion très sérieuse et se présentait à un interlocuteur invisible.

La jeune femme promena son regard autour d'elle, prit une profonde inspiration et associa Ivan à ses pensées.

— Merci, murmura-t-elle les yeux fermés, se l'imaginant à ses côtés.

La petite fille continuait à papoter toute seule. Elle marquait des pauses, semblait même répondre à des questions. À un moment elle se mit à fredonner une mélodie, ce refrain entêtant qu'Ivan avait composé.

Elizabeth ne put s'empêcher d'éclater de rire.

Les larmes aux yeux, je me tenais au fond de la pièce ; j'avais un nœud dans la gorge, un nœud si serré que j'avais l'impression d'avoir perdu la parole à tout jamais. Je contemplais les murs, l'album photos de ce que j'avais accompli avec Luke et Elizabeth les mois précédents. On aurait dit qu'un artiste nous avait observés de loin et avait peint un portrait confondant de ressemblance.

À la vue de ces regards, de ces visages radieux, j'ai su qu'Elizabeth avait compris mon message et qu'elle ne m'oublierait pas de sitôt. Alignés le long du mur, mes amis m'ont rejoint afin de m'apporter leur soutien en cette journée particulière.

Opale a posé la main sur mon épaule et m'a réconforté :

— Je suis très fière de toi, Ivan.

Elle m'a planté une bise sonore sur la joue, qu'elle a ornée d'une empreinte mauve.

— Tu peux compter sur nous. On se serrera toujours les coudes.

— Merci, Opale, je sais, ai-je répondu, un peu sonné.

J'ai regardé sur ma droite Calendula, Olivia, Tommy qui semblait fasciné par les fresques, Jamie-Lynn accroupie à côté d'une petite fille et Bobby, joyeux comme à son habitude. Tous m'ont encouragé d'un geste et j'ai compris que ces amis fidèles préféreraient braver mille morts que de m'abandonner à ma solitude.

Ami invisible, ami imaginaire… appelez-nous comme ça vous chante. Peut-être que vous croyez en nous, peut-être pas. En fait, ça n'a aucune importance. Comme la plupart des gens qui se dévouent corps et âme aux autres, notre but n'est pas de faire la une des magazines ni de recevoir des éloges mais de venir en aide à ceux qui ont besoin de nous. Et peut-être qu'en effet, nous n'existons que dans leur imagination.

Pourtant… s'il restait une autre explication, une possibilité qui vous a échappé tout au long de mon récit ? Et si nous n'avions d'imaginaire que le nom ? Ça vous couperait bras et jambes, pas vrai ?

Moi, je suis un incurable optimiste. Je garde le sourire en toutes circonstances mais, pour parler franchement – et rien n'est plus précieux que la franchise –, j'ai été bien en peine de comprendre ce que j'avais gagné dans cette affaire : je l'avoue volontiers, me séparer de mon amie, c'était comme un gros nuage noir au-dessus de ma tête. Puis au fil des jours, alors que je pensais sans cesse à elle, il m'est apparu que la rencontrer, apprendre à la connaître et, surtout, l'aimer comme je l'ai aimée, c'était le plus beau cadeau que la vie ait pu m'offrir.

La pizza, les olives, les vendredis, les fauteuils pivotants, rien ne soutenait la comparaison. Et même aujourd'hui, alors qu'elle n'est plus de ce monde (que cela ne sorte pas de ces pages, hein), entre tous mes amis Elizabeth Egan reste ma préférée. De loin. De très loin.

REMERCIEMENTS

Merci du fond du cœur à ma famille, à Mimmie, à Papa, à Georgina et à Nicky, pour tout, de A à Z – impossible de dresser la liste. Merci à David qui, en plus de préparer le meilleur café au monde, a veillé sur moi et a cru farouchement en ce livre. Un grand merci à Marianne, mon agent chez machin-chose, qui n'a pas ménagé ses encouragements, ses petits gâteaux, son thé et ses conseils ; merci à Pat et à Vicki, de l'agence truc-muche, pour s'être occupées de vous-savez-quoi.

Merci à Lynne, à Maxine et à toute l'équipe de Harper-Collins pour votre confiance inébranlable et votre travail acharné.

À mes lecteurs, nouveaux venus ou fidèles au poste : j'espère que ce livre vous procurera autant de plaisir qu'il m'en a procuré. L'écrire a été un bonheur de tous les instants.

Et, comment l'oublier, merci à Ivan qui a travaillé jusqu'à pas d'heure avec moi, dans mon bureau. Tu penses qu'on va nous croire ?

Bang on a Can
" Lost Objects" Lyon 23.4.13

___

Vladimir Ivanov - Sarabande
Andras Passion (of Bach)
                    Lyon 1. 5. 13

___

Brahms. Serenade No. 1 op. 11

8666

Composition
CHESTEROC

Achevé d'imprimer en Slovaquie
par NOVOPRINT SLK
le 15 avril 2011.

1er dépôt légal dans la collection : avril 2008.
EAN 9782290006504

ÉDITIONS J'AI LU
87, quai Panhard-et-Levassor, 75013 Paris

Diffusion France et étranger : Flammarion